RH
de dentro para fora

Os autores

DAVE ULRICH é professor na Ross School of Business, University of Michigan, sócio do RBL Group e Diretor Executivo do RBL Institute. Publicou mais de 200 artigos e 23 livros.

JON YOUNGER é sócio do RBL Group e lidera as práticas estratégicas de RH da empresa. É diretor do RBL Institute, autor de quatro livros e presta consultoria na América do Norte, Europa e Ásia.

WAYNE BROCKBANK é professor na Ross School of Business da University of Michigan e sócio emérito do RBL Consulting Group.

MIKE ULRICH é estudante de doutorado na Moore School of Business, University of South Carolina, com experiência em métodos de pesquisa e análise estatística.

R468	RH de dentro para fora : seis competências para o futuro da área de recursos humanos / Dave Ulrich ... [et al.] ; tradução: Heloisa Corrêa da Fontoura. – Porto Alegre : Bookman, 2013. vi, 306 p. : il. ; 23 cm. ISBN 978-85-8260-083-2 1. Administração. 2. Gestão de pessoas. 3. Liderança. I. Ulrich, Dave. CDU 658.3

Catalogação na publicação: Ana Paula M. Magnus – CRB 10/2052

DAVE ULRICH JON YOUNGER
WAYNE BROCKBANK
MIKE ULRICH

**SEIS COMPETÊNCIAS PARA
O FUTURO
DA ÁREA DE RECURSOS HUMANOS**

RH
de dentro para fora

Tradução:
Heloisa Corrêa da Fontoura

2013

Obra originalmente publicada sob o título
HR from the Outside In: Six Competencies for the Future of Human Resources, 1st Edition
ISBN 0071802665 / 9780071802666

Original Edition copyrigh © 2012, The McGraw-Hill Companies, Inc., New York, New York 10020, USA.

Gerente editorial: *Arysinha Jacques Affonso*

Colaboraram nesta edição:

Capa: *Rosana Pozzobon*

Editoração: *Techbooks*

Reservados todos os direitos de publicação, em língua portuguesa, à
BOOKMAN EDITORA LTDA., uma empresa do GRUPO A EDUCAÇÃO S.A.
Av. Jerônimo de Ornelas, 670 – Santana
90040-340 – Porto Alegre – RS
Fone: (51) 3027-7000   Fax: (51) 3027-7070

É proibida a duplicação ou reprodução deste volume, no todo ou em parte, sob quaisquer formas ou por quaisquer meios (eletrônico, mecânico, gravação, fotocópia, distribuição na Web e outros), sem permissão expressa da Editora.

Unidade São Paulo
Av. Embaixador Macedo Soares, 10.735 – Pavilhão 5 – Cond. Espace Center
Vila Anastácio – 05095-035 – São Paulo – SP
Fone: (11) 3665-1100   Fax: (11) 3667-1333

SAC 0800 703-3444 – www.grupoa.com.br

IMPRESSO NO BRASIL
PRINTED IN BRAZIL
Impresso sob demanda na Meta Brasil a pedido de Grupo A Educação.

Sumário

	Introdução	1
Capítulo 1	A nova geração de RH	7
Capítulo 2	Abordagem e descobertas	27
Capítulo 3	Posicionador estratégico	59
Capítulo 4	O ativista confiável	81
Capítulo 5	Construtor de capacitações	103
Capítulo 6	Campeão de mudanças	125
Capítulo 7	Inovação e integração no RH	149
Capítulo 8	Proponente de tecnologia	173
Capítulo 9	Desenvolvendo-se como um profissional de RH	193
Capítulo 10	O departamento de RH eficiente	215
Capítulo 11	O que é isso? E então? E agora?	237
Apêndice A	Como os profissionais de RH podem desenvolver suas competências	249
Apêndice B	Autoavaliação de competência do HRCS	261
Apêndice C	Apoio ao desenvolvimento: Opções de estudo de RH	269
	Notas	277
	Índice	291

Introdução

Por que escrevemos este livro? Coletivamente acumulamos mais de duzentos anos observando, bajulando, admirando, incentivando e desafiando a profissão de recursos humanos (RH). Nesse tempo, compartilhamos frustrações de líderes de RH quando as oportunidades não foram totalmente reconhecidas ou alavancadas, e compartilhamos satisfação quando profissionais de RH e líderes contam histórias de como foi reconhecido ou percebido o potencial para entrega de valor real. Nos bons e nos maus tempos concluímos que os assuntos de RH estão no centro do sucesso organizacional sustentável. A pesquisa confirma o que sabemos intuitivamente: práticas alinhadas, inovadoras e integradas fazem uma enorme diferença no desempenho individual ou organizacional.

Desde 1987, estudamos sistematicamente as competências que os profissionais de RH usam para contribuir com sua própria eficiência e para o sucesso do negócio. Ao rastrear e moldar a profissão de RH, esperamos articular e melhorar a capacidade do RH de cumprir seu potencial e suas promessas. Este livro resume a sexta rodada de nosso projeto de pesquisas de 25 anos, mas vai além dos dados para propor o que está por vir na profissão de RH. É um dos dois volumes que descreve as descobertas atuais. No segundo livro, também publicado pela McGraw-Hill, detalhamos os resultados de nossa pesquisa de competência de RH em diferentes regiões do mundo.

A quem se destina este livro

Neste livro, mostramos teoria, pesquisa e prática para ajudar os profissionais de RH e departamentos de RH a responder três perguntas:

1. O que os profissionais de RH deveriam ser, saber e fazer para serem vistos como eficientes pessoalmente?
2. O que os profissionais de RH deveriam ser, saber e fazer para melhorar o sucesso do negócio?
3. No que os departamentos de RH deveriam concentrar para melhorar o desempenho do negócio?

Os profissionais de RH devem aprender e dominar proficiências e habilidades para assegurar que estão preparados para o futuro. Quando demonstram as competências certas, são vistos como pessoalmente eficientes e como verdadeiros parceiros para conduzir o sucesso do negócio. Os departamentos de RH também devem ter visão correta e controle para distribuir sucesso do negócio.

Este livro se destina aos profissionais de RH e a pessoas em posição de liderança – uma população conservadoramente estimada em mais de 1 milhão de pessoas e em crescimento. Se somarmos a esse número os consultores que operam no espaço de capital humano, ele cresce substancialmente. Dentro deste amplo grupo profissional, oferecemos informações feitas sob medida para as necessidades de muitos grupos, como por exemplo:

- Os diretores de RH responsáveis por liderar seus departamentos aprenderão a fazer investimentos, direcionados tanto nas pessoas quando nas estruturas organizacionais do RH, para melhorar a eficiência pessoal e o sucesso do negócio.
- Os profissionais de RH prioritariamente responsáveis pela qualidade e pelo desempenho dos profissionais de RH aprenderão a definir as expectativas de desempenho e investir adequadamente no desenvolvimento.
- Os generalistas de RH que trabalham como *coaches*, facilitadores de equipe e arquitetos da organização aprenderão a ser colaboradores valiosos ao dominar e aplicar as ferramentas propostas.
- Os especialistas de RH com grande *expertise* técnica irão aprender a garantir que sua *expertise* técnica seja usada e útil.
- Os alunos e os outros que antecipam uma carreira no RH irão aprender o que devem ser, saber e fazer ao entrarem na área.
- Os gerentes de área que são os responsáveis por alavancar totalmente o talento, a cultura e as práticas de liderança na empresa irão aprender o que devem esperar dos seus profissionais de RH. Terão padrões globais com os quais irão julgar suas experiências com o RH.
- Os conselheiros da profissão aprenderão o que custa para ser um profissional de RH eficiente ou como criar um departamento de RH eficiente. Estes *insights* devem corroborar os conselhos dados.
- Os pesquisadores na área de RH vão ver a maneira de não apenas coletar dados globais e longitudinais do RH, mas de aplicar esses dados para melhorar o RH.

Esboço do livro

Este livro responde às três perguntas acima sobre o que os profissionais e departamentos de RH precisam conhecer e fazer. Começa com uma análise de nossa pesquisa e depois compartilha as implicações da pesquisa com os profissionais e os departamentos de RH. Seguem-se a isso sugestões para o desenvolvimento de profissionais de RH e departamentos de RH.

O Capítulo 1 apresenta o contexto para o RH. Definimos a história do trabalho do RH em ondas e descrevemos a próxima onda, o que chamamos de "RH de fora para dentro". Lembramos que quando os profissionais e os departamentos de RH reconhecem e reagem às tendências externas e paradoxos subsequentes, criam valor ao conectar as ações internas com as expectativas externas.

O Capítulo 2 traça a evolução do conceito de competência para os profissionais de RH baseado em nossos 25 anos de pesquisa. Este capítulo compartilha a metodologia que distingue nossa pesquisa de qualquer outra abordagem para identificar as competências necessárias aos profissionais de RH para influenciar a eficácia de desempenho percebida e o sucesso de seus negócios.

Os Capítulos 3 a 8 apresentam *insights* específicos nas seis áreas de competência do RH que, atualmente, definem a eficiência profissional do RH e os ajuda a alcançar o sucesso do negócio. Para cada uma das seis áreas de competência, analisamos nossas descobertas da pesquisa, relatamos estudos de caso daqueles que demonstram competência, e oferecemos ferramentas para avaliar e melhorar cada competência.

O Capítulo 3 faz um relato sobre um posicionador estratégico, a área de competência que descreve a eficiência dos profissionais de RH ao transformar *insights* de demanda e expectativas externas em práticas de RH inovadoras e alinhadas que provocam o desenvolvimento de capacitações organizacionais.

O Capítulo 4 analisa o ativista confiável, que cria confiança nas pessoas por meio de resultados de negócios e de relacionamentos fortes e favoráveis.

O Capítulo 5 examina o papel do criador de capacitações, que define, audita e investe na capacidade da organização de fazer o que é necessário em seu ambiente atual.

O Capítulo 6 trata das ferramentas para iniciar e sustentar as mudanças como um campeão de mudanças.

O Capítulo 7 estabelece formas com as quais o eficiente inovador e integrador de RH converte as iniciativas de RH em processos impactantes, alinhados e sustentáveis.

O Capítulo 8 examina a competência do proponente de tecnologia, um novo *insight* que enfoca a maneira como os principais profissionais de RH usam a informação e novas formas de reuni-las para atender às exigências administrativas e estratégicas.

No Capítulo 9, analisamos maneiras de tornar-se um profissional de RH mais eficiente e apoiar o desenvolvimento do profissionalismo do RH, baseado no trabalho com centenas de organizações e milhares de profissionais de RH.

O Capítulo 10 relata nossas descobertas na criação e gestão de um eficiente departamento de RH. Essas descobertas destacam onde os líderes de RH devem concentrar seus escassos recursos e atenção para certificar-se que seus departamentos de RH distribuem valor de negócio.

Finalmente, no Capítulo 11, oferecemos uma visão geral das implicações de nossas conclusões para a área de RH, agora e no futuro.

A quem devemos agradecer

Este trabalho específico foi montado ao longo de duas décadas e meia de pesquisa e experiência, por isso temos que agradecer a muitas pessoas. Colegas da Universidade de Michigan ou associados a programas de executivos de RH da Universidade de Michigan foram patrocinadores e parceiros competentes nesta rodada de pesquisa, em especial Madeleine Barnett, Graham Mercer, M.S. Naraygan, C.K. Prahalad e as centenas de participantes de nossos programas executivos de RH.

- Tivemos maravilhosos parceiros globais neste estudo, incluindo:
- Australia (AHRI): Anne-Marie Dolan, Dana Grgas e Peter Wilson.
- China (51Job): Rick Yan, Wang Tao, Kathleen Chien e Cylen Liu.
- India (NRHD): Dhananjay Singh, Jasmine Sayeed, Mohit Gandhi, N.S. Rajan e Pankaj Bansal.
- America Latina (IAE): Alejandro Sioli e Michel Hermans.
- Oriente Médio (ASHRM): Fouzi Bubshait e Andrew Cox.
- Norte da Europa (HR Norge): Even Bolstad, Havard Bertzen e Professor Christine Cleemann, Copenhagen Business School. Agradecemos também a Martin Farrelly e Fergus Barry da Irlanda por sua ajuda.
- Turquia (SCP): Pelin Urgancilar.
- Africa (IMP): Elijah Litheko e Ruth Kwalands.

- América do Norte: Patty Woolcock, Fred Foulkes, Ken Shelton, Richard Vosburgh, Tom Nicholson, Kary Taylor, Dan Stotz e Heather Evans.

Também contamos com importantes *insights* de Ron Bendersky, Connie James, Dave Forman, Dani Johnson, Dale Lake. Kurt Sandholtz, Alejandro Sioli, David Yakonich, Arthur Yeung e Aaron Younger.

Nossas ideias sobre RH são desenvolvidas por parceiros competentes que continuam a nos ensinar muito mais do que ensinamos a eles, incluindo John Boudreau, Frank Cespedes, Ralph Christensen, Bob Eichinger, Tammy Erickson, Jac Fitz-enz, Fred Foulkes, Marshall Goldsmith, Lynda Gratton, Gary Hamel, Gordon Hewitt, Mark Huselid, Steve Kerr, Ed Lawler, Mike Losey. David Maister, Paul McKinnon, Sue Meisinger, Jeff Pfeffer, Bonner Ritchie, Libby Sartain, Ed Schein, Bob Sutton, Charlie Tharp, Paul Thompson, Pat Wright e Ian Ziskin.

E todos os amigos, colegas e parceiros que mencionamos até agora são ainda excedidos pelos muitos excelentes profissionais de RH com os quais temos trabalhado – em todos os níveis e em todos os três setores – os quais estão reinventando a área e com quem aprendemos os *insights* que compartilhamos aqui. Valorizamos muito todos vocês e não podemos correr o risco de perder qualquer um de vocês!

Temos uma dívida com Hilary Powers por sua extraordinária assessoria na cópia da edição e com Knox Huston, nosso editor da McGraw-Hill, por ajudar-nos a materializar este livro.

Também agradecemos nossos diversos sócios do RBL Group, com quem continuamente aprendemos e crescemos como consultores, escritores e educadores. Norm Smallwood, em especial, é um sócio devotado, alegre e competente. Recebemos também uma ajuda valiosa dos colegas do RBL Group Kaylene Allsop, Justin Britton, Erin Burns, Joe Grochowski, Sally Jensen, Jayne Pauga e Elisa Visick.

Finalmente, agradecemos às nossas famílias que nos apoiam e incentivam a continuar com nosso trabalho, e principalmente nossas esposas Wendy, Carolyn, Nancy e Melanie.

Capítulo 1

A nova geração de RH

"Conte-nos sobre seu negócio".

É dessa maneira que gostamos de começar quando sentamos para trabalhar com os executivos de RH. Acreditamos que seja um teste decisivo para avaliar o estado atual do RH em uma empresa.

A maioria das respostas começa com a discussão dos últimos desafios ou inovações nas práticas de RH (contratar pessoas, treinar líderes, criar remunerações de incentivo, fazer análise do RH e assim por diante), relacionadas com os líderes de negócio (ter uma voz ativa, conquistar apoio), ou administrar as crescentes exigências pessoais da função de RH (destinar tempo, permanecer otimista diante das inúmeras cobranças). Isto é, os profissionais de RH quase que invariavelmente definem *negócio* como "negócio de RH" e inclinam-se a falar sobre suas atuais iniciativas no treinamento, recrutamento, comprometimento ou recompensas de liderança – as áreas onde eles concentram sua atenção na função.

Esses esforços são importantes, mas eles não são *o negócio*. Eles são o apoio para o negócio.

O verdadeiro trabalho é externo: o contexto e o ambiente no qual funciona o negócio, as expectativas dos principais *stakeholders* (clientes, investidores, comunidades, sócios, funcionários e assim por diante), e as estratégias que dão à empresa uma vantagem competitiva única. Se os profissionais de RH devem contribuir verdadeiramente para o desempenho do negócio, então seu pensamento precisa se concentrar no objetivo do negócio. Precisam trazer a realidade externa para tudo que fazem, praticando seu ofício com um olho no negócio como um todo e não apenas no seu próprio departamento.

A concentração no negócio da empresa permite que os profissionais de RH acrescentem um valor significativo e sustentável. Quando começam e embasam seu trabalho com o negócio, os profissionais de RH pensam e agem de fora para dentro. Trabalhar de fora para dentro muda a ênfase de muitas maneiras sutis, mas importantes.

- *Atribuição e promoção de fora para dentro*: As expectativas dos clientes definem os padrões para contratação de novos funcionários para a organização e para a promoção das pessoas para postos mais altos. A nova máxima é: em vez de ser o melhor empregador, queremos ser o melhor empregador segundo os *funcionários com quem nossos clientes querem trabalhar.*
- *Treinamento de fora para dentro:* Quando os especialistas ensinam, os representantes aprendem; quando os gerentes de área ensinam, os representantes agem, quando os *stakeholders* externos ensinam, os representantes *fazem as coisas certas*. Assim, os clientes, fornecedores, investidores e reguladores são convidados a ajudar a esboçar o conteúdo do treinamento para garantir que o que está sendo ensinado atende as expectativas externas. Eles também participam de sessões de treinamento como representantes que também estão aprendendo com os funcionários da organização, e apresentam materiais como estudos de casos reais ou como *profissionais visitantes.*
- *Recompensas de fora para dentro:* Os clientes ajudam a determinar quais os funcionários que devem ser recompensados por seus esforços. Por exemplo, uma companhia aérea com a qual viajamos constantemente aloca uma parte de seus recursos para seus clientes mais frequentes, convidando-os a distribuir cupons de bônus de diversos valores para os funcionários merecedores. Ao permitir que os clientes controlem 2% do conjunto de bônus da companhia, os líderes da empresa lembram aos seus funcionários que o que está fora também é importante.
- *Gestão de desempenho de fora para dentro:* Em vez de definir padrões pela doutrina do RH, o departamento dá aos principais clientes a oportunidade de avaliar seus padrões de análise de desempenho e diz para a empresa se esses padrões são compatíveis com suas expectativas. Quando os *stakeholders* externos participam na avaliação dos padrões de desempenho, as avaliações de 360 graus da liderança podem ser alteradas para avaliações de 720 graus, que incluem os clientes e outros *stakeholders* externos.
- *Liderança de fora para dentro:* O RH ajuda a empresa a se concentrar no desenvolvimento de uma marca de liderança, onde as expectativas do cliente externo se traduzem em comportamentos de liderança interna.

Descobrimos que grande parte das grandes empresas de liderança envolvia clientes que definiam as competências para seus líderes.
* *Comunicação de fora para dentro*: O RH garante que as mensagens dadas aos funcionários também são compartilhadas com os clientes e os investidores, e vice-versa.
* *Cultura de fora para dentro*: Gostamos de definir cultura como a identidade da organização na mente dos principais clientes, tornada real para cada funcionário, todos os dias. Isto está muito longe da abordagem de dentro para fora que foca na maneira como a empresa pensa e age, quando incorporada em normas, valores, expectativas e comportamentos.

Nossa mensagem do RH de fora para dentro é fácil de dizer, mas difícil de fazer. O RH de fora para dentro se baseia na premissa que o interesse do RH é o negócio. Esta lógica vai além do estado atual da profissão de RH, onde o foco está na estratégia de conexão com o RH.

Somos participantes ativos ao ajudar os profissionais de RH a transformar a estratégia em resultados. E agora acreditamos que, em vez de um espelho onde se refletem as práticas de RH, as estratégias do negócio devem ser vistas como uma janela através da qual os profissionais de RH observam, interpretam e traduzem em ações internas as condições externas e as expectativas dos *stakeholders*.

Por isso, neste livro, assim como em nossas conversas, quando nos pedem "fale sobre seu negócio" respondemos com uma rápida sinopse das condições do negócio seguido de implicações do RH.

Uma frase para o inteligente: Se você não está criando, fazendo ou vendendo nossos produtos, é bom que tenha uma boa razão para estar aqui.

—Executivo da unidade Frito-lay da PepsiCo.

O negócio do negócio

A exigência aumentou para o RH: o RH precisa criar e distribuir valor em termos comerciais reais.

Se pedimos para as pessoas mencionarem uma empresa, a maioria pode rapidamente lembrar o nome de uma empresa famosa (como Google) ou um estabelecimento (como um restaurante). Mas mencionar e entender um negócio são coisas bem diferentes. A avaliação do funcionamento de uma empresa exige uma operação de três níveis. Primeiro, entender o contexto no qual a empresa opera, incluindo pressões societárias que a incentivam ou desestimulam (como o crescente interesse e acesso ao conhecimento possibilitado pela rápida mudança de tecnologia que impulsiona o excepcional crescimento do Google). Segundo, entender os *stakeholders* específicos que moldam e sustentam o negócio, incluindo clientes, investidores, reguladores, concorrentes, sócios e funcionários. Terceiro, entender a estratégia do negócio para posicionar a empresa para atender os *stakeholders,* ser sensível às condições gerais e criar uma vantagem competitiva única.

Contexto do negócio

Todo o mundo experimenta o contexto de mudança ou os incentivos gerais do negócio, e muitas vezes sem estar absolutamente consciente dessas mudanças. O conceito abstrato das economias globalmente conectadas torna-se cruelmente concreto quando a Grécia, por exemplo, sofre uma crise econômica e a aflição repercute em todo o mundo, aumentando o preço da gasolina em Londres, Sydney e Nova York. A "Primavera árabe de 2011"[1], quando os cidadãos passaram a redefinir as instituições políticas, indica uma preocupação com o *status quo* e uma mudança de mentalidade. As 30 milhões de pessoas que estão a qualquer momento conectadas no Skype, os 900 milhões de usuários mensais do Facebook, ou as 3 bilhões de pesquisas diárias no Google mostram que a tecnologia agora possibilita informações ubíquas e relacionamentos globais.

Informações onipresentes fora de uma empresa mudam o comportamento dentro da empresa. Após uma experiência decepcionante em um renomado restaurante, por exemplo, nós escrevemos uma crítica negativa e a divulgamos em um determinado *site.* Dentro de algumas horas, o dono e o gerente do restaurante entraram em contato para pedir desculpas e convidar-nos a retornar para que pudéssemos reconsiderar nossa crítica pública.

Quando profissionais de RH bem informados nos falam de seu negócio, geralmente mencionam uma lista relativamente longa de tendências gerais que os afetam. Infelizmente, essas listas podem ser distorcidas devido à experiência pessoal, enfatizando excessivamente alguns pontos e esquecendo outros. Descobrimos que é bom organizar e priorizar essas tendências contextuais em seis categorias:

1. *Sociedade:* Os estilos de vida estão mudando no que diz respeito à família, urbanização, ética, religião e expectativas de bem-estar.
2. *Tecnologia*: Os novos dispositivos e conceitos permitem o acesso e a transparência, não apenas por meio da informação, mas também nos relacionamentos, e eles podem destruir setores inteiros fazendo com que surjam outros.
3. *Economia*: Os ciclos econômicos moldam a confiança do consumidor e do governo; fluxos de capital mais livres nas fronteiras econômicas levam a uma definição mais precisa de investimentos e riscos e dão origem a novas indústrias.
4. *Política:* As mudanças regulatórias mudam a expectativa em relação ao governo nas vidas das empresas e das pessoas; a inquietação política muitas vezes sinaliza uma perda de confiança nas instituições governamentais.
5. *Meio ambiente*: Os recursos da terra, que fornecem a energia para o crescimento, são limitados e precisam ser administrados com responsabilidade; além disso, a responsabilidade social determina o comportamento das pessoas.
6. *Demografia*: As mudanças na taxa de natalidade, na educação e nos níveis de renda afetam o comportamento dos trabalhadores e dos consumidores.

Cada uma dessas tendências é ampliada quando há uma interação em escala global. Por exemplo, a política de filho único na China levou a predominância de homens entre a população. Décadas mais tarde, quando esses homens chegam aos vinte anos, muitos deles sem perspectivas de casamento, são potenciais propagadores de uma inquietação política e social. Por isso, o governo da China convida e estimula empresas ocidentais a investir na China, mantendo o emprego e distraindo esses cidadãos. Isso leva a um desequilíbrio no comércio internacional com implicações políticas nos países ocidentais.

Os profissionais de RH eficientes são sensíveis a essas condições externas, que determinam como suas organizações colocam-se em relação ao futuro. Quando os profissionais de RH sabem organizar e tratar das condições externas do negócio, o medo de um futuro incerto se transforma em confiança, pois eles podem definir, prever e administrar suas reações.

Stakeholders do negócio

Em geral, as organizações têm *stakeholders* bem específicos. Os contratos com esses *stakeholders*, escritos ou implícitos, estabelecem expectativas mútuas. O mapeamento dos principais *stakeholders* e de suas expectativas transforma as condições do negócio em expectativas específicas que a empresa pode decidir atender.

Na Figura 1.1 identificamos seis tipos de *stakeholders* comuns à maioria das empresas e as expectativas das organizações.

Mais detalhadamente, essas expectativas podem ser resumidas da seguinte maneira:

- Os clientes esperam produtos ou serviços que atendam ou superem suas expectativas e, em troca, fornecem um rendimento estável representado pelo *share* de clientes.
- Os investidores esperam um desempenho financeiro presente e futuro em troca do capital investido, que aparece no valor de mercado.
- As comunidades, incluindo as reguladoras, esperam empresas socialmente responsáveis e que sigam a lei, que tratam a terra e seus funcionários com respeito, em troca de uma reputação favorável.

Figura 1.1 Principais *stakeholders* e o valor esperado.

- Os parceiros colaboram ao longo da cadeia de suprimentos para encontrar maneiras de alavancar recursos escassos para o sucesso geral, de empresa e sócios.
- Os gerentes de área esperam ser capazes de definir e cumprir metas estratégicas.
- Os empregados esperam tratamento e condições de trabalhos justos, em troca de sua contribuição para a empresa.

Um mapa do *stakeholder* (semelhante à Figura 1.1, mas explicitada em termos específicos para a organização) permite que o profissional de RH traduza as condições gerais e genéricas em expectativas para objetivos específicos. Também ajuda o profissional de RH a reconhecer a interação entre os vários *stakeholders*. Como resultado de expectativas específicas de *stakeholders*, o profissional de RH pode alocar recursos a fim de distribuir valores mensuráveis para cada *stakeholder*.

Profissionais de RH eficientes contam sobre sua empresa mencionando expectativas específicas do *stakeholder*, antecipando a importância de trabalhar com cada *stakeholder* e avaliando seu progresso. Por exemplo, gostamos de pedir aos profissionais de RH que citem os nomes dos cinco principais clientes, investidores ou parceiros da empresa, e expliquem por que esses *stakeholders* decidem trabalhar com sua empresa. Frequentemente os profissionais de RH evitam essas perguntas, pois eles veem seu trabalho como algo tradicional, administrativo e operacional.

Estratégias empresariais

A estratégia caracteriza a maneira com que os líderes fazem escolhas com o objetivo de obter sucesso para a empresa em um contexto de negócio em transformação, com s*takeholders* específicos. Algumas escolhas estratégicas definem as aspirações de uma organização, para onde ela se move e sua identidade (missão, visão, valores). Outras escolhas estratégicas se concentram em *stakeholders* específicos. Isso pode significar visar alguns clientes mais do que outros e desenvolver canais para ganhar clientes e participação no mercado. Em relação aos investidores, as escolhas estratégicas podem envolver a segmentação por tipos de investidor (valor x crescimento, por exemplo) e administrar as relações com o investidor.

As escolhas estratégicas são também fontes únicas de diferenciação competitiva. Tradicionalmente, os diferenciadores estratégicos podem incluir eficiência operacional, liderança do produto e intimidade com o cliente.[2] Mais recentemente, as escolhas estratégicas definem a maneira como a empresa atende a expectativa do cliente. Nos últimos anos as escolhas de diferenciação competitiva passaram a incluir:

- *Gestão de risco*: A capacidade de identificar e administrar os riscos de conformidade, estratégicos, operacionais e financeiros.[3]
- *Posicionamento global*: A capacidade de entrar em mercados emergentes, além dos já conhecidos países do BRIC (Brasil, Rússia, Índia e China), um grupo que Goldman Sachs identifica como N11 e inclui Turquia, Indonésia, Vietnã, Filipinas, Nigéria, Irã, México e Egito.
- *Alavancagem de informações*: A capacidade de usar informações como forma de antecipar as expectativas do cliente e fazer análises preditivas para priorizar os principais indicadores do sucesso do negócio.
- *Administração de uma equipe de trabalho globalmente diversa*: A capacidade de atrair funcionários do mundo inteiro e possibilitar mobilidade global na movimentação dos funcionários para os locais onde possam contribuir mais eficientemente.
- *Adaptação ou mudança*: A capacidade de reagir rapidamente às oportunidades e às ameaças.
- *Criação de responsabilidade social corporativa*: A capacidade de criar uma reputação como uma "organização verde", apoiando compromissos com o planeta, com empregados e clientes.
- *Colaboração e parcerias através das fronteiras*: A capacidade de fazer alianças ou parcerias tanto nas funções dentro da organização quanto com clientes, concorrentes e parceiros fora da organização.
- *Concentração na simplificação*: A capacidade de transformar a complexidade em um processo elegante e bem coordenado que concentre a atenção nas poucas prioridades importantes.

As estratégias eficientes se concentram nessas fontes de singularidade competitiva, ou em quaisquer outras que possam ser identificadas. Feitas as escolhas estratégicas, os planos podem se tornar mais específicos sobre ações, talento e orçamentos. Por meio de escolhas estratégicas os líderes investem tempo e dinheiro a fim de diferenciar sua empresa da concorrência na mente dos *stakeholders*-alvo.

O RH não está sozinho

Devido ao contexto, aos *stakeholders* e às mudanças estratégicas, muitas funções de apoio das empresas estão passando por transformação. As áreas de finanças, operações, tecnologia da informação (TI) e *marketing* sofrem pressões semelhantes às do RH. Cada uma dessas funções está ficando mais internalizada, focando mais e adaptando-se aos contextos, aos *stakeholders* e às estratégias. Os gerentes dessas áreas são solicitados a administrar tarefas tradicionais e atender expectativas futuras. A profissão de RH está mudando de modo semelhante, por isso é importante dar uma olhada em outras funções de apoio.

O papel tradicional de finanças como zelador financeiro permanece, mas ele aumentou para moldar e desafiar estratégias organizacionais. A consultoria McKinsey destaca as crescentes expectativas nas funções financeiras esboçadas na Tabela 1.1.[4]

Do mesmo modo, ao longo da última década, algumas mudanças significativas desafiaram o papel e as competências necessárias para a área de operações. Como resultado, as novas competências dos líderes de operação incluem aquelas destacadas na Tabela 1.2.[5]

O papel dos líderes e profissionais de TI também passou por significativas transformações para focar mais enfaticamente nas mudanças fundamentais destacadas na Tabela 1.3.[6]

Por último, considere o papel do diretor de *marketing*. Como diz David Court, sócio gerente da McKinsey: "Muitos diretores de marketing importantes ainda têm uma visão estreita da função ao dar importância à propaganda, gestão da marca e pesquisa de mercado. Eles precisam abrir as asas".[7]

De acordo com Court, os profissionais de marketing precisam desenvolver competências nessas áreas:

Tabela 1.1 Aspectos da função financeira

Função	Visão do CEO sobre finanças (%)	Visão financeira sobre finanças (%)
Membro ativo da equipe de liderança	88%	40%
Contribuição para o desempenho da empresa	84	34
Garante eficiência da organização financeira	70	80
Melhora qualidade da organização financeira	68	74
Desafia a estratégia da empresa	52	29
Adota uma perspectiva de mercado	29	14

Tabela 1.2 A mudança no papel do líder de operações

Competência	De	Para
Estratégia de operações	Melhoria incremental.	Definir aspirações agressivas para a área; explorar, desenvolver e implementar estratégias revolucionárias.
Desenvolvimento de talento	Desenvolver notáveis profissionais e líderes de operação.	Desenvolver talento transformadores para operações e para toda a organização; operações como incubador e acelerador de talentos.
Foco no crescimento	Administrar custos de produção; impulsionar a eficiência em custos.	Facilitar o crescimento e a inovação, aprender e adaptar as melhores práticas em todos os setores.
Gestão de risco	Garantir a qualidade; antecipar potenciais riscos e agir preventivamente.	Administrar riscos, sistemática e proativamente, e de maneira eficiente; garantir agilidade organizacional e flexibilidade como resposta ao mercado em mutação e às dinâmicas competitivas.
Derrubando silos	Garantir desempenho operacional excelente; comunicar e coordenar com outros grupos funcionais.	Contribuir significativamente para o alinhamento de operações, P&D e as funções comerciais para atender objetivos e estratégias comuns.

- Tomar iniciativas maiores como um ativista na estratégia.
- Desenvolver as habilidades para liderar transformações na empresa como resposta à mudança do padrão de compra do cliente.
- Assumir responsabilidade pelo perfil ou marca externa da empresa como um todo; criar relacionamentos organizacionais colaborativos que alinhem a mensagem global da organização aos diferentes *stakeholders* (clientes, investidores, comunidades).
- Criar capacitações de *marketing* por toda a organização.
- Identificar os pontos de contato importantes para um cliente e administrar a complexidade de uma experiência de cliente consistente.
- Fornecer i*nsights* e recomendações estratégicas fundamentadas em análise baseada em evidências.

Tabela 1.3 A mudança da função de TI

Atual	Futura
Manter a máquina funcionando de maneira eficiente em termos de custo e com segurança	Moldar as exigências de TI por meio de participação na estratégia do negócio.
Gestão e execução de projeto técnico	Criar capacitação
Responsabilidade pela produtividade da TI	Educar os gerentes: ajudar os líderes do negócio a desenvolver uma visão informada das exigências futuras.
Atender as necessidades da unidade de negócio	Pensar na empresa: ajudar os líderes do negócio a alavancar os ativos e os investimentos de TI.
Fornecer parecer técnico especializado	Compartilhar a responsabilidade sobre a repercussão de decisões técnicas e de investimentos.
Administrar sistemas legados	Incentivar inovações
Liderar mudanças técnicas	Administrar mudanças organizacionais

O RH passa por transformação semelhante para que os profissionais de RH eficientes facilitem a criação e a implantação da estratégia. Eles ajudam a transformar escolhas estratégicas em histórias que repercutem com os principais *stakeholders*. Transformam a orientação estratégica em ações ao alinhar as práticas de RH e os comportamentos de liderança com a estratégia. Também facilitam o processo para determinar quem participa na criação das estratégias. Os profissionais de RH eficientes não dizem apenas o que é a estratégia, mas como será implementada.

O negócio das empresas:
A nova normalidade do RH e suas implicações

Os profissionais de RH eficientes reconhecem, aceitam e agem de acordo com a nova normalidade da empresa. Quando questionados a falar sobre o negócio, eles podem responder discutindo mudanças globais, *stakeholders* e estratégias. Essas mudanças não são eventos cíclicos que retornam a um estado anterior – são o novo paradigma da normalidade, fundamentado em enormes mudanças demolidoras e evolutivas. Aqueles que buscam no passado as respostas para os problemas futuros podem ficar para trás.

Ondas da evolução do RH

O contexto do negócio, os *stakeholders* e as estratégias mudam de acordo com a maneira que o trabalho do RH é concebido e realizado. Na metade do século passado, a profissão de RH passou por três grandes ondas (ver Figura 1.2), e uma quarta onda está surgindo. Cada onda enfrenta curva semelhante através do tempo, com início, aprendizado, crescimento e, depois, estabilidade.

A Onda 1 enfatizou o trabalho administrativo do RH, com o pessoal do RH concentrado em termos e condições do trabalho, entrega dos serviços de RH e conformidade regulamentar. O RH era predominantemente o que descreveríamos como "utilidade administrativa e transacional". Assim, enquanto o RH entregasse o básico de maneira consistente e eficiente em termos de custo – os funcionários eram pagos, as aposentadorias eram administradas, o atendimento era monitorado e os funcionários eram recrutados – considerava-se que cumpria sua tarefa.

As funções do RH da Onda 1 tendiam a ser preenchidos por pessoas que desempenhavam um excelente trabalho administrativo. De maneira nenhuma isso significa que o RH também não tinha outras importantes contribuições – treinamento dos funcionários, auditoria de satisfação e comprometi-

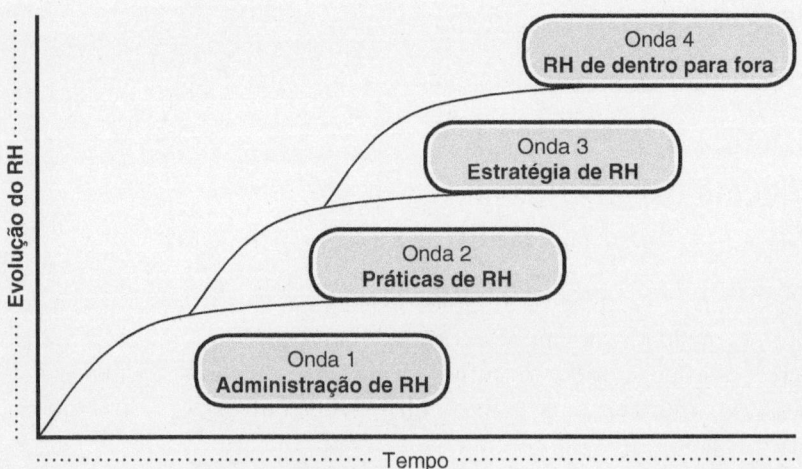

Figura 1.2 A evolução do RH em ondas.

mentos dos funcionários, apoio ao planejamento de talentos. Mas a tendência central desses departamentos de RH – a responsabilidade principal – era administrativa e transacional. Isso continua, mas hoje é feito de maneira diferente, por meio de terceirização e soluções tecnológicas. A administração do RH precisa ser bem feita, mas quando o trabalho se torna rotina, está na hora de mudar para outras prioridades. Por exemplo, Mercer estudou as práticas de RH na região chamada EMEA (Europa, Oriente Médio e África) e descobriu que apesar da maioria dos departamentos de RH dessa região irem além da função administrativa, 16% deles ainda não têm interesse em mudar essa função.[8] A eficácia do RH na Onda 1 é fazer mais com menos e a credibilidade do RH vem de uma impecável administração de transações.

A Onda 2 enfatizou o projeto de práticas inovadoras do RH no suprimento, remuneração ou recompensas, aprendizado, comunicação e assim por diante. Por exemplo, os executivos da General Electric reconheceram que seu bem-estar futuro seria muito influenciado pela maneira correta e rápida com que a empresa desenvolvesse líderes em todos os níveis, capazes de apoiar o crescimento da unidade internacional de negócios. Isso levou à criação de Crotonville, hoje o *Jack Welch Leadership Center*, um grande *campus* fora da cidade de Nova York focado no desenvolvimento da nova geração dos principais gerentes funcionais e gerentes gerais. O corpo docente inclui especialistas externos, equipe de RH interno e desenvolvimento organizacional, e altos executivos da empresa – começando com o CEO Jeff Immelt. Inovações semelhantes ocorreram na concessão de bônus, na comunicação, no planejamento de sucessão e outras áreas de atuação do RH. Cada uma dessas áreas de atuação inovou em termos do que e de como as coisas eram feitas, e também interagiu para proporcionar uma abordagem consistente ao RH. A eficácia do RH na Onda 2 deve-se às práticas de RH inovadoras e agregadoras, e a credibilidade do RH resulta da entrega das melhores práticas.

A Onda 3 concentrou-se na conexão de práticas de RH individuais e agregadoras com o sucesso do negócio por meio de um RH estratégico. Nos últimos 15 ou 20 anos, o RH trabalhou para ligar seu trabalho com a estratégia ou objetivos de um negócio. Esse trabalho ampliou as funções do RH de seu foco original em talento para incluir a contribuição para cultura e liderança. De acordo com a estratégia de negócio, os profissionais de RH se encarregariam de avaliar e melhorar o talento, a cultura e a liderança para cumprir com a estratégia. Nesta onda, os profissionais de RH transformaram a estratégia da empresa em prioridade do RH para cumprir com as promessas estratégicas. Para dominar o trabalho estratégico do RH, houve uma transformação para aprimorar os profissionais de RH e reprojetar os departamentos. A eficácia do RH na Onda 3 cria uma linha entre a estratégia do negócio e as ações do RH, e a credibilidade do RH vem de estar disponível para se envolver em conversações estratégicas.

A crise econômica, a globalização, as inovações tecnológicas e outras mudanças nos anos recentes desafiam o RH. Alguns líderes de RH gostam de olhar para trás e reforçar o trabalho administrativo fazendo bem o básico, enquanto que outros querem voltar a se concentrar nas práticas específicas de RH. Apesar de concordarmos que o básico e as práticas de RH ainda devem ser bem feitas, preferimos olhar para diante para um novo padrão de normalidade para o RH.

A Onda 4 utiliza práticas de RH para derivar e responder às condições externas do negócio. Como discutimos, chamamos essa onda de "RH de fora pra dentro". O RH de fora para dentro vai além da estratégia de alinhar seu trabalho com os contextos do negócio e os *stakeholders*. Sabemos que as três primeiras ondas representam o trabalho do RH que precisa ser bem feito – a administração do RH precisa ser perfeita, as práticas de RH devem ser inovadoras e integradas; e o RH precisa transformar as aspirações estratégicas em ações do RH. Mas, em lugar de confiar nessas ondas, vemos os profissionais de RH com visão de futuro olhando para fora de suas organizações, para os clientes, investidores e comunidades a fim de alcançar sucesso na área. Já falamos das repercussões em termos de talento, cultura e liderança. A eficácia do RH vai aparecer no *share* de clientes, na confiança do investidor e reputação na comunidade; e a credibilidade do RH será obtida tanto dos que estão fora quanto dentro da empresa.

Para que o RH transmita os padrões para as três primeiras ondas e as promessas da quarta (de fora para dentro), acreditamos que precise dominar seis paradoxos. Falamos em paradoxos porque o pessoal e os departamentos de RH somente são eficientes quando entregam vários resultados simultaneamente. Em vez de se mover de um resultado para outro, o RH precisa fazer as duas coisas. Na Figura 1.3 relacionamos os paradoxos que irão definir os critérios para que o RH progrida.

Estes paradoxos podem ser detalhados como segue:

- *Fora e dentro*: Como analisamos, um desafio fundamental para que o RH progrida é transformar as tendências externas do negócio e as expectativas do *stakeholder* em práticas e ações internas do RH. Isso vai exigir que os profissionais de RH entendam e atuem simultaneamente no mercado e no local de trabalho. Os profissionais de RH provavelmente irão passar algum tempo com os clientes, os investidores e os líderes comunitários, e eles irão transformar essas experiências em inovações do RH. Para montar esse paradoxo com sucesso, é preciso um posicionador estratégico que não apenas conhece o negócio, mas pode moldá-lo e posicioná-lo para o sucesso.

* *Empresa e pessoas*: Tradicionalmente, as pessoas trabalhavam no RH porque "gostavam de pessoas". Na Onda 3, quando os princípios estratégicos de RH tornaram-se populares, houve necessidade dos profissionais de RH conhecerem mais o negócio. Não é fácil fazer o *tradeoff* entre pessoa e empresa. Os profissionais de RH que pendem para um dos lados criam problemas. Ênfase demais nas pessoas transforma a empresa em uma agência social que pode perder a capacidade de atender às exigências do mercado. Ênfase demais na empresa leva a resultados sem atenção à forma como foram alcançados. Para vencer este paradoxo com sucesso é

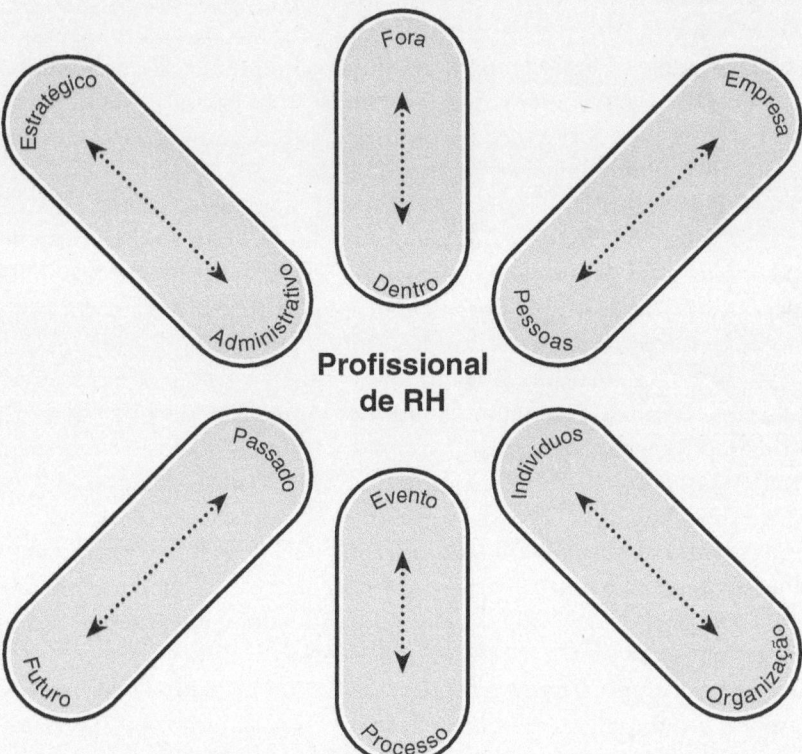

Figura 1.3 Seis paradoxos que o RH enfrenta.

preciso ser um participante que tem a confiança dos colegas e uma posição ativa no desempenho da empresa.
- *Organização e indivíduo:* Ultimamente muitas pessoas têm sugerido que o RH mude de nome para enfatizar o talento, muitas vezes chamado de capital humano, força de trabalho ou pessoas. Concordamos totalmente que a capacidade dos indivíduos tem um impacto significativo no sucesso de uma empresa. Mas também acreditamos que a maneira como as pessoas trabalham juntas e a cultura da empresa é igualmente, ou ainda mais importante, para o sucesso de uma organização. Como acontece muito nos esportes, as equipes com grandes astros podem perder para equipes com menos talentos individuais, mas com mais trabalho de equipe. Por isso sugerimos que o paradoxo é administrar as tensões entre talento e trabalho de equipe, capacidade individual e capacitação da organização, competência pessoal e cultura organizacional, e assim por diante. Os profissionais de RH deveriam avaliar e melhorar o fluxo das pessoas na organização simultaneamente, mas também deveriam facilitar a criação e disseminação de uma cultura da organização que os incentivasse a trabalhar juntos. As pessoas moldam e são moldadas pela cultura. Para vencer este paradoxo com sucesso é preciso ser um criador de capacitações que pode encontrar a combinação correta de ações de desenvolvimento pessoal e da organização.
- *Processo e evento*: O RH não trata de uma atividade isolada (programa de treinamento, de comunicação, de formação de equipe ou de remuneração), mas trata de processos que geram soluções sustentáveis e integradas. Muitas vezes os profissionais de RH se concentraram em eventos do RH. A área de RH é torturada com panaceias, modismos e soluções rápidas. É fácil ficar hipnotizado pelas mais recentes novidades, e os visitantes na busca das melhores práticas examinam uma inovação específica do RH sem considerar os programas relacionados e circundantes. Acontecimentos de moda criam um tumulto emocional, mas, a não ser que estejam ligados a processos sustentáveis, as emoções se transformam em cinismo. A sustentabilidade exige uma visão de longo prazo, uma solução integrada e uma capacidade de aprender e evoluir. Para vencer este paradoxo com sucesso é preciso ser um inovador e integrador de RH que combina eventos isolados em soluções coesas.
- *Futuro e passado*: Com o tempo, as pessoas têm mais experiência fazer escolhas, que podem ser úteis e restritivas. Quando os profissionais de

RH usam o passado para fazer as escolhas, eles falham. Quando ignoram o passado, o revivem. Quando estão constantemente se preparando para o futuro, podem não se dar ao luxo de esperar por ele. Equilibrar o passado e o presente significa aprender com o passado e adaptá-lo ao cenário futuro. Também significa imaginar o futuro desejado e moldar as escolhas atuais para criar esse futuro. Para vencer esse paradoxo com sucesso é preciso ser um campeão de mudanças de RH que conecta passado e futuro e antecipa e administra iniciativas individuais e mudanças institucionais.

- *Estratégico e administrativo*: Quando perguntamos a colegas que não são do RH "o que RH significa para você?" geralmente recebemos respostas focadas na administração: o RH trata dos meus benefícios, o RH administra minha aposentadoria, processa minha folha de pagamento. Essas ações administrativas precisam ser executadas com perfeição, no prazo, sempre. Mas muitas dessas ações de RH rotineiras valem-se de tecnologia para ganhar tempo e melhorar a eficiência. O RH também precisa se tornar estratégico na adaptação dos futuros cenários de negócio. Vencer esse paradoxo com sucesso exige o uso de tecnologia para processar perfeitamente o trabalho administrativo ao mesmo tempo em que gera informação para um trabalho mais estratégico.

Descubra onde você está

Para ser eficiente, os profissionais de RH precisam dominar os desafios destes seis paradoxos podendo, como indivíduos e como departamentos, administrar as expectativas concorrentes. O Exercício 1.1 deve ajudá-lo a avaliar onde seu departamento de RH se posiciona atualmente em relação a esses critérios. Por exemplo, se seu departamento está totalmente envolvido em contratar, pagar e incluir as pessoas nos planos de aposentadoria, seria "1" na escala administrativo-estratégica; se todo esse tipo de atividade foi terceirizado e o departamento concentrou-se exclusivamente na busca de talentos e nas necessidades de treinamento de longo prazo da organização, e na definição de seu papel na comunidade, seria "10" nessa escala. Represente graficamente os resultados no diagrama que segue a escala e você terá o perfil e a imagem de seu departamento de RH. A forma da Figura 1.4 mostra como seu departamento de RH pode se concentrar para administrar o paradoxo que irá responder ao novo normal do RH.

Exercício 1.1 *Auditando seu departamento de RH nos seis paradoxos*

	Até que ponto meu departamento de RH se concentra em:										
Dentro	1	2	3	4	5	6	7	8	9	10	Fora
Pessoas	1	2	3	4	5	6	7	8	9	10	Empresa
Indivíduo	1	2	3	4	5	6	7	8	9	10	Organização
Evento	1	2	3	4	5	6	7	8	9	10	Processo
Passado	1	2	3	4	5	6	7	8	9	10	Futuro
Administrativo	1	2	3	4	5	6	7	8	9	10	Estratégico

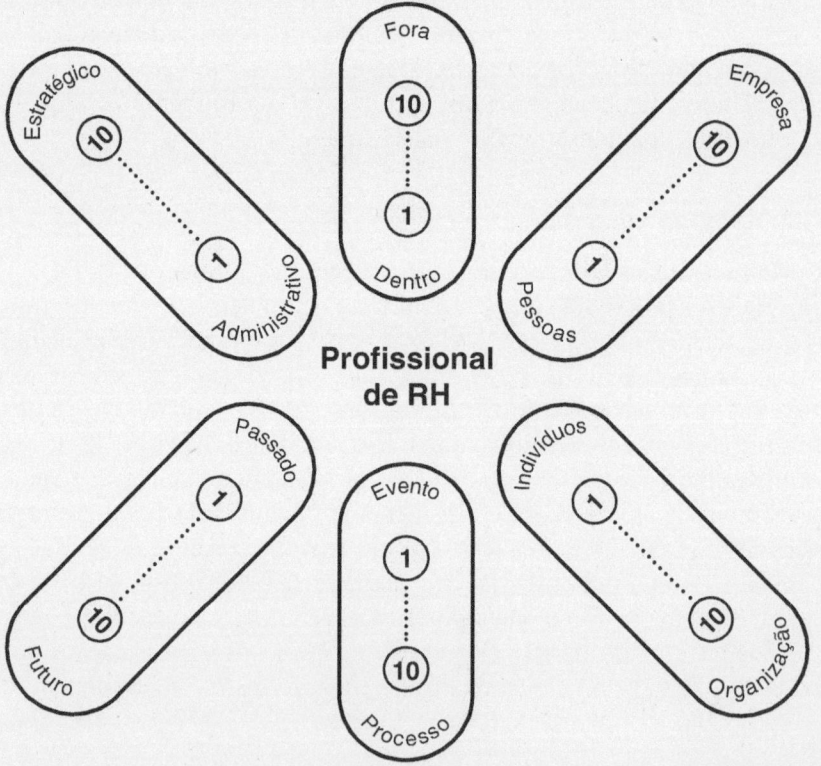

Figura 1.4 Forma da resposta do departamento de RH ao novo normal do RH.

Conclusão: Qual o futuro do RH?

Ao continuar nosso trabalho no RH, continuaremos a pedir que os profissionais de RH nos falem sobre seu negócio. Em razão do defendemos neste livro, esperamos que as respostas incluam, cada vez mais, uma discussão informada e inteligente do contexto do negócio, dos *stakeholders* e da estratégia, assim como uma compreensão das exigências para que o RH entregue valor. Também esperamos que este trabalho forneça estruturas e ferramentas para criar competências específicas de RH. Somos otimistas e confiantes de que quando os profissionais de RH aprenderem e adaptarem nossa pesquisa e nossas ideias sobre o RH de fora para dentro irão contribuir ainda mais para o valor do negócio.

Capítulo 2

Abordagem e descobertas

Os profissionais eficazes de RH têm os mesmos níveis que as empresas esperam de suas principais áreas funcionais – e em função disso, precisam criar substancial valor para clientes e *stakeholders*. E isto não é uma simples declaração de esperança ou fé; é uma conclusão apoiada em 25 anos de pesquisa empírica. Nosso *Human Resource Competency Study (HRCS)* permitiu reunir os dados globais sobre competências dos profissionais de RH. Este capítulo trata de cinco assuntos relacionados com a pesquisa:

1. Objetivo e visão
2. Desenvolvimento da abordagem de competência
3. Métodos de pesquisa
4. Evolução dos modelos de competência do RH
5. Visão geral de nossas descobertas de 2012

Objetivo e visão

Ao longo dos anos na HRCS, nos concentramos em contribuir para o progresso da profissão de RH. Temos duas definições específicas para *progresso*, principalmente no contexto de nossa pesquisa. Em nível individual, progresso é definido por melhoramento da eficácia geral dos profissionais de RH. Ajudamos profissionais independentes de RH a entender em quais competências concentrar seu desenvolvimento profissional para que sejam vistos pelos outros como competentes e colaboradores. Em nível da empresa, o progresso é definido pela extensão em que as competências e atividades de RH são aplicadas para melhorar o impacto do negócio. Ajudamos os profissionais de RH a entender que competências irão permitir que contribuam com os resultados dos negócios.

Em nossa missão de contribuir com o progresso da profissão de RH, iniciamos e apoiamos o HRCS para abordar cinco conjuntos de perguntas:

1. No nível mais básico, quais são as competências existentes na profissão de RH? Como elas são reunidas em categorias úteis para desenvolvimento e aplicação?
2. Qual é o contexto? Isto é, quais competências têm maior impacto na eficácia individual de acordo com aqueles que têm mais familiaridade com a função de profissionais de RH?
3. Quais competências de RH têm maior influência nos resultados da empresa? Ao escolher este foco, diferenciamos entre as competências básicas da área e aquelas que fazem diferença para o sucesso. A maioria dos testes de profissionais concentra-se nas primeiras e quase ignora as últimas. Por exemplo, passar no exame da ordem significa que você tem o conhecimento necessário para atuar como advogado, mas não diz se você será um advogado competente. Nosso trabalho se concentra nos detalhes que representam o sucesso.
4. Como evoluiu a área de RH? Quais são as "áreas de oportunidade"? (São atividades raramente exercidas, mas que estão presentes em bolsões de excelência e demonstram potencial de oferecer grande vantagem competitiva a uma empresa).
5. O que os profissionais e departamentos individuais de RH podem fazer para melhorar o padrão da profissão e agregar valor para suas carreiras individuais e para as empresas em que trabalham?

Ao longo de todo nosso trabalho, procuramos melhorar os padrões da profissão de RH. Ajudando os profissionais de RH a descobrir quais competências e atividades acrescentam maior valor à eficácia individual e ao sucesso do negócio, esperamos inspirar a área a acrescentar mais valor – e fornecemos sugestões específicas de como isso pode ser alcançado.

BAE Systems

A maneira como todos esses objetivos se reuniram de forma poderosa está exemplificada pela experiência da BAE Systems. A *British Aerospace* e a *Marconi Electronic Systems* juntaram-se para formar a BAE Systems, uma empresa da área de defesa e segurança cujo slogan é "protegendo a quem nos protege". Como resultado da fusão, o departamento de RH da empresa ficou organizado em três segmentos: serviços compartilhados, centro corporativo e profissionais de RH de atendimento ao cliente que trabalham diretamente com os executivos de área de suas empresas. Durante o processo de reorganização, os líderes de RH da BAE reconheceram que os mais importantes profissionais de RH de atendimento ao cliente não haviam desenvolvido o conhecimento e as habilidades necessários para fazer grandes contribuições para o negócio. Para tratar desse assunto, os líderes de RH trataram de promover o desenvolvimento de 63 dos principais profissionais voltados ao cliente.

A primeira tarefa da equipe de desenvolvimento era criar um modelo de competência de RH. O primeiro modelo de competência baseou-se na experiência pessoal da equipe e em *insights* do consultor. Quando os membros da equipe tomaram conhecimento da pesquisa do HRCS, modificaram o modelo de competência para retratar as competências do HRCS empiricamente associadas aos resultados do negócio. Depois, eles criaram uma intervenção de desenvolvimento personalizado exatamente alinhada com os componentes do novo modelo de competência. O programa incluía o desenvolvimento de conhecimento do negócio, criação de uma estratégia de RH baseada no negócio, criação de capacitações organizacionais com foco nas capacitações culturais, gestão de mudança e a criação das melhores práticas de RH. Os participantes também completaram dois projetos de inscrição nos quais o conhecimento baseado em competências, habilidades e ferramentas de sala de aula foram aplicadas a importantes questões de negócio.

Antes da intervenção, e sem o conhecimento do fornecedor de programa, o diretor de RH contratou um auditor externo para realizar um pré-teste do impacto do RH sobre os resultados do negócio. A informação foi coletada exclusivamente com os executivos da área. Um ano depois (e alguns meses após a intervenção), o auditor realizou uma avaliação pós-teste da eficácia do RH. Os resultados foram bastante interessantes. Na opinião dos executivos da área, a influência do RH nas decisões e estratégia do negócio mais do que duplicou; o fornecimento de soluções de negócio inovadoras pelo RH aumentou em cerca de 85%, o entendimento do RH nos principais indicadores de desempenho aumentou em cerca de 68%. (Ver Tabela 2.1). Essa é a medição mais rigorosa de qualquer intervenção de desenvolvimento do RH já publicada, segundo nosso conhecimento.

A experiência BAE Systems revela o potencial de aplicação da pesquisa empírica do HRCS no desenvolvimento de competências de RH que afetam os resultados de negócio. Foi isto que tentamos alcançar com nossa pesquisa de competência – e conseguimos.

Tabela 2.1 Resultados de auditoria interna de RH sobre satisfação do cliente e pontuações de melhoria

	Pré-teste	Pós-teste	Aumento percebido
Influência sobre as decisões e estratégias do negócio	30%	66%	+ 120%
Oferta de bom aconselhamento e apoio	51%	85%	+67%
Entende indicadores-chave de desempenho	47%	79%	+ 68%
Fornece soluções inovadoras ao negócio	33%	61%	+85%

Desenvolvimento da abordagem de competência

No início de nossa pesquisa tomamos a decisão consciente de aplicar a lógica da competência ao nosso estudo dos profissionais de RH. Essa decisão provou ser tão crucial para nosso sucesso que é importante registrar a evolução do nosso conceito.

A abordagem de competência começou como uma aplicação especializada, mas nos últimos 40 anos ela cresceu como uma lógica importante para diagnosticar, enquadrar e melhorar muitos aspectos da gestão do RH. Desde seu início, seus objetivos, sua importância e utilidade cresceram com as seguintes observações:

1. As competências permitem a especificação do que as pessoas precisam saber e fazer para atingir melhor desempenho.[1]
2. As competências podem ser comunicadas – e, portanto, ensinadas e aprendidas.[2]
3. O desempenho em relação às competências podem ser mensuradas e monitoradas.[3]
4. Em trabalhos complexos, as competências são relativamente mais importantes na previsão de um desempenho superior do que as habilidades relacionadas com a tarefa, a inteligência e as recomendações.[4]
5. As competências facilitam a correspondência exata dos indivíduos com os trabalhos.[5]
6. Como são definidas e criadas estrategicamente, as competências podem ser uma importante fonte de vantagem competitiva.[6]
7. As competências podem ser uma fonte de integração para gestão e práticas de RH potencialmente fragmentadas.[7]

8. As competências podem proporcionar um equilíbrio de longo prazo para a estabilidade e flexibilidade organizacional.[8]
9. Como as competências podem ser medidas, elas podem ser estruturadas com elemento-chave para a mensuração da eficácia das subfunções e processos individuais de RH (por exemplo, formação de equipes, gestão de desempenho, e desenvolvimento) assim como a eficácia do RH como um todo.[9]
10. As competências também podem ser usadas como base para o desenvolvimento de departamentos do RH de alto valor agregado.[10]
11. Como as competências são, em última análise, expressas no que as pessoas fazem e não no que as pessoas são (ações em vez de características, predisposições e coisas semelhantes), as competências podem ser um elemento importante nas iniciativas de diversidade.[11]

Como resultado de todos esses benefícios, a aplicação das competências continua a ganhar impulso. De certa forma, a abordagem de competências para a gestão de organizações existe há muito tempo nas organizações. Na verdade, o exército romano praticava a abordagem de competências: os atributos do melhores comandantes eram registrados e esses perfis eram usados na seleção de soldados e líderes com boas perspectivas de sucesso.[12]

Nos tempos modernos, Frederick Taylor abriu caminho para os estudos de competência do RH quando popularizou a administração científica. Na busca pela padronização, um mecanismo para melhorar a eficiência humana é especificar a tarefa e as exigências comportamentais para completar a tarefa e depois garantir que as pessoas foram selecionadas, treinadas e remuneradas de acordo com essas exigências.[13]

Uma das primeiras aplicações em grande escala de competências no ambiente de trabalho ocorreu durante a Segunda Grande Guerra; a força aérea Américana aplicou a lógica de competência na seleção e no treinamento dos pilotos de caça. A grande mudança ocorreu quando os pesquisadores modificaram sua abordagem. Em vez de pedir às pessoas que identificassem as qualidades de um bom piloto, perguntaram aos pilotos que comportamentos e ações aconteciam em uma determinada situação em que eles testemunharam um voo excepcional. Isso resultava na informação do que um bom piloto fazia, e não do que as pessoas pensavam que um bom piloto deveria fazer. Depois da guerra, John Flanagan, figura importante na força-tarefa da força aérea, aplicou essa abordagem em grande escala na divisão Delco-Remy, da General Motors.[14]

Embora a abordagem de competência continuasse a evoluir nos anos 60 e 70, a abordagem de competência como conhecida hoje foi inicialmente conceituada por David McClelland em um artigo em 1973.[15] Sua empresa de consultoria, McBer (fundada por David McClelland e David Berlow, por isso o nome), foi contratada pelo Departamento de Estado dos Estados Unidos para identificar os comportamentos e as habilidades que determinavam o desempenho superior de oficiais de informação de serviços estrangeiros.

Em 1982, Richard Boyatzis, da McBer Consulting, publicou *O gerente competente*. Este livro teve um impacto considerável na popularidade da abordagem de competência, pois era a aplicação de competências mais rigorosa para medir, prever e criar um desempenho gerencial eficiente.[16] A definição de competência de Boyaztzis é geralmente aceita.[17] Sua definição é que "a competência é uma característica de uma pessoa que resulta em um desempenho consistentemente eficiente em um trabalho".[18]

Da mesma forma, muitas empresas, incluindo BP, Manchester Airport, Cadbury e Shell Canadá desenvolveram modelos de competência gerencial especialmente adaptados para uso interno.[19] Durante esse período, com a proliferação do uso de modelos de competência para os gerentes, a técnica passou a ser usada por profissionais de RH.

Embora seja difícil reconstituir a primeira aplicação da abordagem de competência para a função de RH, os primeiros estudos incluem o trabalho do *Ontario Society for Training and Development*, em 1976,[20] bem como um estudo de 1967 patrocinado pela *Américan Society of Training and Development* que buscava identificar diferentes papéis e habilidades necessárias para os diretores de treinamento.[21] Um dos primeiros grandes estudos sobre competências do RH foi realizada por Patricia McLagan para o *Américan Society of Training and Development*, em 1983.[22] Este importante estudo documentou a variedade de possíveis papéis para os profissionais de RH e examinou as detalhadas competências daqueles envolvidos no desenvolvimento de recursos humanos (integração de treinamento coordenado, desenvolvimento, desenvolvimento da organização e desenvolvimento da carreira).

Em 1987, McLagan mais uma vez colaborou com a *Américan Society of Training and Development* ao desenvolver um modelo de competência para o RH. Nessa ocasião, seu foco era mais amplo. Ela se concentrou na função de desenvolvimento geral e incluiu a maioria das funções de RH (com exceção de pesquisa de RH e serviços de informação, relação com sindicatos, assistência ao funcionário e remuneração e benefícios). Este estudo apresentou uma extensa investigação baseada nas avaliações de duas pesquisas, cada uma delas envolvendo centenas de "especialistas de área". Os resultados desse estudo de competência foram publicados em *Models for HRD Practice: The Research Report.*²³

Foi nessa época que nosso *Human Resource Competency Study* começou a tomar forma. Em 1987, Dave Ulrich, Wayne Brockbank e outros colegas desenvolveram um modelo de competência de RH baseado em entrevistas com 600 profissionais de RH.²⁴ Este trabalho tornou-se a base para o estudo de competência do RH, o qual começou na University of Michigan no ano seguinte. Muitos trabalhos posteriores sobre competência de RH foram baseados nesse modelo.

Em 1991, Towers e Perrin fizeram uma parceria com a IBM a fim de entrevistar 3 mil profissionais de RH, executivos de área, consultores e estudiosos de negócios. Towers e Perrin descobriram que os executivos queriam que o RH tivesse conhecimentos de informática, os estudiosos queriam que o RH demonstrasse conhecimento e imaginação, os consultores queriam que o RH previsse os efeitos da mudança e os profissionais pensavam que sua competência mais importante era educar e influenciar os gerentes de área.

Em 1996, Arthur Yeung, Patty Woolcock e alguns de seus sócios do *California Strategic Human Resource Partnership* desenvolveram um modelo de competência de RH baseado em entrevistas com 10 executivos de RH de diferentes empresas.²⁶ O modelo resultante destacou a importância das competências em quatro áreas principais: liderança, *expertise* de RH, consultoria e competência central. Este estudo se concentrou nas competências supostamente necessárias para o RH no futuro.

Enquanto isso, Wright, Stewart e Moore, da *Cornell Advanced HR Studies (CAHRS)* pesquisaram 56 diretores de RH em 2009, 72 em 2010 e 172 em 2011.²⁷ Conforme os dados de 2011, diretores de RH da Europa e dos Estados Unidos indicaram o talento como o desafio mais importante, seguido de controle de custo, planejamento de sucessão, cultura e comprometimento do funcionário (as respostas variam bastante entre os diretores de RH da Europa e dos Estados Unidos). Eles também entendem que criar competências é o ponto mais difícil da agenda dos presidentes para o RH. As práticas que mais contribuíam para aumentar a eficácia dos diretores de RH incluíam aprender a partir de uma *network* externa, ter foco no negócio, envolver-se com atividades de autodesenvolvimento e criar processos eficientes de RH. Eles também identificaram oito funções para os diretores de RH e o tempo gasto em cada função: consultor estratégico; assessor, confidente e *coach*; ligação com a diretoria; arquiteto do talento; líder de funções do RH; sensor da força de trabalho e representante da empresa.

O *Boston Consulting Group* realiza estudos anuais da profissão de RH em colaboração com o *World Federation of People Management Associations* e o *European Association of People Management Associations*.[28] Em seu estudo de 2011, usou pesquisas realizadas com 2.039 executivos em 35 países europeus. Baseados na avaliação dos executivos sobre "capacitação atual" e "importância futura", os quatro tópicos mais importantes para o RH foram gestão de talento (recrutamento, desenvolvimento e retenção), melhoria do desenvolvimento de liderança, transformação do RH em um parceiro estratégico e planejamento estratégico da força de trabalho. Eles identificaram cinco capacitações importantes do RH (que nós chamaríamos de competências) para tratar desses tópicos: transformar o RH em um parceiro estratégico, conhecer a fundo os processos de RH, prestar serviços de recrutamento, reestruturar a organização e melhorar o desenvolvimento de lideranças. Destacaram também a importância da tecnologia e das mídias sociais.

O Centro para Organização Eficaz estudou a eficácia do RH ao longo dos últimos anos.[29,30,31] Em um trabalho recente, baseado em suas experiências, ele sugere seis tendências ou mudanças que os profissionais de RH enfrentam.

- Liderança de herói para liderança coletiva
- Propriedade intelectual para co-criação ágil
- Proposição de valor do emprego para proposição de valor pessoal
- Mesmice à segmentação
- Cansaço à sustentabilidade
- Persuasão para educação

Eles sugerem que esses seis temas respondam às tendências externas e aos processos de organização. Também propõem que a estrutura e competências do RH mudem para atender a essas tendências.

A empresa de consultoria Deloitte resume suas recomendações para competências de RH em três amplos requisitos: negócio (consciência comercial, visão de negócios, foco no cliente, negócios alinhados com o RH), RH (relações trabalhistas, fazer o básico com eficiência, *expertise* de RH, métricas de RH, mudança na entrega) e capacitações de consultoria (corretagem, assessoria confiável, impacto e influência, facilitação e treinamento, liderança, entrega de projeto).[32] O argumento da Deloitte é de que o domínio dessas competências pelos profissionais de RH permite que sejam parceiros de negócio que ajudam sua empresa a ter sucesso. Baseia suas recomendações em experiências de casos com clientes.

A Hewitt, outra empresa de consultoria, pesquisou 85 pessoas de diferentes empresas para descobrir como elas administravam suas prioridades e competências do RH.[33] Sugere que os profissionais de RH necessitam de competências no projeto de organização, entrega de serviço e tecnologia, governança e métricas e estratégia e concepção de programas. Quando os profissionais de RH dominam esses quatro conjuntos de habilidades, são capazes de ajudar suas empresas a gerenciar seus negócios.

O *Roffey Park Institute,* instituto de pesquisa de Londres, ouviu 171 profissionais de RH, entrevistou sete especialistas no assunto e seis gerentes de área para analisar a validade e relevância do modelo de parceria de negócio para o RH.[34] Sugere que as habilidades do RH no relacionamento interpessoal e conhecimento do negócio são críticas para o sucesso dos profissionais de RH. Também identifica 14 competências comportamentais específica de RH e sugere que entrega consistente e credibilidade do RH são os principais indutores do sucesso do RH.

Ao longo de diversos anos The *Society for Human Resource Management (SHRM)* realizou alguns estudos utilizando diferentes abordagens. Em 1990, o SHRM contratou Tom Lawson para entrevistar 20 CEOs e 50 administradores de RH sobre o que o estava sendo feito e o que precisava ser alterado no RH para que se tornasse um colaborador mais valorizado.[35] Lawson descobriu que o RH precisava se concentrar na criação de aptidões de gestão incluindo liderança, influência, conhecimento do negócio e proficiência com novas tecnologias.[36] Em 1998, o SHRM patrocinou outro estudo de competências do RH com Stephen Schoonover. O novo modelo de competência do SHRM baseou-se em 300 entrevistas com profissionais de RH de 21 empresas ao longo de um período de sete anos. Este estudo constatou três principais áreas de competência de RH: competências centrais, que consistiam de atributos pessoais, gestão, liderança, e conhecimento funcionais e habilidades; competências específicas para executivos, líderes de equipe e gerentes e colaboradores individuais; e competências de função específica, que incluía generalistas de RH, estrategistas de RH e especialistas de produtos e serviços de RH.

O *Chartered Institute for Personnel and Development (CIPD)* criou um mapa de profissões de RH que oferece uma abrangente visão de como os profissionais de RH podem fornecer *insights* e soluções para suas empresas.[37] Este mapa está organizado em torno de como o RH pode proporcionar liderança e *insights* em oito áreas práticas: projeto de organização; desenvolvimento de organização, recrutamento e planejamento, aprendizado e desenvolvimento de talentos; desempenho e recompensas, comprometimento com o trabalho; relações com o trabalho; entrega de serviço e informação.

Todos estes estudos têm pontos fortes e limitações. Em geral, o ponto destaque é o fato de eles terem ajudado a área a se concentrar na importância de entender e desenvolver o que os profissionais de RH precisam ser, saber e fazer. Entretanto, estes estudos compartilham quatro deficiências. Primeiro, com raras exceções, a maioria dessas abordagens às competências do RH apoiam-se na autopercepção em lugar de na percepção dos outros. Pedem aos profissionais de RH que relatem o que eles pensam que devem saber e fazer para serem eficazes. Segundo, muitos deles apoiam-se em números tão pequenos que fica difícil generalizar suas descobertas para uma população maior. Terceiro, limitam-se a um âmbito geográfico – geralmente a América do Norte. Consideram que as melhores práticas e profissionais de RH se localizam exclusivamente na América do Norte. Quarto, limitam-se a um ponto por vez. Eles tendem a subvalorizar a natureza dinâmica das competências e sua necessidade de mudar quando muda o contexto do negócio.

Estes são os problemas que tratamos no HRCS pelos últimos 25 anos. Ao criar o estudo de competência mais abrangente, global e dirigido a empresas de todo o mundo, tentamos tirar proveito das vantagens e atenuar as desvantagens de outro trabalho.

Métodos de pesquisa do HRCS

Desde seu início, o HRCS foi projetado para identificar as práticas e competências de ponta dos profissionais de RH de alto desempenho. Para manter sua relevância, uma análise de competência de RH foi projetada em estreita cooperação com gerentes de área e importantes acadêmicos, associações de RH e profissionais liberais. Ela baseou-se no conhecimento, nas habilidades, capacidades e experiências do RH e dos gerentes de área; o conhecimento de pesquisa emergente, teorias e conceitos de organização e RH realizados por acadêmicos importantes; e a capacidade de profissionais liberais respeitáveis de testar a aplicabilidade e relevância dos conceitos e teorias emergentes sob condições alternativas.

Antes da primeira etapa do levantamento, em 1987 – assim como em cada etapa subsequente (em 1992, 1997, 2002, 2007 e 2012) – a equipe de pesquisa passou por um processo de três etapas. Primeiro, conduzimos um exame detalhado da literatura relevante sobre tendências nas práticas e competências de RH. Segundo, conversamos com centenas de profissionais de RH, executivos de área, acadêmicos e consultores, em entrevistas individuais ou em grupos de foco semi-estruturado. Terceiro, nas etapas após 1987, nos concentramos naqueles itens que nos anos anteriores foram considerados como mais importantes.

A partir dessas atividades preparatórias construímos a pesquisa para aquela etapa. Como queríamos examinar as competências relacionadas com a eficácia individual e com o sucesso negócio, desenvolvemos medidas para duas variáveis de resultado. Medimos a eficácia individual ou pessoal fazendo a seguinte pergunta aos colegas e não colegas de RH de cada participante do RH: *como podemos comparar este participante com outros profissionais de RH que você conhece?* O sucesso do negócio era medido utilizando um índice agregado de sete dimensões: rentabilidade, produtividade da mão de obra, desenvolvimento de novos produtos, satisfação do cliente, atração de funcionários necessários, conformidade regulamentar e reputação correspondente. A reputação correspondente era analisada pela resposta à pergunta: *Como seu negócio comportou-se financeiramente nos últimos três anos em comparação com os maiores concorrentes de seu setor?*

O que é um negócio?

Na pesquisa, o termo *negócio* é usado para descrever as unidades organizacionais nas quais os participantes do RH geralmente prestam serviço. Negócios são "unidades identificáveis normalmente percebidas em uma empresa". Assim, *negócio* poderia referir-se ao escritório corporativo, a um grupo (grupo de produtos domésticos), uma divisão (divisão de *software*), uma fábrica (fábrica em Ann Arbor), uma função (serviços financeiros) ou um território físico (região Ásia-Pacífico).

Evitamos o termo *unidade de negócios* porque ele tem diferentes significados em diferentes companhias. Por exemplo, em algumas empresas a região Ásia-Pacífico pode ser a empresa em que um profissional de RH trabalha, mesmo que a região não seja na verdade uma "unidade de negócios" na linguagem daquela empresa. A equipe de pesquisa decidiu concentrar-se no negócio dos participantes em vez de na corporação como um todo porque provavelmente as práticas e competências de RH de um negócio podem não ser tão importantes para outro negócio, mesmo que façam parte da mesma corporação.

Também fizemos perguntas sobre temas do departamento do RH: quais *stakeholders* recebem mais atenção do departamento de RH? Quais as atividades principais para o departamento de RH? Qual a eficácia global do departamento de RH? Qual a influência do departamento de RH em comparação com outras funções?

Além disso, fizemos duas perguntas contextuais que examinaram diferentes aspectos de mudança: a taxa de mudança na indústria relevante e a taxa de mudança na empresa participante. Considerando o estado de turbulência ambiental, quisemos avaliar a relação das competências do RH com a eficácia pessoal e sucesso comercial sob diferentes condições de mudança.

Em todas as rodadas do estudo aplicamos uma metodologia de 360 graus. Os participantes do RH receberam uma "pesquisa do participante" para completar individualmente. Eles também receberam nove pesquisas para distribuir aos seus "sócios": colegas, subordinados, supervisores, clientes internos ou outras pessoas que conheciam a "atividade do participante como um profissional de RH". Alguns dos avaliadores dos sócios eram profissionais de RH; muitos n eram não clientes do RH, incluindo executivos de área. Assim, ficamos com três categorias de entrevistados: participantes que preencheram a pesquisa individualmente, associados do RH que completaram uma pesquisa sobre os participantes do RH e associados que não eram do RH, que completaram a pesquisa sobre os participantes de RH.

Nas primeiras rodadas do estudo (1987, 1992 e 1997), os participantes tinham como origem principal a América do Norte. No início de 2002 buscamos parceiros em outras partes do mundo. Os primeiros a participar foram Índia, Europa e América Latina. A partir 2002 a pesquisa tornou-se cada vez mais global. Fomos honrados com a participação de ilustres colegas do mundo inteiro. Nossa pesquisa de 2012 incluiu as maiores organizações profissionais de RH da Austrália (AHRI), China (51Job), América Latina (IAE), Oriente Médio (ASHRM), Norte da Europa (HR Noruega), África do Sul (IPM) e Turquia (SCP). Também questionamos nossas próprias e extensas redes na América do Norte, inclusive a *Ross School of Business*, na Universidade de Michigan.

Até agora, coletamos informações de mais de 55 mil participantes, representando mais de 3 mil empresas. O trabalho de 2012, foco deste volume, inclui mais de 20 mil entrevistados (Ver Tabela 2.2).

Ao longo dos anos temos visto tendências muito distintas entre os entrevistados (Tabela 2.3).

A Tabela 2.3 permite que cheguemos às seguintes conclusões com respeito às características dos participantes. O número de mulheres na profissão de

Tabela 2.2 Níveis de resposta do HRCS

	1987	1992	1997	2002	2007	2012
Pessoas	10.291	4.556	3.229	7.082	10.063	20.013
Unidades de negócio	1.200	441	678	692	413	635
Entrevistados: RH e não RH	8.884	3.805	2.565	5.890	8.414	17.385
Participantes	1.407	751	664	1.192	1.671	2.828

RH continua a crescer. Temos visto um aumento no número de participantes com pós-graduação, que são colaboradores individuais (isto é, que não têm subordinados diretos e que tem menos anos de RH). Assim, nossa amostra é cada vez mais feminina, mais educada e com menos experiência profissional, e colaboradores individuais. O número de especialistas funcionais de RH no exemplo aumentou, enquanto que o número de generalistas de RH diminuiu. A proporção de pessoas de empresas menores e médio porte aumentou. Isso oferece um melhor mix de participantes de empresas de diferentes tamanhos, por isso podemos generalizar as implicações do estudo para profissionais de RH de empresas de todos os tamanhos.

A Tabela 2.4 comprova papéis de entrevistados para o HRCS de 2012. Ela indica que o conjunto de dados mais recentes inclui auto-relatos (participantes do RH), a percepção dos colegas de RH (associados do RH) e aqueles de gerentes de área, colegas e clientes (associados não RH). Assim, os resultados não representam apenas as pessoas de RH falando sobre o que elas consideram importante; mas também incluem *insights* de pessoas de fora do RH. Esta tabela também ilustra que nos últimos 15 anos (de 1997 a 2012), o número de homens em seu conjunto de dados caiu de 70 para 38%, e o das mulheres aumentou de 30 para 62%. Também é interessante observar que 69% dos associados não RH são homens, o que significa que as mulheres profissionais de RH de nosso conjunto de dados estão geralmente trabalhando com colegas masculinos.

A Tabela 2.5 fornece a taxa de resposta por região. Diversas implicações desta tabela são bastante importantes. O conjunto de dados representa cada importante parte do mundo. Mesmo que o conjunto de dados esteja desproporcionalmente inclinado para a América do Norte, não deixa de se constituir na maior base de dados de seu tipo em todas as regiões geográficas – até naquelas com taxas de resposta relativamente modestas – e é a maior de seu tipo no mundo.

Tabela 2.3 Características do conjunto de dados da competência de recursos humanos, Rodada 1-6

Rodada	Rodada 1 1987	Rodada 2 1992	Rodada 3 1997	Rodada 4 2002	Rodada 5 2007	Rodada 6 2012
Gênero do participante do RH						
• Masculino	77%	78%	70%	57%	46%	38%
• Feminino	23	22	30	43	54	62
Instrução do participante do RH:						
• Ensino secundário	3%	7%	4%	4%	9%	3%
• Associado com diploma universitário	5	7	6	9	12	7
• Bacharel	48	43	42	42	37	39
• Pós-graduação	44	43	48	45	41	51
Nível do participante do RH:						
• Contribuinte individual	20%	24%	29%	24%	28%	34%
• Gerente do contribuinte individual	36	41	34	34	30	39
• Diretor dos gerentes	36	29	30	31	20	19
• Gerente executivo	8	6	7	11	21	7
Tamanho da empresa para o participante do RH:						
• 1-499	15%	17%	22%	25%	31%	19%
• 500-999	10	9	13	15	14	33
• 1.000-4.999	25	22	34	33	28	10
• 5.000-9.999	11	12	11	9	6	10
• Mais de 10.000	39	40	20	18	20	28

Capítulo 2 Abordagem e descobertas 41

Permanência no RH para os participantes do RH:	10%	14%	13%	25%	24%	25%
• Menos de 5 anos	14	19	15	18	20	18
• 6-9 anos	26	24	21	22	23	25
• 10-14 anos	50	43	51	35	32	32
• 15 anos ou mais						
Função principal dos participantes do RH:						
Benefícios/saúde/segurança	6%	5%	5%	4%	3%	3%
Remuneração	5	4	4	6	6	7
Planejamento, estratégia, ações afirmativas	6	8	5	8	14	14
Relações de trabalho	6	8	5	6	5	4
Desenvolvimento, pesquisa e eficácia da organização	2	5	3	13	7	9
Recrutamento	3	6	4	4	6	11
Treinamento, comunicação	7	14	6	12	9	11
Generalista	61	45	60	48	49	40

Tabela 2.4 Entrevistados no conjunto de dados de 2012

Função do entrevistado	Definição	Número total de entrevistados F = % femininos M = % masculinos
Todos os entrevistados	Todos os entrevistados que completaram a maioria dos 139 itens de competência	20.013
Associados do RH	Todos os avaliadores dos entrevistados e associados que trabalham no RH	**9.897** F 65% M 35%
Associados não RH	Todos os avaliadores dos entrevistados e associados que não fazem parte da organização de RH	**7.488** F 31% M 69%
Participantes	Participantes do RH que optaram por participar. Cada participante também tem avaliadores associados	**2.638** F 62% M 38%

A Tabela 2.6 examina a proporção de funcionários para os profissionais de RH nos diferentes setores. Interessante observar a diferença entre os setores, de 163:1 na agricultura para 43:1 na mineração.

Na Tabela 2.7 também pudemos classificar a taxa de entrevistados por setor em cada região global. O conjunto de dados tem uma forte representação no serviço, produção e bancário, mas as diferenças regionais são interessan-

Tabela 2.5 Percentagem de entrevistados por região geográfica

Região	% do total de entrevistados (20.013)
América do Norte (Estados Unidos e Canadá)	35%
América Latina	16%
Europa	12%
China	7%
Austrália/Nova Zelândia	6%
Índia	8%
Turquia	3%
África	1%
Leste da Ásia	7%
Oriente Médio	2%

Tabela 2.6 Proporção entre funcionários e profissionais de RH

Indústria	Agricultura	Bancário	Produtos químicos	Construção	Alimentos	Produção	Mineração	Farmacêutico	Serviços	Administração pública	Serviço público	Atacado/varejo
Proporção funcionário por profissionais de RH	163	83	80	75	103	110	43	67	65	81	56	92

tes. O Oriente Médio é mais forte na indústria química (incluindo petroquímica). A Austrália é mais forte na administração pública; a Europa e a Ásia no setor bancário; e a África em serviços. E finalmente, a Turquia é, de longe, mais forte nos setores de atacado e varejo.

Com estes dados em mãos, passamos a trabalhar nos processos analíticos. Para alcançar os objetivos do estudo, demos sete passos:

1. Calculamos as pontuações médias para os itens de competência individual, questões departamentais, demográficas e outras questões relacionadas.
2. Depois, fizemos uma análise estatística dos 139 itens de competência individual. Por meio dessa análise identificamos seis fatores aos quais nos referimos como domínio.
3. Mais tarde fizemos análise estatística dos itens de cada domínio. Este segundo nível de análise também identificou padrões influentes e importantes no conjunto de dados. Para facilitar a comunicação nos referimos ao primeiro nível como domínios de competência e ao segundo nível como fatores desses domínios.
4. Para cada domínio de competência e fator, calculamos a pontuação média. Essas pontuações médias nos informam com que eficiência os participantes de RH estavam exibindo os padrões de competência como classificados em domínios e fatores, bem como as competências específicas refletidas nos itens individuais do questionário.

Tabela 2.7 Percentual de respondentes por indústria e região

Indústria	Total 100%	Estados Unidos e Canadá	América Latina	Europa	China	Austrália e Nova Zelândia	Índia	Turquia	África	Ásia	Oriente Médio
Agricultura	1	1	1	1	0	2	1	0	1	0	1
Bancário	15	6	14	28	10	14	2	11	16	25	12
Químicos	3	3	2	5	5	1	2	1	1	1	20
Construção	3	1	6	6	3	2	3	1	0	1	1
Alimentos	4	6	7	4	1	4	2	6	4	0	2
Produção	20	22	14	14	29	5	31	**26**	12	13	17
Mineração	3	2	9	1	0	1	0	0	4	0	8
Farmacêuticos	5	9	8	2	3	1	3	24	37	2	0
Administração pública	4	3	0	6	1	28	0	0	7	0	1
Serviços	**31**	**37**	**29**	19	**36**	**31**	**43**	3	**51**	**45**	**32**
Serviço público	5	4	5	3	2	6	10	1	3	1	3
Atacado/Varejo	7	7	5	9	11	6	1	25	1	7	1

5. Por meio da aplicação de análise regressiva, examinamos qual a influência de cada domínio de competência e de cada fator de competência nos resultados do negócio.
6. Através da aplicação adicional da análise regressiva, examinamos também o grau de influência que cada domínio de competência e fator de competência teve na percepção da competência geral dos participantes de RH na opinião dos associados de RH e não RH.
7. Para facilitar a interpretação do impacto relativo dos domínios e fatores de competência na eficácia individual e no sucesso do negócio, representamos os pesos beta de regressão para 100 pontos.

Evolução do modelo de competência do RH

Nossas descobertas evoluíram ao longo do tempo. A dinâmica empresarial mudou e junto com ela mudou o RH. Consequentemente, nosso modelo básico de competência também evoluiu.

No modelo de 1987, surgiram dos dados três categorias principais de competência de RH: conhecimento do negócio, entrega de práticas de RH e mudança de gestão. O RH estava deixando seu tradicional papel de dirigir as operações de RH e buscar práticas funcionais, e os profissionais estavam começando a se envolver no negócio e a ajudar o negócio a administrar a turbulência que estava começando a se fazer sentir. (Ver Figura 2.1).

Em 1992 a credibilidade pessoal apareceu como um domínio importante dos profissionais de RH. Para ser aceito no campo de ação dos negócios a credibilidade pessoal tornou-se obrigatória. A credibilidade era a função de trabalhar bem com os líderes, comunicar-se com perfeição e entregar resultados com integridade. Quando o mundo passou pela queda dos modelos econômicos centralizados na Índia, China e Rússia, a mudança de gestão tornou-se mais importante. No ambiente empresarial mundial mais competitivo os profissionais de RH das empresas de alto desempenho dedicavam cada vez mais tempo e empenho nos assuntos estratégicos de RH, enquanto que aqueles nas empresas de baixa performance continuavam a se concentrar mais nos assuntos operacionais do RH (Ver Figura 2.2).

Em 1997, a gestão cultural fez sua estreia no modelo de competência de recursos humanos. Como uma capacitação importante, a gestão cultural tratou do conhecimento coletivo da organização, padrões de pensamento e ações integradas. Nas empresas de alta performance, os profissionais de RH

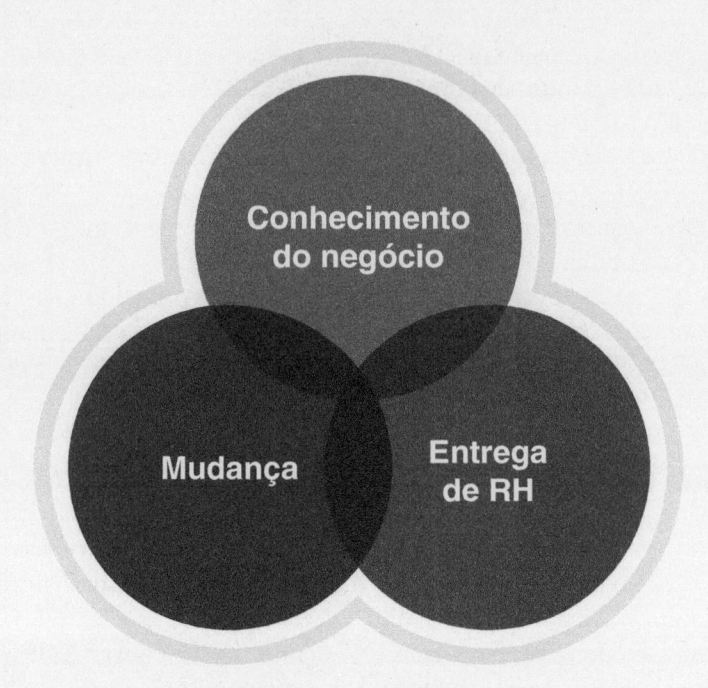

Figura 2.1 Modelo de competência de RH 1987.

desempenharam um papel importante na identificação e implementação de culturas organizacionais que ajudaram a empresa a vencer no mercado e implementar com sucesso sua estratégia de negócio.

Juntamente com o aparecimento da cultura, surgiu outra tendência empírica importante que se tornou um prenúncio da futura direção da área de RH. Fomos capazes de verificar que os profissionais de RH em geral tinham relativamente pouco conhecimento das dinâmicas do mercado externo. Entretanto, os profissionais de RH nas empresas de alto desempenho sabiam muito mais sobre a realidade externa do negócio (isto é, clientes, concorrentes, tendências do setor e globalização) do que os profissionais de RH das empresas de baixo desempenho. Fomos capazes de verificar a importância do RH ter uma linha de visão externa e não apenas uma visão interna (Ver Figura 2.3).

Em 2002, o papel do RH como um colaborador estratégico ficou claro. Domínio de competência estratégica era a integração de uma rápida mudança, tomada de decisão estratégica e conectividade orientada ao mercado. A conectividade orientada ao mercado era um novo conceito na área de RH.

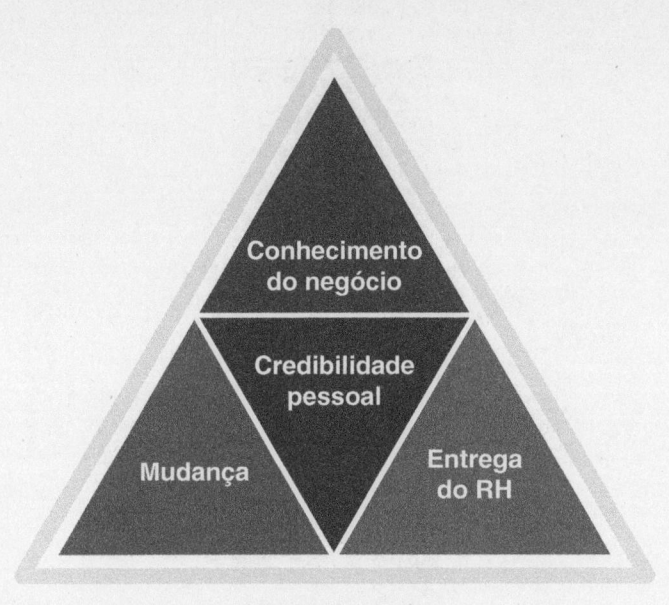

Figura 2.2 Modelo de competência do RH de 1992.

Tanto quanto sabemos, esta categoria não foi identificada por qualquer trabalho anterior. Tratava-se de profissionais de RH que identificassem informações importantes do ambiente empresarial e divulgassem essa informação, concentrando a organização em torno de informações importantes e reduzindo a presença de informações menos importantes que muitas vezes distraem a atenção do que é decisivo. Ao fazer isso, os profissionais de RH ajudam suas organizações a navegar com sucesso mudando as exigências do cliente, da concorrência e dos acionistas.

Outra tendência percebida nessa rodada tem a ver com a natureza do conhecimento do negócio necessária aos profissionais de RH. Antes disso, o conhecimento do negócio do RH era organizado em torno de várias funções (finanças, *marketing*, TI e assim por diante). Nesta rodada, o conhecimento do negócio se organizou em torno da proposição de valor da empresa e da cadeia de valor integrada. Os profissionais de RH começavam a organizar seu conhecimento do negócio em formatos mais utilizáveis (Ver Figura 2.4).

Em 2007, descobrimos que criar capacidades organizacionais era determinante. O processo de definir capacidades organizacionais era uma integração de três domínios. Primeiro, os arquitetos estratégicos, profissionais

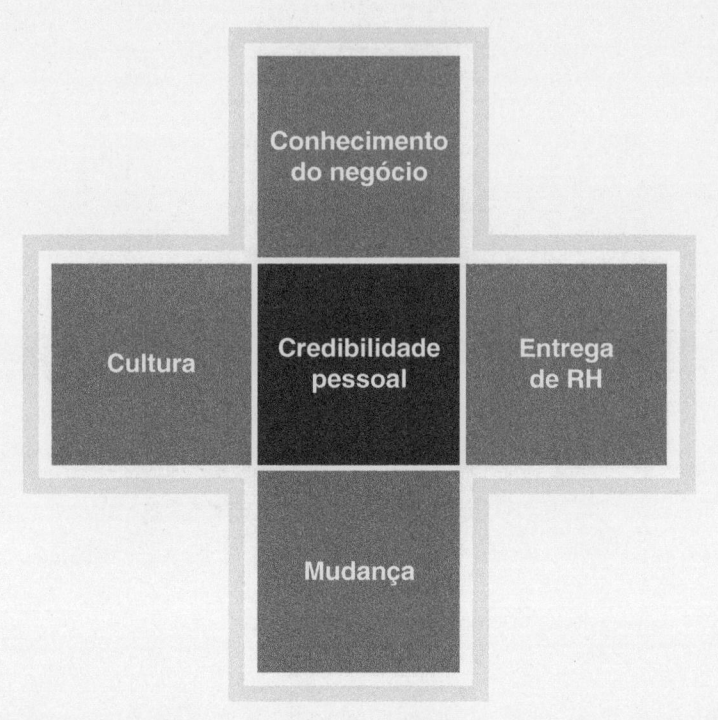

Figura 2.3 Modelo de competência do RH de 1997.

de RH, ajudaram a formular e implementar a estratégia empresarial dirigida ao cliente. Segundo, construíram capacidades organizacionais representadas empiricamente pela cultura e gestão de mudança. Terceiro, alinharam talento e atividades de projetos organizacionais com as capacidades organizacionais que eram, por sua vez, exigidas pela estratégia empresarial orientada ao cliente. Descobrimos que para otimizar esta integração, os profissionais de RH teriam que, mais do que nunca, se destacar como ativistas confiáveis para impulsionar resultados de negócio. De maneira interessante, os associados não RH tinham mais expectativas sobre o foco que os profissionais de RH deveriam ter no cliente externo do que os profissionais de RH tinham deles mesmos. Também descobrimos uma importante integração entre gestão de talento e projeto organizacional. Assim, a tendência atual de enquadrar a agenda do RH inteiramente em termos de gestão de talentos sem considerar o projeto organizacional provavelmente irá resultar em uma contribuição insignificante para o negócio (Ver Figura 2.5).

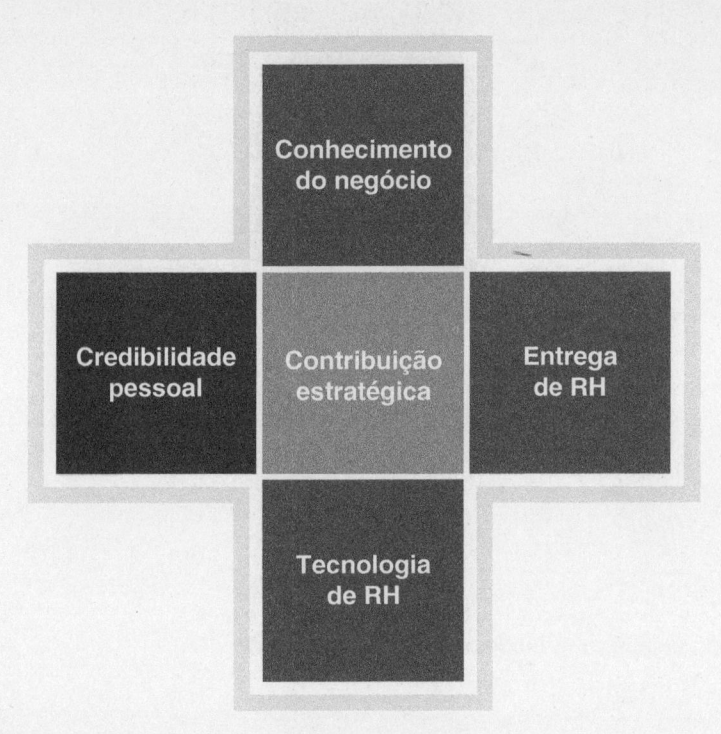

Figura 2.4 Modelo de competência do RH de 2002.

Visão geral das descobertas de 2012

Como nos anos anteriores, a pesquisa de 2012 procurou responder a quatro perguntas:

1. Quais os principais domínios e fatores de competência para os profissionais de RH?
2. De que maneira os profissionais de RH trabalham com esses domínios e fatores de competência?
3. Quais competências têm maior impacto na eficácia individual dos profissionais de RH como percebidos pelos associados e não associados do RH?
4. Quais competências têm maior impacto no sucesso do negócio?

Em 2012, identificamos seis domínios de competência do RH. Eles estão representados na Figura 2.6 e explicados em detalhe a seguir.

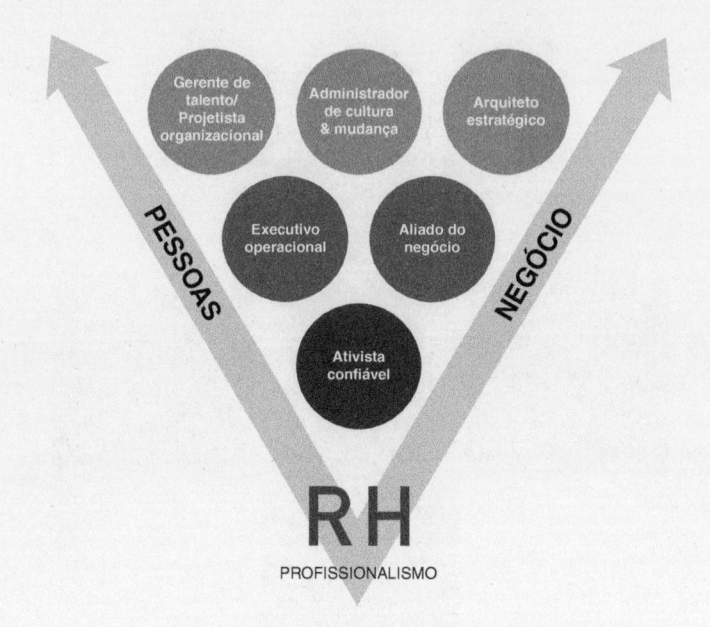

Figura 2.5 Modelo de competência de RH de 2007.

- *Ativista confiável*: Os profissionais de RH nas empresas de alto desempenho operam como ativistas confiáveis. Eles fazem o que prometem fazer. Essa integridade baseada em resultados serve como a base da confiança pessoal que, por sua vez, se transforma em credibilidade profissional. Eles têm habilidades interpessoais eficientes. São flexíveis no desenvolvimento de uma química positiva com seus principais *stakeholders.* Traduzem essa química positiva em influência que contribui para os resultados do negócio. Tomam posições fortes sobre os assuntos do negócio que se baseiam em dados sólidos e opiniões coerentes.
- *Posicionador estratégico*: Os profissionais de alto desempenho entendem o contexto empresarial global – as tendências sociais, políticas, econômicas, ambientais, tecnológicas e demográficas que aparecem em seus negócios – e traduzem essas tendências em implicações empresariais. Entendem a estrutura e a lógica de suas próprias indústrias e as dinâmicas competitivas subjacentes dos mercados no qual operam, inclusive as tendências de cliente, concorrente e fornecedor. Então, eles aplicam esse conhecimento para o desenvolvimento de visões pessoais para o futuro de suas empresas. Participam no desenvolvimento de estratégias de ne-

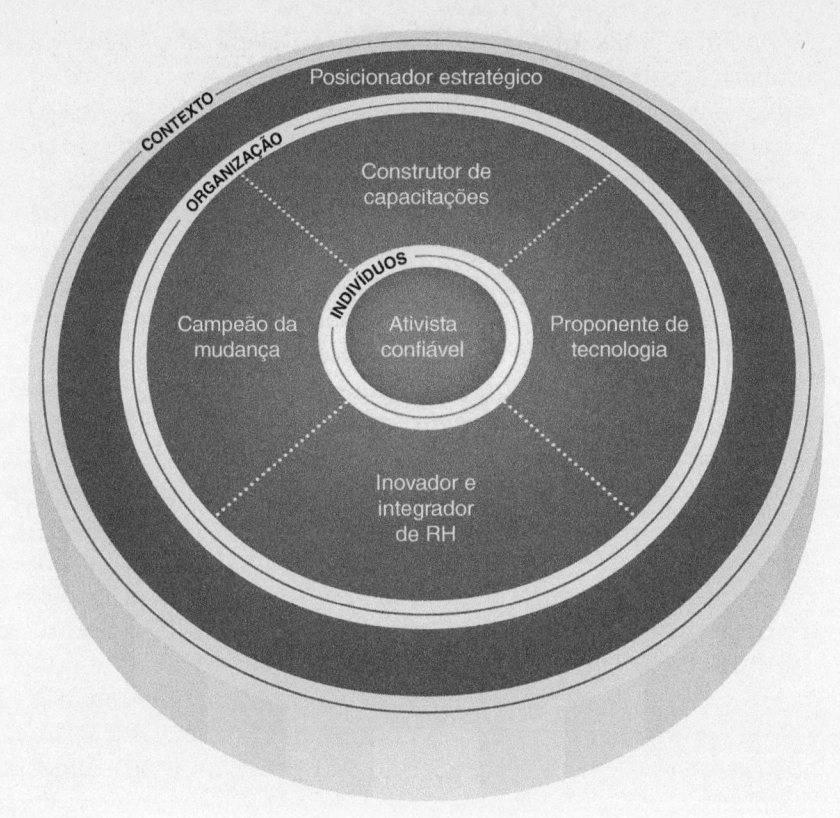

Figura 2.6 Modelo de competência de RH de 2012.

gócio centradas no cliente e na tradução das estratégias do negócio em planos e metas anuais.
- *Construtor de capacitações*: Na organização, um profissional eficaz de RH cria, audita e administra uma organização eficiente e forte ao ajudar a definir e criar suas habilidades organizacionais. A capacitação representa o que a organização faz de bom e como ela é reconhecida. Essas capacitações ultrapassam o comportamento ou desempenho de qualquer gerente ou sistema individual. Tais capacitações podem incluir inovação, velocidade, foco no cliente, eficiência e a criação de um significado e um objetivo no trabalho. Os profissionais de RH podem ajudar os gerentes de área a criar um significado para que a capacidade da organização reflita os valores mais profundos dos empregados.

- *Campeão de mudança*: Os profissionais de RH eficientes desenvolvem a capacidade de mudança de suas organizações e depois traduzem essa capacidade em processos e estruturas de mudança efetivas. Asseguram uma integração sem falhas dos processos de mudança que cria uma vantagem competitiva sustentável. Eles criam a situação de mudança baseados na realidade de mercado e do negócio, e superam a resistência à mudança ao engajar os principais *stakeholders* em decisões-chave e ao criar comprometimento com a implementação. Sustentam a mudança garantindo os recursos necessários incluindo tempo, pessoas, capital e informação, e ao aprender as lições de sucesso e fracasso.
- *Inovador e integrador de recursos humanos*: No nível da organização, uma grande competência dos eficientes profissionais de RH é a capacidade de inovar e integrar práticas de RH em torno de poucas questões críticas de negócio. O desafio é fazer o conjunto do RH mais eficiente do que a soma de suas partes. Os profissionais de RH de alto desempenho garantem que os resultados do negócio desejados sejam priorizados, que as capacidades organizacionais necessárias sejam conceituadas e operacionalizadas de maneira convincente, e que as adequadas práticas, processos, estruturas e procedimentos de RH sejam alinhadas para criar e sustentar as capacidades organizacionais identificadas. Ao fazer isso com disciplina e consistência, eles ajudam as práticas de RH coletivas a alcançar o máximo de impacto nos resultados do negócio. A inovação e integração das práticas, processos e estruturas levam o RH a impactar os resultados do negócio mais plenamente.
- *Proponente de tecnologia*: Por muitos anos, os profissionais de RH aplicaram tecnologia ao trabalho básico do RH. Sistemas de informação do RH foram utilizados para melhorar a eficiência dos processos de RH, incluindo o processamento de benefícios, folhas de pagamento, financiamento de planos de saúde, manutenção de registros e outros serviços administrativos. Nesta rodada HRCS vemos uma mudança dramática nas implicações de tecnologia para os profissionais de RH. No nível organizacional, os profissionais de RH de alto desempenho estão agora envolvidos em duas categorias adicionais de aplicação tecnológica. Primeiro, os profissionais de RH estão aplicando tecnologia de rede para ajudar as pessoas a conectarem-se umas com as outras. Eles ajudam a orientar a conexão das pessoas dentro e fora das empresas (principalmente clientes) com os funcionários dentro da empresa. Segundo, nas empresas de alto desempenho os profissionais de RH estão aumentando seu papel na gestão da informação. Isto inclui identificar a informação que deve

receber atenção, agregar essa informação em conhecimento utilizável, alavancar esse conhecimento em decisões-chave, e depois assegurar que essas decisões sejam comunicadas com clareza e postas em prática. Isto melhora a competência de eficiência operacional e acrescenta considerável valor para suas organizações.

Desempenho

De que maneira os profissionais de RH agem em cada um dos principais domínios de competência?

Na Tabela 2.8 temos as respostas das três últimas perguntas da pesquisa. A tabela acompanha o desempenho do RH em cada domínio de competência e o relativo impacto das competências de RH na eficácia individual e no sucesso do negócio.

Na primeira coluna de dados da Tabela 2.8 vemos o desempenho dos profissionais de RH nos vários domínios de competência. Fica claro que os profissionais de RH trabalham melhor como ativistas confiáveis. São eficientes na construção de sua credibilidade ao estabelecer relacionamentos de confiança, ao comunicar com eficiência questões-chave de negócio e de RH, e ao defender ativamente opiniões inteligentes que impulsionam o negócio.

Tabela 2.8 Desempenho percebido de RH

	Escore médio deste domínio de competência (1 a 5)	Impacto na eficácia individual percebida (Peso beta dimensionado para 100%)	Impacto no negócio (Peso beta dimensionado para 100%)
Ativista confiável	4,23	22%	14%
Posicionador estratégico	3,89	17%	15%
Criador de capacidade	3,97	16%	18%
Campeão de mudança	3,93	16%	16%
Inovador e integrador de recursos humanos	3,90	17%	19%
Proponente de tecnologia	3,74	12%	18%
		Múltiplo R^2 42,5%	Múltiplo R^2 8,4%

Eles executam a essência dos domínios de competência do posicionador estratégico, criador de capacidades, campeão de mudança e inovador e integrador de RH em níveis de eficácia um pouco mais baixos. Nas empresas de alto desempenho, os profissionais contribuem para o estabelecimento de uma estratégia de negócios dirigida ao cliente; traduzem a estratégia de negócio em importantes capacidades organizacionais; criam e sustentam capacidades organizacionais por meio de integrada e disciplinada aplicação de inovações de RH; e criam organizações flexíveis e adaptáveis para alcançar resultados de negócios.

O RH tende a ser mais fraco na área de atuação da compreensão e aplicação de tecnologia para criar eficácia no RH, para alavancar a rede social e para administrar o fluxo de informação estratégica.

Impacto das competências na eficácia percebida

Quais competências têm maior impacto na eficácia individual dos profissionais de RH como percebidas por seus associados de área e de RH?

Na segunda coluna de dados da Tabela 2.8 identificamos o impacto relativo dos seis domínios de competência da eficácia individual dos profissionais e RH como percebidas por seus respectivos colegas de RH e não RH. Para ser percebido como competente, o profissional de RH deve exibir as competências de um ativista confiável conforme descrito anteriormente neste capítulo. As outras atividades essenciais estão intimamente agrupadas. Isso significa que a fim de serem vistos como competentes em todos os sentidos, os profissionais de RH precisam exibir esses domínios essenciais de competência de RH de maneira integrada.

Destacar-se como um proponente de tecnologia tem menos influência nas percepções dos profissionais de RH sobre os colegas. Isso talvez seja parcialmente devido à baixa expectativa e falta de experiência que os profissionais de RH têm neste domínio.

Impacto das competências do RH sobre o negócio

Qual competência do RH tem maior impacto nos negócios?

A terceira coluna de dados da Tabela 2.8 expressa alguns resultados interessantes e, até certo ponto, inesperados. Os resultados aproximados dos profissionais de RH como criadores de habilidades (18%) e inovadores e integradores de RH (19%) reforça a lógica de que as práticas de RH devem integrar para criar e sustentar as principais capacidades organizacionais a fim de impactar significativamente o sucesso do negócio. Resulta que o domínio de proponente de tecnologia tem o mesmo nível de impacto no sucesso do negócio que os domínios de inovador e integrador. Isso trata do RH em um novo contexto cheio de informação como exemplificado pelas emergentes mídias sociais.

Para distinguir mais detalhes do que faz um profissional de RH surpreendente, observamos também os 20 fatores que caracterizam as competências dos profissionais de RH (Ver Tabela 2.9).

A partir desses resultados podemos obter ainda mais *insights* nos quais as competências são mais bem feitas no nível do fator e quais delas contribuem mais para a eficácia individual e o impacto nos negócios.

Para o domínio do posicionador estratégico, colaborar com a montagem de uma agenda estratégica é o mais importante para ser visto pelos colegas como um colaborador competente. Entretanto, interpretar as expectativas do cliente tem maior impacto no sucesso do negócio.

Na verdade, todos os fatores do ativista confiável são feitos em um nível relativamente alto e têm maior impacto na eficácia individual como visto pelos colegas. Mas, sistematicamente, tem impacto menor no negócio.

Para o criador de capacitações, aproveitar a capacidade organizacional e criar um significativo ambiente de trabalho tem um impacto médio no sucesso do negócio, mas alinhar a estratégia, cultura, comportamento e práticas têm o segundo maior impacto sobre os negócios de qualquer um dos fatores – e é feito em apenas um nível de eficácia despretensioso. Isto indica uma clara área para o RH concentrar seus esforços.

Os resultados dos campeões de mudança ao nível fator também são interessantes. Para ser considerado um colaborador individual competente, o profissional de RH deveria começar a mudança. Porém, para contribuir com o desempenho do negócio, o mais importante é manter a mudança.

O aspecto inovador e integrador de RH tem uma influência considerável tanto na eficácia individual quanto no impacto do negócio. A influência média de seus fatores no sucesso do negócio é a maior entre todos os aspectos. Perde para os ativistas confiáveis na influência sobre percepção de eficácia individual. Os fatores têm uma influência semelhante no sucesso do negócio. A mensagem é clara: os profissionais de RH devem certificar-se que suas práticas coletivas são inovadoras e integradas.

No nível de fator o proponente de tecnologia é interessante. A média dos escores de eficácia são os menores entre todos os domínios. Ainda assim o impacto coletivo desses fatores perde apenas para a influência dos fatores coletivos do domínio do inovador e integrador de RH no sucesso do negócio.

Tabela 2.9 Fatores para competências de RH na eficácia individual e no impacto no negócio

Fatores de domínio de competências do RH	Média (1 a 5)	Percentagem da eficácia Individual	Percentagem do impacto no negócio
Posicionador estratégico:			
• Interpretação do contexto global do negócio	3,83	4,4	4,2
• Interpretar as expectativas do cliente	3,83	4,4	5,2
• Elaborando a agenda estratégica	3,96	6,3	4,6
Ativista confiável:			
• Obter confiança por meio de resultados	4,36	6,9	4,0
• Influenciar e relacionar-se com outros	4,24	7,0	4,1
• Melhorar através do autoconhecimento	4,08	6,5	4,7
• Moldar a profissão de RH	4,13	4,4	2,9
Criador de capacidades:			
• Aproveitar a capacidade da organização	4,03	5,4	5,3
• Alinhar estratégia, cultura, práticas e comportamento	3,94	5,3	6,1
• Criar um trabalho significativo	3,94	4,1	5,2
Campeão de mudança:			
• Iniciar a mudança	3,94	5,4	4,8
• Manter a mudança	3,91	4,7	5,7
Inovador e integrador do RH:			
• Aperfeiçoar o capital humano por meio de planejamento e análise da força de trabalho	3,95	5,5	5,6
• Desenvolver talento	3,83	4,0	5,3
• Moldar práticas organizacionais e de comunicação	3,94	5,8	5,6
• Impulsionar mudança	3,87	4,7	5,2
• Criar marca de liderança	3,87	4,9	5,4
Proponente de tecnologia:			
• Melhorar a vantagem das operações de RH	3,72	2,9	5,0
• Alavancar as ferramentas de mídia social	3,68	2,7	4,7
• Conectar as pessoas por meio da tecnologia	3,77	4,6	6,3
Total R2		.431	.108*

* As pequenas diferenças no R^2 devem-se a decomposição dos dados em 6 ou 20 escalas, o que provoca alguma mudança na variação explicada, mas as proporções são semelhantes, com regressões de 6 ou 20 itens.

E um dos fatores, a conexão das pessoas com a tecnologia, tem mais influência no sucesso do negócio do que qualquer outro fator entre todos os domínios. Esta descoberta é muito importante. No mundo cheio de informações de hoje, os profissionais de RH das empresas de alto desempenho estão se tornando mestres na gestão de mensagens. Eles estão se destacando ao conectar, por meio da tecnologia, as pessoas externas com as pessoas de dentro de maneira significativa.

É útil esquematizar esses resultados como mostrado na Figura 2.7.

Essa matriz fornece uma clara representação da relação entre a atual eficácia do RH e o sucesso do negócio. Observe que a credibilidade pessoal está no canto superior esquerdo, indicando que acontece em um alto nível de eficácia, mas tem relativamente pouca influência no sucesso do negócio. Os profissionais de RH devem, portanto, ser cautelosos ao continuar focando na criação de uma força adicional para a credibilidade pessoal. Nossos dados indicam que eles precisam passar para as agendas que agregam maior valor. Como indicado anteriormente, o perigo é que ser um ativista confiável tem um impacto menor sobre o desempenho do negócio, seu impacto é maior

Priorizando as ações de competência do RH: baseado na eficácia atual e impacto no negócio

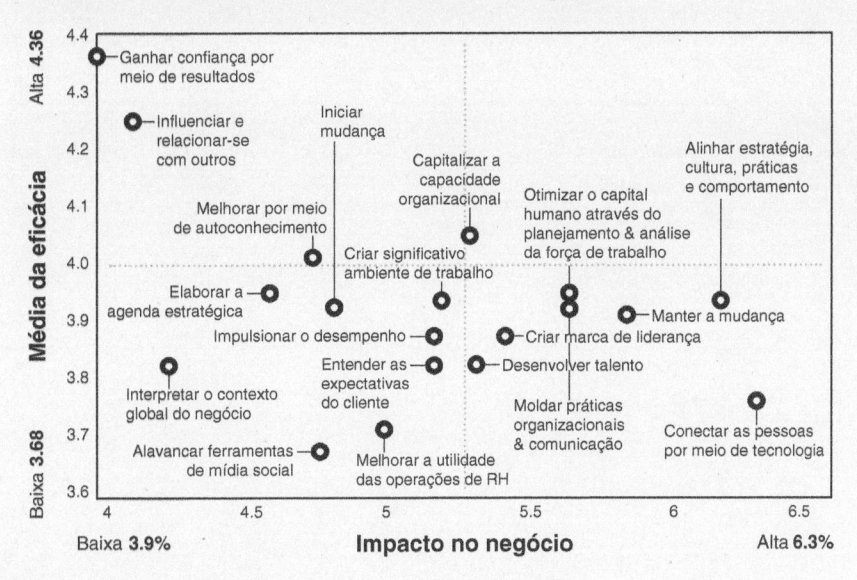

Figura 2.7 Priorizando as ações de competência do RH.

ao ser considerado pelos outros como eficiente. Assim, o conhecimento, as habilidades e as capacidades que criam a aparência de competência não são o que as que na verdade criam o impacto no negócio.

Os fatores de maior impacto no sucesso do negócio são os seguintes, em ordem de importância:

- Conectar as pessoas por meio de tecnologia
- Alinhar estratégia, cultura, práticas e comportamento
- Manter a mudança

Além disso, os profissionais de RH exibem essas competências em níveis de eficiência de médio a baixo. A oportunidade que os profissionais de RH tem de agregar mais valor ao sucesso de suas organizações é focar nesses três fatores.

Conclusão: desenvolvendo competência com competências

Temos oportunidade de buscar e contribuir para a evolução da área de RH. Temos monitorado e vamos continuar a acompanhar a área verificando empiricamente as principais tendências nas competências da profissão de RH. Entretanto, também esperamos promover a evolução positiva da área identificando as competências que mais contribuem para a eficácia individual e o impacto do negócio. Nosso trabalho permitiu que junto com nossos parceiros globais proporcionássemos modelos, ferramentas e práticas que ajudam a traduzir as aspirações dos que estão na área de RH a colaborarem para o negócio de maneira mensurável.

Capítulo 3

Posicionador estratégico

O posicionamento estratégico pode fazer uma enorme diferença na eficácia dos esforços do RH. Seguem três exemplos:

Grupo MOL

A MOL, uma empresa de petróleo e gás do leste da Europa (Hungria, Eslováquia e Croácia) enfrenta desafios quando p assunto é talentos.[1] Emprega cerca de 34 mil pessoas, mas sua força de trabalho envelheceu nos últimos 20 anos. Os jovens têm uma percepção negativa do trabalho na área, então é difícil preencher as vagas abertas – especialmente porque aqueles que gostariam de trabalhar em uma empresa de energia raramente têm a qualificação necessária.

Os membros da equipe de RH gostariam de encontrar maneiras mais eficientes de recrutar jovens funcionários. Precisavam provocar o interesse pelas ciências naturais entre os alunos de segundo grau que, depois, poderiam continuar seus estudos na universidade. Eles passaram a promover atividades de apoio ao ensino de ciências naturais com o intuito de atrair futuros funcionários para a empresa:

- Lançaram uma marca Freshhh para atrair futuros funcionários. Realizaram um concurso *online* chamado "Junior Freshhh" no qual 900 equipes competiam resolvendo questões de matemática, química e física. Esses concursos eram feitos através do Facebook, LinkedIn e outras mídias sociais modernas.
- Criaram programas de premiação para professores de ciências naturais. Mais de 300 indicações de professores de matemática e ciências vieram de 120 escolas diferentes.

- Criaram ferramentas para ensino *online* para tópicos de ciências (chamadas de *Freshhh EDU*), tanto para professores quanto para alunos.
- Formaram parcerias estratégicas com associações de professores e criaram bolsas de estudo em determinadas universidades.
- Patrocinaram uma conferência em que os interessados em ciências naturais compartilhavam métodos de ensino com escolas de ensino médio e universidades.
- Nas universidades, financiaram estudos de matemática e ciências por meio de patrocínio a faculdades, estágios (mais de 200 alunos) e concursos entre alunos (com mais de 3.500 participantes de 60 países).
- Convidaram os vencedores da competição *Freshh University* para juntar-se ao novo programa de graduação da MOLD (chamado GROWWW), onde se encontram oportunidades de carreira dentro da MOL (300 empregados por ano).

Essas atividades de aprimoramento de talento custam €374.000 – mas valem a pena. Elas envolvem mais de 25.000 alunos, logo o custo é de apenas €14 por aluno. De acordo com a pesquisa da MOL após essas iniciativas, 30% dos alunos de ensino secundário gostariam de candidatar-se aos programas de engenharia e geociências, um crescimento enorme. Com a Freshhh, a MOL gasta cerca de €32 por participante, e contrata pelo menos os 10 candidatos mais talentosos. Desde o início dessas iniciativas, a empresa conta com 30 vezes mais inscrições por ano. Esses novos funcionários, que passam pelo programa GROWWW, têm uma taxa de retenção de 92% e, em quatro anos, 25% deles alcançam cargos gerenciais. Os líderes de RH da MOL calculam uma economia de pelo menos €50.000 pois não precisaram usar empresas de recrutamento para essas posições. E, além disso, aumentaram o nível de envolvimento por meio de sua força de trabalho.

Conselho de desenvolvimento de habitação de Cingapura

Recentemente, ao visitar Cingapura, ficamos impressionados com o incrível multiculturalismo do país. Vimos pessoas festejando feriados religiosos de crenças diferentes das suas. No Natal, encontramos muçulmanos cantando canções natalinas. No Ramadan e Eid, vimos budistas e cristãos reconhecendo esses feriados muçulmanos. Isso demonstra relações extremamente descontraídas e construtivas no local de trabalho.

Como Cingapura poderia alcançar tal unidade (que ajuda no crescimento do país) com tanta diferença histórica? Cingapura é uma ilha cidade/estado com poucos recursos naturais. Os líderes do governo, da indústria e da educação perceberam que o capital humano seria fonte importante de competitividade do país. Com taxas de natalidade de cerca de 1,1 por mulher (bem abaixo do nível de reposição de 2,1), os líderes sabiam que o crescimento do capital humano teria que ser por meio de imigração. O país tem cerca de 5,2 milhões de habitantes – 3,8 milhões de cidadãos e 1,4 milhão de imigrantes. Sua herança cultural é uma mistura de origem nacionais (74% de chineses, 13% de malaios e 9% de indianos); religiosas (33% budismo, 18% cristianismo, 17% nenhuma religião, 15% islamismo, 11% taoísmo, 5% hinduísmo); e idiomas (inglês, mandarim, malaio e tâmil são todas oficiais, e muitas outras também são faladas).

Em muitos países com tantas tendências multiculturais, as pessoas se isolam em suas próprias redes sociais. Como 85% da população de Cingapura vivem em casas populares, o conselho de desenvolvimento de habitação de Cingapura – basicamente o departamento de RH para a nação-ilha – incentivou o multiculturalismo ao exigir que cada área de habitação reflita a diversidade étnica da população total. A política estabelece limites de altura no nível dos blocos e proporções étnicas no nível de vizinhança e incentiva a integração residencial. Como pessoas de diferentes culturas moram juntas, elas são mais sociáveis e quebram barreiras culturais.[2] Cingapura confirma que parte de seu incrível progresso vem da integração e aceitação das diversas culturas.

Novartis

A Novartis, empresa farmacêutica de presença mundial, tem uma estratégia de crescimento diferente em cada país. Suas operações em mercados emergentes abrangem mais de 50 países nos quatro continentes, cada um com necessidades, prioridades e desafios diferentes. Os líderes de RH precisam avaliar as questões que dificultam o sucesso das operações em cada nação. A instabilidade política no Oriente Médio, a falta de recursos na Jamaica e a excessiva corrupção nos países da antiga União Soviética são exemplos marcantes. Problemas macroeconômicos como o protecionismo e volatilidade da moeda também representam desafios externos. Além disso, muitos dos mercados emergentes no Oriente Médio, na Ásia, entre as ex-repúblicas soviéticas, na América Central e no Caribe dependem muito da assistência médica pública; o mercado privado é pequeno, e a Novartis precisa trabalhar principalmente com os governos. Exceto nas questões regulatórias, muitos governos se concentram na criação de empregos especialmente por meio da produção.

A empresa tem tido bastante sucesso. Por exemplo, na Nigéria ela identificou um segmento de mercado valioso entre 10 milhões de pessoas que enriqueceram com o *boom* da indústria de petróleo. Mas teve que lidar com muita corrupção no contexto do ambiente operacional, e enfrentou diversos desafios internos, inclusive com muitos gestores locais importantes com parentesco com senhores da guerra tribais, resultando em um nepotismo desenfreado! A administração da Novartis decidiu limpar a casa e começar do zero, definindo contratos profissionais. Simplificou o portfólio para atingir o mercado, limpou e expandiu a rede de distribuição, avaliou e otimizou a organização local e melhorou consideravelmente a gestão ao trazer pessoas que conheciam o negócio e que aderiam aos padrões internacionais. Nos primeiros 18 meses, a operação teve um resultado 40% melhor do que o projetado.

Nos mercados emergentes, a Novartis precisa olhar de fora para dentro e ter instruções estratégicas para criar capacidade tanto coletiva quando individualmente. Isto significa reforçar o talento local e afastar-se da dependência dos expatriados. Os executivos de RH viram que se o processo não é propriedade local, ele não acontece. Além disso, no decurso de liderar a transição da equipe de vendas para a administração, os profissionais de RH acharam necessário continuar a aperfeiçoar sua abordagem para o mercado e ser flexível no projeto organizacional a fim de atender necessidades especiais.[3]

O que queremos dizer com posicionador estratégico

Em cada um dos casos descritos aqui, a abordagem às práticas organizacionais tem um fluxo definitivo de fora para dentro. A MOL reconheceu que sua falta de talento poderia ser parcialmente solucionada se investisse na educação média e universitária, mudasse a imagem das ciências naturais e criasse uma proposta de valor atraente. Os líderes do governo de Cingapura reconheceram que seu desafio de capital humano seria parcialmente resolvido por meio de imigração – mas isso traria diversos grupos que teriam que aprender a colaborar uns com os outros a fim de serem produtivos. Sua política de habitação pública define a base para essa colaboração. A Novartis reconheceu que sua estratégia de crescimento global necessitava de consciência e sensibilidade às condições locais. Entretanto, seus líderes tinham que trazer seus valores para o ambiente local e certificar-se que seu trabalho de RH se adaptava e moldava às condições locais.

Os profissionais de RH de alto desempenho pensam e agem de fora para dentro. Nos últimos 25 anos, o conceito de fora para dentro evoluiu, desde conhecer as finanças da empresa até a adaptação de estratégias para ajudar os *stakeholders* com respostas às condições do negócio.

De 1987 a 2007, nossa pesquisa descobriu (como alguns têm defendido) que o RH necessita conhecer o negócio para ser eficaz. Propusemos um teste de conhecimento de negócios para os profissionais de RH que confirmasse que possuíam base para diálogos inteligentes com seus colegas de trabalho. Estas foram as perguntas incluídas:

- Quem é nosso maior concorrente e por que as pessoas compram dele?
- Qual é o preço das nossas ações?
- Qual é o nosso índice de P/L (preço/lucro)?
- Qual foi o lucro e receita de nossa divisão/empresa no ano passado?
- Quem senta no conselho de administração? Quais as prioridades e interesses dos diferentes membros do conselho?
- Qual é a nossa participação de mercado?
- Nosso segmento de mercado está crescendo ou diminuindo?
- Quais as tendências tecnológicas emergentes em nossa indústria?
- Quais as duas ou três prioridades dos nossos líderes neste ano?
- Quem é o nosso maior cliente e por que ele compra de nós?
- Quem são nossos principais concorrentes? No que eles são melhores do que nós? O que nós fazemos melhor do que eles? O que os clientes valorizam mais?
- Que tendências políticas e sociais podem causar dirupção em nossa indústria?

Também descobrimos que os profissionais de RH não marcaram muitos pontos no conhecimento do negócio (uma média de 3,37 num total de 5,0 em 2002 e 3,39 em 2007). Muitos, inclusive nosso grupo de pesquisadores, lembraram que os profissionais de RH nunca serão parceiros de negócio completos se não dominarem o negócio. Sem o conhecimento do negócio os profissionais de RH não podem se envolver totalmente nas conversas relacionadas a ele.

Na rodada de pesquisas de 2012, "conhecer o negócio" evoluiu para posicionador estratégico. Escolhemos intencionalmente a palavra *posicionador*.

As pessoas geralmente são questionadas sobre diferentes aspectos de suas posições:

- *Qual sua posição na família?* Isto significa sua ordem de nascimento entre os irmãos, mas também é o papel informal que você desempenha na família.
- *Qual sua posição na sua equipe?* Isto talvez se refira a sua atribuição formal, mas também pode se referir à contribuição informal que você dá para sua equipe.
- *Como você se posiciona com relação à segurança financeira no futuro?* Neste caso, *posição* refere-se aos investimentos de hoje para as oportunidades de amanhã.
- *Que posição você possui em sua carreira?* (Por exemplo, qual é sua posição na universidade?) Isto pode se referir a um papel ou título, mas também pode se referir ao seu *status* ou posição na comunidade.
- *De que maneira você está posicionado para o sucesso?* Isto geralmente se refere à sua preparação para as futuras perspectivas na carreira.

Os profissionais de RH que atuam como posicionadores estratégicos ajudam a colocar suas organizações no contexto do negócio no qual elas atuam. *Posição* aqui se refere a produtos e serviços formais bem como reputação informal. O posicionamento se concentra em criar o futuro quando você reconhece, antecipa e se beneficia de tendências emergentes. O posicionamento exige flexibilidade e adaptação para descobrir e depois reagir às oportunidades. O posicionamento é mais do que apenas modificar sua organização; é transformá-la para se ajustar e adaptar futuras oportunidades como definido por seus mercados selecionados.

Identificamos quatro fases para tornar-se um posicionador estratégico: adquirir uma compreensão de finanças, estratégia, *stakeholders* e contexto (ver Figura 3.1). Estas fases não são independentes; elas capturam uma definição de negócio cada vez mais completa e se desenvolveram através diversas de nossas rodadas de pesquisa. No nosso trabalho anterior o conhecimento do negócio enfatizava a linguagem do negócio, que geralmente foca em finanças, mas inclui qualquer categoria de conhecimento de negócio que é fundamental para o sucesso de uma empresa. Muitos profissionais de RH evitaram aprender os princípios básicos de finanças devido ao medo ou o desconforto com matemática e as equações financeiras. Assim como as pessoas que aprendem uma segunda língua e que precisam conhecer bastante da nova língua para sobreviver, mesmo que não falem como um nativo, com um sotaque impecável e extenso vocabulário. Os profissionais de RH precisam

```
┌─────────────────────────────────┐
│ Conhecer e reagir a tendências e │
│ contextos externos de negócio    │
└─────────────────────────────────┘
              +
┌─────────────────────────────────┐       ┌─────────────────────────────────┐
│ Entender e cocriar com stakeholders│       │ Posicionamento estratégico:     │
│ externos (tais como clientes,    │       │ A habilidade de posicionar sua  │
│ investidores)                    │   =   │ empresa de forma a antecipar ou │
└─────────────────────────────────┘       │ equiparar implicações externas  │
              +                            └─────────────────────────────────┘
┌─────────────────────────────────┐
│ Reconhecer e entregar estratégias│
│ e fontes de vantagens competitivas│
└─────────────────────────────────┘
              +
┌─────────────────────────────────┐
│ Dominar a linguagem e fluxo do   │
│ negócio (por exemplo, finanças)  │
└─────────────────────────────────┘
```

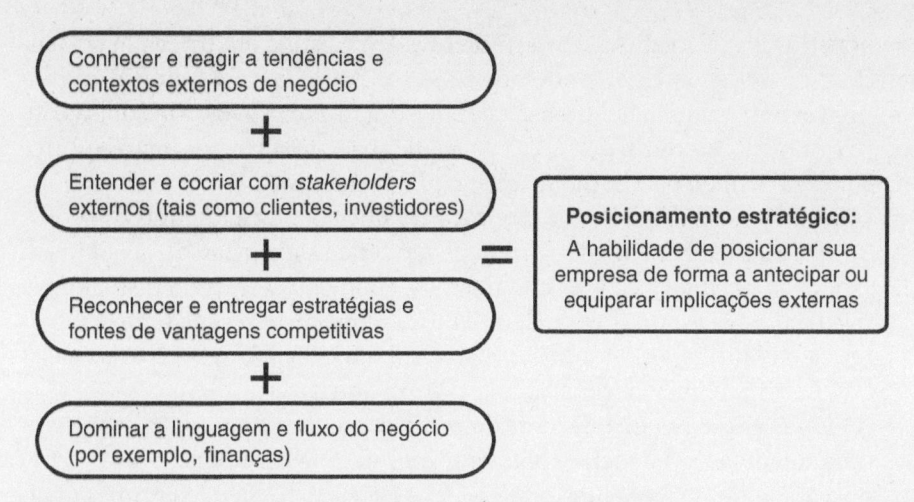

Figura 3.1 Blocos construtivos de posicionamento estratégico.

aprender a linguagem do negócio e passar no teste de conhecimento dado anteriormente. O conhecimento do negócio também significa um conhecimento técnico básico do negócio que pode exigir um treinamento avançado (isto é, engenharia automotiva para a GM, engenharia elétrica para a Intel, ou estatística e logística para a Walmart).

Nosso trabalho evoluiu na fase 2 para garantir que *negócio* também quisesse dizer uma estratégia da empresa e de como a organização criava uma vantagem competitiva diferente.

Em 2002, chamamos isto de *contribuição estratégica,* uma constelação que consistiu de gerenciamento da cultura, tomada de decisão estratégica, rápida mudança e projeto de infra-estrutura. Em 2002, a contribuição estratégica alcançou uma média de 3,67 de um total de 5,0 e teve um impacto maior no desempenho do negócio do que na eficácia individual. Em 2007, demos a isso o nome de arquitetura estratégica; e nessa época ela alcançou uma média de 3,62 e teve um impacto moderado tanto na eficácia individual quanto no desempenho do negócio.

Continuamos nosso trabalho na fase 3 focando o RH nos *stakeholders* externos: clientes, investidores, comunidades e reguladores.[4] O RH aprendeu a confiar nesses *stakeholders* externos para definir critérios de eficiência. As expectativas do cliente podiam definir quem é contratado e promovido, como é feita a gestão de desempenho, que treinamento e desenvolvimento realizar e como os líderes se comportavam. Trabalhamos muitos para legitimar e demonstrar que a colaboração com clientes alvo resulta em um valor sustentável. Além dos clientes, entendemos que a confiança do investidor se une aos intangíveis em torno da liderança, talento e organização. Nossa pesquisa com os investidores descobriu que cerca de 1/3 de sua confiança nos lucros futuros da empresa vem da percepção da qualidade da liderança.[5]

Agora vamos para a fase 4, que foca no que acontece quando os profissionais de RH conhecem e traduzem as tendências externas de negócio em decisões e ações internas. Eles entendem as condições gerais do negócio (inclusive tecnológicas, políticas e demográficas) que afetam seus setores e suas regiões geográficas. Como a MOL, o governo de Cingapura e a Novartis eles traduzem essas tendências em ações organizacionais.

Dominando essas quatro fases de posicionamento estratégico (conhecer os fundamentos do negócio, contribuir e projetar a estratégia, alinhar com os *stakeholders* externos e antecipar as tendências externas), os profissionais de RH contribuem com seus negócios não apenas envolvendo-se em discussões, mas posicionando sua empresa proativamente para vencer no futuro. O posicionamento estratégico aumenta significativamente a exigência para os profissionais de RH. Neste ponto, um profissional de RH que não sabe ler e interpretar uma demonstração financeira, contribuir com a estratégia, reconhecer e atender os *stakeholders* externos e antecipar e reagir às tendências do negócio simplesmente não irá contribuir totalmente nas discussões do negócio. Não basta apenas aprender finanças ou estratégia. Na MOL, no governo de Cingapura e na Novartis, as iniciativas de talento e organização tiveram sucesso porque os profissionais de RH dominavam todos os quatro níveis de posicionamento estratégico.

Os fatores do posicionador estratégico

Baseados nos nossos estudos e na pesquisa atual, identificamos 35 itens específicos de conhecimento e comportamento que caracterizam o domínio do posicionador estratégico: esses 35 itens acabam por se agrupar estatisticamente em três fatores (ver Tabela 3.1).

Esta tabela destaca que os profissionais de RH geralmente são melhores na re-elaboração de uma agenda estratégica (3,96) do que interpretando o contexto global ou entendendo as expectativas do cliente (3,83). Ela também mostra que é mais importante que a re-elaboração de uma agenda estratégica

Tabela 3.1 Posicionador estratégico: Fatores, escores médios, eficácia e impacto comercial

Fator	Escore médio (De um total de 5,0)	Eficácia individual	Impacto no negócio
Interpretar o contexto global	3,83	29%	30%
Entender as expectativas do cliente	3,83	29%	37%
Re-elaborar uma agenda estratégica	3,96	42%	33%
R^2		0,332	0,062

seja vista como individualmente eficiente do que no estímulo do impacto no negócio (42% a 33%). O impacto no negócio vem mais dos profissionais de RH que são capazes de entender as expectativas do cliente (37%). A tipologia de posicionamento estratégico que apresentamos na Figura 3.1 sugere que os profissionais de RH podem ser individualmente eficientes quando conhecem finanças e estratégia, mas impulsionam mais resultados de negócio quando trabalham com *stakeholders* (especialmente clientes) e o contexto do negócio.

Agora vamos examinar os *insights* e ações de cada um desses três fatores.

Fator 1: Interpretar o contexto global

O Facebook é hoje o terceiro maior país do mundo, fazendo com que o acesso à tecnologia substitua a proximidade geográfica como a principal fronteira. As notícias da Primavera árabe, o movimento de ocupação de Wall Street, a dívida grega ou as políticas de petróleo do Irã ecoam imediatamente ao redor do mundo. As notícias mundiais circulam rapidamente pelas mídias sociais. A BBC estima que quando um aluno atirou em outros alunos em uma universidade americana, cerca de 70% de jovens entre 18 e 25 anos do mundo inteiro tiveram conhecimento do incidente por meio das mídias sociais e não da mídia tradicional. Ao mesmo tempo em que as pessoas estão interessadas no que as outras estão fazendo, está cada vez mais claro que as aldeias globais moldam suas vidas pessoais. Qualquer pessoa que duvide da realidade da aldeia global deveria apenas pedir para que pessoas com vinte anos de idade enumerassem seus amigos e colegas. Inevitavelmente, os grupos de relações pessoais da nova geração são multiculturais, gerados e mantidos por meio das redes sociais.

Os profissionais de RH precisam estar absolutamente cientes dos ambientes empresariais complexos, em transformação e muitas vezes surpreendentes nos quais sua organização atua. Não basta conhecer seu departamento, sua empresa ou mesmo seu setor. Os profissionais de RH precisam conhecer o contexto no qual trabalham de modo que possam orientar sua organização para o futuro. Isso exige conhecer o negócio, contatar com os *stakeholders* e dominar o contexto.

Conhecer o negócio

É difícil orientar uma organização para o futuro sem compreender perfeitamente como ela atua. Como a área financeira é a língua universal dos negócios, qualquer discussão sobre conhecimento do negócio deve estar baseada em finanças. Os profissionais de RH deveriam ser capazes de interpretar uma demonstração financeira, um balanço patrimonial e um relatório de um analista financeiro em sua organização. Eles deveriam saber como sua empresa cria riqueza e como controlar a criação de riqueza. Melhorar o conhecimento dos negócios, assim como aprender uma nova língua, inclui muitos pequenos passos:

- Começar cada reunião de pessoal analisando os dados do desempenho financeiro, com o objetivo de não apenas avaliar os dados, mas de sutilmente melhorar a informação financeira entre a equipe de RH. Também é importante analisar detalhadamente as finanças do concorrente.
- Compartilhar a apresentação anual e competitiva do setor apresentada na reunião do conselho de administração com a equipe de RH para que os membros possam conhecer as mesmas informações que os líderes da empresa.
- Desenvolver um curso "finanças para os gerentes não financeiros" e convidar os líderes de RH para ministrar esse curso de maneira que se sintam mais confortáveis com as informações financeiras.
- Gravar e divulgar o encontro trimestral de investidores para equipe e outros profissionais.
- Colocar os profissionais de RH nas listas de distribuição de relatórios financeiros e das tendências do setor enviados para os líderes empresariais.
- Assegurar que os profissionais de RH dominem a lógica do negócio de maneira que conheçam suas principais exigências técnicas.
- Exigir que todos os profissionais de RH participem de cursos de treinamento financeiro e de certificação em normas de finanças e contabilidade.

Por 25 anos estivemos um pouco confusos pela forma como os profissionais de RH tendem a se afastar do domínio da linguagem e lógica do negócio. Do mesmo modo que as pessoas que passam a viver em um novo país, mas evitam aprender o idioma e a lógica locais, esses profissionais ficarão isolados em seu próprio *enclave*.

Contatar os principais *stakeholders*

Conhecendo o negócio, os profissionais de RH podem se envolver em conversas sobre ele, não apenas com os funcionários e os líderes, mas também com os *stakeholders* externos. No Capítulo 1, propusemos um mapa de *stakeholders* que os profissionais de RH podem usar para orientar as conversações. Para ser um posicionador estratégico, o profissional de RH também deve conectar-se com os clientes, investidores e comunidades com as quais a organização atua.

A pesquisa mostrou que cerca de 50% do valor de mercado da empresa vem do que chamados *intangíveis*.[6] Em nossa pesquisa criamos uma arquitetura para os intangíveis que inclui alcançar consistentemente os objetivos, ter uma estratégia clara, entregar competência técnica e criar capacidades organizacionais. Mais recentemente, pesquisamos investidores para descobrir que 29% de suas decisões de investimento se baseiam na "qualidade de liderança" das empresas nas quais investem – apesar de não terem meios adequados de definir, operacionalizar ou rastrear essa qualidade.[7] Acreditamos que uma métrica emergente para o RH será o retorno sobre intangíveis pois os profissionais de RH posicionam suas organizações com seus investidores.

Os profissionais de RH podem aprender sobre as expectativas do investidor de muitas maneiras. Eles podem educar-se ao participar de reuniões de investidores ou de apresentações, ao ler relatórios de analistas sobre suas empresas e setores, e ao entrevistar os principais analistas do setor para descobrir como eles tomam decisões de investimento e como avaliam a empresa. De forma mais ativa, eles podem incluir analistas-chave no projeto de sessões de treinamento (que tanto melhora o conteúdo ensinado quanto aumenta a confiança do analista nos futuros lucros). E também podem prestar atenção à maneira como as agências de classificação (como *Moody* ou *Institutional Shareholder Services*) classificam suas empresas – e podem tornar essas informações mais úteis para si próprios ao possuir ações de sua própria empresa e de seus concorrentes.

Ajudamos os profissionais de RH a tornarem-se mais capazes de posicionar o investidor traçando o índice preço/lucro da empresa e comparando-o

Tabela 3.2 Avaliando o índice preço/lucro em comparação com seus concorrentes

	2002	2003	2004	2005	2006	2007	2008	2009	2010	2011	Média
XYZ	32,6	n/m	n/m	n/m	13,2	7,7	n/m	25,6	13,3	10,1	10,25
A	15,6	15,5	13,1	14,1	13,4	13,6	8,4	18,1	12,0	10,6	13,44
B	16,0	14,0	14,4	14,7	14,7	12,4	11,0	14,8	14,5	11,0	13,75
C	14,1	14,0	15,1	17,5	15,4	12,0	10,8	21,8	15,0	11,7	14,74
D	n/m	28,6	14,7	19,2	11,0	12,6	9,1	18,9	14,5	11,9	14,05
E	14,8	13,0	12,2	12,3	12,8	16,2	6,7	12,2	11,5	10,5	12,22

XYZ Capitalização do mercado de $30,6 bilhões   Média do setor 13,075

com os concorrentes em um período de 10 anos. Esta é uma abordagem de alto nível e de certa forma simples aos *insights* do investidor, mas mostra a forma como os concorrentes veem uma empresa. A Tabela 3.2 retrata o resultado deste preço/lucro (P/L) de uma grande empresa (XYZ) em comparação com seus cinco principais concorrentes (A a E). Esta tabela mostra que o índice preço/lucro é cerca de 30% menor do que a média do setor (10 *versus* 13) e que, com uma capitalização do mercado de $30 bilhões, esta empresa estava passando por uma perda de cerca de $9 bilhões na avaliação intangível. Muitas vezes usamos esse tipo de dados como um teste definitivo para a decisão de mudança da administração. Algumas vezes, quando compartilhamos esses dados, os líderes ficam na defensiva, muitas vezes responsabilizando a métrica ou a nós por compartilhá-lo. Dificilmente esses líderes posicionarão suas empresas na confiança dos investidores. Em muitos casos, entretanto, os líderes reagem de forma construtiva ao reconhecer os dados e perguntar: "Como posso fazer melhorias significativas?"

Para fazer o posicionamento do investidor, utilizamos o que chamamos de auditoria dos intangíveis. Em uma auditoria de intangíveis, investidores e clientes são questionados para saber de que maneira a organização atende os compromissos, segue uma estratégia clara, dispõe de uma competência técnica e cria capacidades organizacionais.[8] Quando os profissionais de RH contratam, lideram ou facilitam uma auditoria de intangíveis, eles não só aprendem sobre finanças e expectativas dos investidores, mas também ajudam os líderes a posicionar suas organizações para resultados positivos. Em uma determinada empresa, os diretores entendiam contar com ótimos intangíveis pois cumpriam promessas, tinham estratégia clara, investiam em fortes competências técnicas e desenvolviam capacidades organizacionais. Quando buscaram informações com os clientes e investidores, porém, descobriram ter superestimado sua avaliação comparada com as percepções de clientes e investidores. Após uma reação defensiva inicial, o principal executivo focou na criação das capacitações mais desejadas por investidores e clientes.

Dominando o contexto

Finalmente, os profissionais de RH que são posicionadores estratégicos precisam ter a capacidade de antecipar e preparar para o futuro. Nós compartilhamos (com o RH) o treinamento de um líder responsável pelas operações em mais de 150 países. Ele passou grande parte do tempo visitando países, mas sempre acreditava que não agregava valor nessas visitas por que não era um nativo do país. Ele pediu que o ajudássemos a preparar um padrão de perguntas que deveria fazer para diagnosticar o contexto do negócio local. Baseado em um trabalho de Lynda Gratton e outros que estudaram o futuro do trabalho, montamos a Tabela 3.3 para ajudá-lo a fazer perguntas e aprender sobre as condições de negócio em determinado mercado ou indústria.[9]

Os profissionais de RH podem tratar essas questões de diversas maneiras. Podem ajudar a preparar as apresentações para o conselho de administração sobre tendências externas, ler periódicos das associações da indústria e estudar os principais concorrentes para antecipar os próximos passos. Eles também podem manter-se atualizados com a imprensa especializada (como *Wall Street Journal*, *Economist*, *Financial Times*), e podem acompanhar a opinião de *experts* (Farred Zakaria, editor do *Time International* e apresentador do programa de TV *GPS*; a rede Al Jazeera – uma excelente fonte de informação

Tabela 3.3 Avaliação e insights sobre o contexto do negócio

Área de interesse	Questões diagnósticas
Social	Quais as tendências sociais (estilo de vida, religião, urbanização, padrões familiares) neste país ou indústria?
Tecnológica	De que maneira a tecnologia irá mudar este país ou indústria?
Econômica	Quais os indicadores econômicos (PIB, desemprego, dívida) do país e como eles afetam determinada indústria?
Política	Qual o clima político e regulador do país ou indústria?
Ambiental	Quais as tendências ambientais que moldam esse país ou indústria (p. ex. emissão de carbono ou responsabilidade social)?
Demográfica	Que mudanças geográficas estão acontecendo em um país ou indústria (idade, educação, diversidade global)?

sobre o Oriente Médio – e Moamed El-Elarian, comentarista de economia e co-CEO do PIMCO).

Conhecer o negócio, contatar com os *stakeholders* e dominar o contexto ajudam a interpretar o contexto comercial global que coloca sua empresa no mercado.

Fator 2: Entender as expectativas do cliente

De todos os potenciais *stakeholders* externos (investidores, reguladores, fornecedores e assim por diante), nossa pesquisa mostrou que os clientes merecem uma atenção especial. Obviamente, as organizações não existiriam se não houvesse clientes que querem e compram produtos ou serviços. Em nossa pesquisa, observamos que os profissionais de RH deveriam entender as expectativas do cliente ao ter os seguintes comportamentos:

- Entender os critérios de compra do cliente.
- Ajudar a criar uma proposição de valor do cliente que oriente as ações organizacionais internas
- Contribuir para criar a marca da empresa com os acionistas e funcionários.
- Assegurar que a cultura (marca da empresa) do negócio seja reconhecida pelos s*takeholders* externos (clientes, acionistas e assim por diante).
- Focar a cultura no atendimento das necessidades do cliente externo.

Acontece que quanto mais os clientes participam das práticas da organização e quanto mais as práticas da organização são projetadas e entregues visando ao cliente, maior a intimidade e cumplicidade com o cliente. Na Tabela 3.4 propomos uma hierarquia de ações organizacionais centradas no cliente.

Ao responder estas três perguntas os profissionais de RH recriam a intimidade e orientam suas organizações para o compartilhamento com o cliente:

1. *Quem são nossos clientes-alvo?* Os profissionais de RH podem se associar ao *marketing* e vendas para segmentar os clientes com base na receita, nos padrões de compra, nos canais, no tamanho e nas oportunidades. Trabalhamos com profissionais de RH que transformam segmentação do *marketing* em programas de treinamento para que todos os participantes da organização possam reconhecer os clientes-alvo.
2. *O que os clientes-alvo valorizam? Isto é, quais seus critérios de compra?* Os profissionais de RH podem ajudar a definir as proposições de valor dos clientes-alvo (preço, rapidez, serviço, qualidade, inovação ou valor). Os profissionais de RH contam com profissionais treinados para fazer

pesquisa de mercado e coletar dados de valor do cliente. Quando os funcionários internos aprendem a fazer pesquisa de mercado (em vez de contratar consultores para isso), os funcionários se tornam mais sensíveis aos critérios de compra do cliente.

3. *Como a organização cria relacionamentos sustentáveis com os clientes-alvo?* Os profissionais de RH podem facilitar cada um dos seis estágios de familiaridade com o cliente da Tabela 3.4. Em especial, os profissionais de RH podem auditar e adequar suas práticas de RH para que sejam centradas no cliente. O RH focado no cliente aparece quando os clientes participam da definição dos padrões de contratação, nas entrevistas com potenciais candidatos a emprego (especialmente nos níveis sênior), na definição de medidas de desempenho, assistindo aos treinamentos como participantes ou apresentadores, alocando recompensas financeiras, participando de fóruns da comunidade e dirigindo as tomadas de decisão da organização.

Para criar uma conexão com o cliente, os profissionais de RH associam-se ao *marketing*, vendas e outras áreas funcionais para que a organização ofereça

Tabela 3.4 Estágios de intimidade com o cliente e ações da organização

Fases da conexão com o cliente	Aplicação e resultado para ganhar participação junto ao cliente	Impacto na intimidade do cliente
6 – Cultura	*Mentalidade compartilhada*: a marca da empresa no mercado define cultura e valores no ambiente de trabalho.	Antecipação ou previsão.
5 – Liderança	*Marca de liderança*: a expectativa do cliente passa a ser a base da liderança.	Liderança ou *branding*.
4 – Práticas de RH	*Valor agregado pelo RH*: os clientes participam da de gestão de pessoas, do desempenho, da comunicação e das práticas da organização.	Alinhamento ou governança.
3 – Tecnologia	*Colaboração tecnológica*: os clientes conectam-se com a empresa por meio de tecnologia compartilhada.	Compartilhamento de informações ou *networking*.
2 – Estratégia	*Unidade estratégica*: os clientes ajudam a determinar a estratégia ou as fontes de vantagem competitiva.	Parceria ou colaboração.
1 – Produto ou serviço	*Participação de mercado*: os clientes ajudam a definir produtos ou serviços de seu interesse.	Pesquisa ou ouvidoria.

uma abordagem unificada ao compartilhamento com o cliente. Observamos e orientamos profissionais de RH para entender melhor as expectativas dos clientes ao engajar nas seguintes atividades:

- Conduzir uma análise da cadeia de valores de seus principais clientes. Incluir uma definição de quem são os clientes. Quais são seus critérios de compra? De quem eles geralmente compram? Quais seus pontos fortes e fracos em comparação com seus principais concorrentes?
- Trabalhar em uma equipe multifuncional cuja tarefa seja identificar os hábitos de compra do cliente e recomendar etapas para melhorar a participação no mercado.
- Passar algum tempo com os clientes – e os clientes deles. Se isto não for possível, passar algum tempo com a equipe de *marketing* e vendas, analisar o *feedback* do cliente, participar regularmente de chamadas no *call center* para desenvolver uma visão bem informada do que os clientes querem e com que se preocupam. Recomendamos que os profissionais de RH dediquem cerca de 5% de seu tempo para trabalhar com clientes ou seus representantes.
- Analisar os dados de desempenho do cliente para avaliar suas expectativas.
- Trabalhar com o departamento de *marketing* para envolver mais amplamente os funcionários nos esforços de pesquisa de mercado. Garantir que as informações coletadas por meio desses esforços sejam usadas para resolver os problemas dos clientes e para melhorar os indicadores de satisfação do cliente.
- Reduzir o foco em informações de baixo valor agregado (relatórios internos, aprovações, documentos e reuniões) e aumentar o foco nas informações centradas no cliente.
- Comprar e usar os produtos e serviços de sua empresa.
- Auditar suas práticas de RH e ver em que extensão elas refletem as expectativas do cliente.
- Compartilhar as informações do cliente por toda a empresa.

Quando os profissionais de RH entendem os clientes e interpretam suas expectativas a fim de conduzir as ações da organização, ajudam a posicionar suas organizações para o sucesso futuro. Como a pesquisa descrita na Tabela 3.1 mostrou, quando os profissionais de RH são melhores nessas áreas é mais provável que ajudem seu negócio a ter sucesso.

Fator 3: *Re-elaborando* uma agenda estratégica

Como posicionadores estratégicos, os profissionais de RH participam de discussões estratégicas; Durante muitos anos, os profissionais de RH buscaram ter acesso a fóruns estratégicos. Eram convidados para esses encontros e falavam sobre a maneira que o RH implantaria a estratégia; agora eles precisam agregar valor quando re-elaboram uma agenda estratégica. Alguns anos atrás, uma seguradora vendeu quatro grandes empresas por $1 bilhão, à vista. Não poderia deixar $1 bilhão no balanço ou ficaria vulnerável para uma aquisição. Também era óbvio que a empresa investiria em dividendos, recompra de ações ou aquisições. Nesse ponto, a equipe de RH poderia ter começado a preparar-se para *due dilligence* de aquisição em torno de questões de organização e talento. Mas o líder de RH concentrou as discussões estratégicas na re-engenharia das práticas. A equipe de RH não foi convidada a considerar a possibilidade de aquisição, e também não sugeriu isso. Não é de admirar que, alguns meses depois, a empresa buscasse uma aquisição. O RH não foi convidado para os primeiros contatos sobre a aquisição, em parte por que não havia previsto nem se preparado para isso. A aquisição prosseguiu, mas o RH ficou de fora e se questionava por que não ter sido parte ativa nas discussões comerciais.

Quando trabalhamos com líderes empresariais criando estratégias, vemos alguns desafios comuns:

- Manter a simplicidade da estratégia em face da complexidade do negócio.
- Preservar a agilidade estratégica dentro de uma empresa tendo em vista a enorme volatilidade externa.
- Estimular a diversidade de pensamentos e unidade de ação.
- Manter estratégias amplas, globais e gerais junto com ações granulares, locais e específicas.
- Assegurar que a implementação da estratégia seja tão rigorosa quanto a formulação da estratégia.

Quando os profissionais de RH contribuem para as discussões estratégicas eles precisam dominar as competências que irão superar esses desafios e permitir um trabalho estratégico. Nossa pesquisa identificou conhecimentos específicos de ser, saber e fazer que o RH traz para os diálogos estratégicos. A maior contribuição para a formulação estratégica de negócios envolve a ajuda na criação da visão de futuro do negócio. Os profissionais de RH identificam oportunidades para o sucesso empresarial estruturando ideias complexas de maneiras simples e úteis. No processo, eles ajudam a identificar e administrar o risco e fornecer *insights* alternativos das questões comerciais. Traduzem a estratégia de negócio em um conjunto de iniciativas de talento (força de trabalho) ou cultura (local de trabalho).

Ao ajudar os profissionais de RH a transformar essas competências pessoais em capacidade de re-elaborar uma agenda estratégica, descobrimos que os profissionais de RH desempenham três papéis:

- Contador de histórias
- Intérprete de estratégias
- Facilitador estratégico

Contador de histórias

Com histórias apropriadas você pode fazer muitas coisas para criar uma unidade estratégica. Para simplificar a estratégia, de modo que ela crie uma direção intelectual e um apoio emocional, exigências complexas precisam ser indicadas de forma simples e claras. Lamentavelmente, há uma tendência em pensar que se você pode colocar tudo em uma página está simples e claro – mas não é bem assim. Certa vez trabalhamos com uma empresa na qual a equipe sênior havia passado seis meses trabalhando muito, para finalmente preparar um documento de uma página que abrangia visão, missão, valores, estratégia, metas, objetivos e prioridades: algumas centenas de palavras em letras pequenas. A equipe enviou este documento para mais de 50 mil pessoas com um manual e um vídeo para orientar seu uso. Nada aconteceu. As pessoas davam uma olhada e continuavam a trabalhar normalmente. E a empresa está longe de estar sozinha. Um estudo mundial recente sobre 450 empreendimentos descobriu que 80% das pessoas achavam que seu pessoal não entendia muito bem sua estratégia.[10]

Em vez de tentar relacionar tudo que interessa você pode usar uma das mais poderosas ferramentas de união – contar histórias estratégicas. As histórias têm um cenário (um lugar e um tempo para ajudar a audiência a imaginar os eventos), um protagonista (um cliente ou funcionário afetado pela estratégia), um acontecimento (algo que pode ser um desafio, um perigo ou uma oportunidade), um resultado (como o protagonista foi afetado) e um enredo (como os personagens da história chegaram onde estão).[11] A Old Navy (parte da GAP) fez um trabalho maravilhoso ao criar o protótipo de uma cliente chamada Jenny, uma mulher com vinte poucos ou trinta anos de idade, que compra com um orçamento limitado e quer estar adequadamente vestida. Quando a empresa pensa na escolha do produto, ela pergunta: "Como isso irá afetar Jenny??"

Como contadores de história os profissionais de RH vão além de *slides* de Power Point e da apresentação dos produtos para os clientes para organizar mensagens pessoais que atinjam tanto a cabeça quanto o coração. As pessoas lembram mais das histórias do que dos fatos. Isso exige ter e conhecer a visão da companhia e, depois, transformar essa visão em uma experiência específica. O CIBC, um importante banco canadense, está trabalhando para melhorar o atendimento ao cliente. Ele tem a indispensável estatística de atendimento ao cliente e o *slogan* "Para o que importa". Mas sua comunicação tem muito mais impacto quando os clientes contam suas próprias histórias: como o banco ajudou recém-casados a obter empréstimo para sua primeira casa, um líder empresarial a receber apoio, inclusive financeiro, para abrir uma nova empresa, uma grande empresa a financiar sua estratégia de aquisição.

Intérprete de estratégia

Na interpretação de estratégias, a meta do RH é transformar a estratégia em talento, cultura e liderança – mas isso exige uma participação ativa. Após meses de esforços para ter acesso a conversações estratégicas, um profissional de RH que conhecemos recebeu um convite. Na primeira reunião, a discussão foi sobre estrutura de capital e compromissos financeiros; na segunda foi sobre estratégia de globalização nos mercados emergentes; na terceira sobre os estágios de inovação para comercialização. Todas as três sessões interessaram nosso colega de RH, mas ele não sabia como contribuir, por isso ficou calado. E ele não foi convidado para a quarta sessão. O que o profissional de RH poderia ter falado nessas sessões? Ele não era um especialista em nenhum dos temas abordados, mas poderia ter sido um contribuinte ativo se tivesse feito perguntas inteligentes e examinado alternativas sobre talento, cultura e liderança necessárias para interpretar e expressar estratégias. Qualquer estratégia exige o talento certo nas posições certas para que isso aconteça.

Os profissionais de RH podem identificar as principais posições de criação de riqueza na empresa e as exigências para ocupar essas posições. Eles podem começar uma discussão dos riscos e oportunidades de talento associados com qualquer iniciativa de estratégia. Uma empresa de seguro de vida queria fazer negócios no Vietnã, mas o profissional de RH responsável pela contratação dos profissionais para essa iniciativa percebeu que havia muito poucos atuários vietnamitas que pudessem ajudá-los a entrar no mercado. Sua percepção ajudou a empresa a reconhecer as exigências de talento. Outras empresas podem examinar seus talentos como uma maneira de começar um novo negócio, descobrindo o que eles têm para oferecer a fim de atender necessidades previamente desconhecidas. A *UPS Supply Chain Solutions*, por exemplo, cresceu a partir do reconhecimento dos líderes da UPS que seus serviços de transporte eram uma parte integral do negócio de conserto de computadores, por isso investiram nesse talento para criar negócios futuros. Agora, a UPS oferece todos os tipos de serviços para melhorar as cadeias de fornecedores dos clientes.

Mas talento é apenas uma parte do quadro. Alguns profissionais de RH passaram a chamar-se de "especialistas em capital humano" e a concentrar-se exclusivamente no talento. Discordamos totalmente dessa abordagem. Acreditamos que cultura, na sua definição mais ampla, importa tanto quanto o talento para manter o sucesso do negócio, se não importar ainda mais. A agenda de talento se concentra em colocar pessoas inteligentes no lugar; a cultura se concentra em criar organizações inteligentes que possam fazer o uso ideal de pessoas inteligentes. Os profissionais de RH deveriam ser antropologistas culturais que observam e moldam um ambiente de trabalho que sustenta a estratégica. Então eles podem tecer práticas de RH em torno da cultura ao contratar, promover, pagar e treinar funcionários de maneira que reforce os valores culturais. Por exemplo, conhecemos um banco que duplicou seu tamanho em um prazo de dois anos por meio de crescimento orgânico e de aplicações diversas. O CHRO e sua equipe estavam muito preocupados com a manutenção e evolução da cultura desejada. Trabalharam para articular o tipo de cultura, ou identidade, que queriam e de como compartilhar essa cultura com novos funcionários, e como espalhá-la em todas as práticas de RH.

Finalmente, a liderança é um subconjunto único de talento e um condutor de cultura. Os executivos da diretoria, os principais líderes e os funcionários de grande potencial definem e mantêm uma direção que os outros seguem. Os profissionais de RH podem examinar os tipos de líderes necessários, suas habilidades, sua disponibilidade e os modos de melhorar o conjunto de líderes.

Agora defendemos e aconselhamos que os profissionais de RH interpretem a estratégia investigando as implicações de qualquer discussão estratégica sobre talento, cultura e liderança. Quando eles fazem isso, eles re-organizam a agenda estratégica.

O facilitador estratégico

Administrar o processo estratégico exige cuidado e atenção. No recente período de crise, a maioria dos líderes sentiu um aumento na pressão para ter um bom desempenho. Sob circunstâncias difíceis os líderes geralmente procuram seus instintos primários. Muitas empresas tinham líderes recolhendo-se em grupos confiáveis cada vez menores e fazendo escolhas estratégicas com pouco engajamento dos demais. Essas escolhas tinham uma angustiante tendência de falhar, mesmo quando bem justificadas e bem pensadas. Às vezes o processo de criar uma estratégia é tão importante quanto a própria estratégia. Quando os líderes se isolam e editam decretos geralmente sinalizam que estão afastando sua empresa dos clientes e investidores.

Às vezes, esse tipo de isolamento pode ser necessário para a criação de novas direções que fujam do pensamento de grupo. Mas ainda com mais frequência, quanto mais as pessoas estiverem adequadamente envolvidas com o processo de criação de estratégia, mais provável que se comprometam com ela e assim tragam melhores resultados.

Os profissionais de RH que facilitam os processos estratégicos estão muito sintonizados com a boa governança. Com uma base sólida de clientes e de *insights* competitivos, eles têm protocolos claros sobre que decisões precisam ser tomadas, quem deve tomá-las e quando precisam ser tomadas. Tem excelentes habilidades de facilitação organizacional para saber quando envolver determinado grupos de pessoas. Tem uma inteligente compreensão política para falar com as pessoas certas, no momento certo, para obter apoio. Tem habilidades para a formação de equipes a fim de garantir que os membros da equipe tenham um objetivo claro e fortes relacionamentos para facilitar a estratégia.

Aconselhamos aqueles profissionais de RH que forem convidados a participar de discussões estratégicas a conhecerem bem os processos ligados a esses fóruns:

- As pessoas certas estão presentes?
- As decisões estratégicas estão baseadas na realidade empírica dos clientes e concorrentes?
- As conversas dentro da sala são as mesmas de fora da sala? (Por exemplo, nos corredores e nos intervalos as pessoas falam sobre assuntos diferentes dos tratados em uma sessão formal?)
- As escolhas equilibram vontade e esforço com realização e realismo?
- O grupo está concentrado nas escolhas e decisões estratégicas em vez de ideais vagos?
- Há um processo racional de levar para a organização as ideias concebidas nas discussões?

- Quem mais deveria participar e em que nível de pensamento estratégico (por exemplo, criação, implementação, acompanhamento e investimento na estratégia)?
- Que *follow-up* e responsabilidade vai haver para garantir que as pessoas entreguem o que prometeram?

Quando os profissionais de RH facilitam a estratégia tornam-se cada vez mais parte integrante do processo. O processo de posicionamento estratégico transmite a posição. Quando um executivo que conhecemos exigiu que seus funcionários se envolvessem nas práticas de gestão participativa, as pessoas zombaram e continuaram com seu trabalho; a hipocrisia do decreto criou mais cinismo do que apoio.

Conclusão: Os profissionais de RH como posicionadores estratégicos

A maioria de nós já usou alguma versão de um sistema de posicionamento global para descobrir onde estamos na face da Terra. Do mesmo modo, como posicionadores estratégicos, os profissionais de RH ajudam suas organizações a saber onde se enquadram no contexto das tendências do negócio e dos *stakeholders;* como podem identificar e prever as expectativas do cliente; e como podem facilitar a criação de estratégias. Quando os profissionais de RH dominam essas competências, ganham credibilidade.

Capítulo 4

O ativista confiável

Para avaliar o ativismo confiável é necessário analisar alguns exemplos.

Humana

A Humana, estabelecida em Louisville, Kentucky, é uma das principais prestadoras de serviços de saúde, com 40 mil clientes nos Estados Unidos e em Porto Rico. Oferece uma ampla gama de seguros e serviços de saúde e bem-estar em uma abordagem integrada de cuidados pessoais. Durante toda a sua trajetória a Humana aproveitou oportunidades para reinventar-se e atender as necessidades dos clientes.

Em 2000, a Humana estava ressurgindo de uma fusão fracassada; suas ações estavam no chão e os custos aumentavam exponencialmente. O novo CEO, Mike Mc Callister, apelou para Bonnie Hathcock, diretora de RH da Humana, para ajudá-lo a criar uma nova estratégia a fim de mudar as coisas. Hathcock provou ser de fato uma ativista confiável. Ela trabalhou em estreita colaboração com a equipe principal para criar a *Humana Leadership Institute*, reunindo os principais líderes da Humana em um fórum de aprendizagem que definiu "o sonho da Humana": o desejo de ser líder de bem-estar durante a vida dos clientes que agradou os funcionários emocional e intelectualmente, suscitando dessa forma entusiasmo e comprometimento. O sonho tornou-se um movimento dentro da empresa que animou os sócios a buscar seu próprio bem-estar, provocou resultados positivos e tornou-se uma força impulsionadora na maneira como as pessoas pensam em envolver seus clientes.

Desde então, algumas iniciativas na Humana, lideradas pelo RH, mostraram o poder do bem-estar como um estímulo de comprometimento e resultados positivos da saúde. Por exemplo, um programa demonstrou o aumento no bem-estar dos associados que, com o tempo, reduziu a obesidade. O foco no bem-estar também levou a mudanças no local de trabalho e nos projetos dos locais de trabalho. Inspirou os associados a introduzir iniciativas populares, desde feiras de bem-estar a desafios de exercícios físicos, como campanhas para uso de escadas. Como resultado dessas iniciativas, a pontuação de engajamento da Humana ficou acima de 75%. Hachcok diz: "Sabemos que a concentração no bem-estar pode trazer poderosos resultados ao nosso negócio, e a pesquisa confirma isso".

O foco no bem-estar ao longo da vida é agora a pedra fundamental da identidade da nova marca da Humana; e o foco foi ampliado para cuidados preventivos e melhoria do bem-estar, além da preocupação com os custos. Em entrevista para a revista *Fortune*, McCallister disse: "A ideia de ajudar as pessoas a chegar a um lugar melhor, do ponto de vista do bem-estar, é o que vai nos guiar, e achamos que isso é um negócio para nós".

Olsson Associates

A Olsson Associates é uma empresa de consultoria de engenharia. Foi fundada em 1955 em Lincoln, Nebraska, e por volta de 1987 já tinha aproximadamente 40 funcionários que prestavam serviços de consultoria para pequenos municípios em todo o estado.

A empresa também chegou a uma encruzilhada. Havia conquistado um grande contrato – a ampliação de uma grande unidade de tratamento de água. Este projeto foi o trampolim para o crescimento. Roger Severin, o presidente da empresa, aproveitou a oportunidade e definiu a criação de um novo tipo de organização, combinando as melhores tradições com novas atitudes e práticas; efetivamente, uma nova cultura. Patty McManus, o diretor da RH, entrevistou clientes de consultoria (da Olsson e de outras) para ajudar a definir as práticas e comportamentos que significavam bons serviços. Junto com Severin, ela começou um projeto para definir o tipo de empresa capaz de atrair e reter pessoas que prestassem um ótimo serviço ao cliente.

Ao longo dos 10 anos seguintes, Severin e McManus Corcoran promoveram mudanças significativas. Estabeleceram um forte ambiente de time. Criaram oportunidades para que jovens talentosos começassem a liderar projetos e serviços. Mesmo com o rápido crescimento da empresa eles mantiveram o ambiente de pequena empresa, o sistema financeiro de 'livro-aberto' e um programa de participação nos lucros e propriedade de ações aberto a todos os funcionários. Os resultados? Ao longo da década de 1990 a empresa fez as mudanças que definiram o cenário para os anos 2000. Atualmente a empresa tem mais de 600 funcionários, opera nacionalmente por meio de uma rede de 20 escritórios, e 88% dos trabalhos vêm dos já clientes.

As mudanças feitas com o objetivo de criar uma grande empresa de serviços tiveram sucesso, e McManus Corcoran desempenhou um papel importante; em 2005 ela foi nomeada presidente da empresa. Mais tarde aceitou um novo desafio, criando o *OA Institute*, programa de treinamento para ajudar os funcionários a serem melhores líderes, entenderem os valores e a cultura de Olsson e obter tudo que fosse necessário para ter sucesso em seus trabalhos.

O que queremos dizer com ativista confiável

Os profissionais de RH eficientes são ativistas confiáveis. A credibilidade é conquistada quando os profissionais de RH concentram seu tempo e sua atenção nas questões importantes para o negócio, fazem o que prometem, cumprem obrigações e compromissos, criam relacionamentos de confiança com os gerentes de área e outros colegas e demonstram vontade de correr riscos, pessoais e profissionais, para criar valor para o negócio. Hatchcok, na Humana, e McManus Corcoran, na Olsson Associates, são dois excelentes exemplos de ativismo confiável:

- Apresentaram resultados consistentes.
- Criaram relacionamentos de confiança com a direção.
- Aceitaram riscos, saindo de sua zona de conforto para desafiar práticas existentes e contribuir com uma nova estratégia e prioridades para a organização.
- Tiveram uma visão de fora para dentro, identificando oportunidades e ameaças que surgiam das tendências externas, e mostrando como aproveitá-las.
- Contribuíram ativa e diretamente.
- Continuaram a contribuir como profissionais e líderes de RH.

Um consultor confiável ajuda os profissionais de RH a ter relacionamentos profissionais mais produtivos e satisfatórios; e o mais importante, se não houver confiança fica difícil para qualquer pessoa ter um impacto real. Como ativistas, os profissionais de RH têm um ponto de vista, não apenas sobre suas atividades atuais de RH, mas sobre as expectativas dos clientes, investidores e outros *stakeholders*; e sobre o papel que o RH pode desempenhar para atender a essas expectativas. Os ativistas confiáveis têm a habilidade de influenciar outras pessoas. Fazem isso por meio de trabalho de casa e de análise – externa e internamente – que os preparam para identificar as principais prioridades de melhoria baseadas na avaliação de oportunidade, ameaça e vulnerabilidade. Eles relacionam os fatos eficientemente e facilitam acordos no curso das ações por meio de comunicações claras, consistentes e de alto impacto.

Os ativistas confiáveis demonstram orgulho na contribuição que dão como profissionais de RH, e investem na profissão para se manter em contato com novas ideias e inovações na área, e para descobrir maneiras de aperfeiçoar talento, cultura e liderança. Identificam-se com a profissão e fazem o melhor que podem. Envolvem-se ativamente na associação de RH de sua indústria ou comunidade.

Credibilidade e ativismo

É a combinação de credibilidade e ativismo que possibilita que os profissionais de RH estabeleçam relacionamentos confiáveis com gerentes de área e outros colegas. Pessoas que são confiáveis, mas não são ativistas, podem ser admiradas por sua inteligência e *expertise*, mas elas não terão muito impacto. As que são ativistas, mas não são confiáveis, podem ter boas ideias, mas ninguém irá prestar muita atenção a elas.

O desenvolvimento do ativismo confiável como um domínio da competência

Nos últimos 25 anos vimos uma mudança intrigante no que estabelece e preserva a credibilidade dos profissionais de RH. Podemos identificar três fases distintas:

1. Na fase 1, a credibilidade é pessoal e baseada nos relacionamentos com os gerentes de área. Os profissionais de RH que tinham uma boa química com os gerentes de área e que eram sensíveis às suas necessidades eram aqueles que tinham credibilidade. A credibilidade pessoal era a principal competência nas rodadas do estudo de competências de RH feitas nos anos 80 e 90.
2. Na fase 2, a credibilidade pessoal mudou de centro de uma competência percebida para um papel secundário na contribuição estratégica – o novo centro da competência do RH em 2002. A criação de um relacionamento positivo com os gerentes de área e colegas continuou a ter importância,

mas só a qualidade do relacionamento não era suficiente; cada vez mais a credibilidade se baseava na contribuição das empresas.
3. A fase 3 começou com a rodada de 2007 do ativista confiável, ou ativista confiável 1.0. Por volta de 2007 as expectativas de desempenho dos profissionais de RH haviam evoluído e refletiam o desafio de atuar em um ambiente econômico global mais complexo, competitivo e desafiador. O domínio mudou de credibilidade pessoal para ativismo confiável, enfatizando o nível em que os profissionais de RH tomavam mais iniciativas na definição da agenda do RH e contribuindo com as prioridades do negócio, baseado em uma compreensão das necessidades e desafios externos e internos. Tanto a Humana quanto a Olsson oferecem excelentes exemplos de ativismo confiável para o negócio e não apenas para o RH, demonstrando a coragem e liderança do RH em tomar iniciativas.

Um fator adicional era o que chamávamos de "RH com atitude", o que significa que os profissionais de RH tomam uma posição informada e proativa sobre o negócio e as questões do RH. Esta postura proativa indica um crescente orgulho no RH, um reconhecimento do papel estratégico cada vez maior que desempenha nos resultados do negócio e um senso de oportunidade de desempenho, crescimento e desenvolvimento. Ambos os casos demonstram uma crescente contribuição, assim como uma maior disposição de aceitar o risco e a recompensa de uma maior contribuição estratégica.

Pensamos na pesquisa atual como uma revisão e refinamento do ativismo confiável para um *novo normal*". O ativista confiável 2.0 é uma descrição mais colorida do domínio. A ênfase está totalmente colocada na criação de confiança pela obtenção de resultados. Fatores de apoio defendem a primazia do desempenho e da iniciativa criando impacto no negócio: fazendo a coisa certa, da maneira certa, no tempo certo, com as pessoas certas. Além disso, aumentou a importância da melhoria contínua, do autoconhecimento e do autodesenvolvimento e agora incluem o valor da participação ativa nas associações profissionais. Não é suficiente identificar-se com o RH; há um apelo para um maior envolvimento no progresso da área e para ficarem em contato com inovações em outras organizações, regiões e setores. Além de desempenhar um papel mais estratégico e criar melhores relacionamentos com os gerentes de área e os colegas de RH, os profissionais de RH precisam criar seu autoconhecimento de forças e necessidades, bem como tirar vantagem de oportunidades de crescimento, desenvolvimento e melhoria de habilidades, como fez Corcoran.

Os elementos do ativismo confiável

Na última rodada dos estudos de competência de RH, ficou constatado que ser um ativista confiável seria fundamental para o desenvolvimento da reputação de um alto executivo de RH. De acordo com a pesquisa, quatro fatores contribuíram para isso:

1. *Entrega de resultados íntegros*: os profissionais de RH têm um histórico de bom discernimento para definir prioridades e de abordá-las de maneira adequada.
2. *Compartilhamento de informações*: O compartilhamento de informações começa com a capacidade de comunicar-se eficientemente, pessoalmente e por escrito. Também exige a criação de uma ampla e profunda rede de relacionamentos por toda a organização e, certamente, além do RH.
3. *Criação de confiança:* Criar confiança concentrando no desenvolvimento de fortes relacionamentos com colegas da área e do RH.
4. *RH com atitude:* O ativismo foi a nova mensagem da pesquisa de 2007, e ele mostrou a importância da credibilidade e ativismo, ou da iniciativa na contribuição para a organização.

Os elementos do ativismo confiável

Na rodada de 2012, o ativismo confiável mais uma vez foi identificado como competência fundamental para o alto desempenho do RH. Entretanto, também observamos algumas significativas mudanças no significado do ativismo confiável. A Tabela 4.1 apresenta os componentes do ativismo confiável apontados na pesquisa de 2012.

O elemento mais importante para a criação de uma reputação de ativista confiável é a obtenção de confiança por meio de resultados, seguido de perto pela influência e relacionamento com os outros. Não muito atrás está a percepção de uma contínua melhoria pessoal e profissional: melhoria por meio de autoconhecimento e das iniciativas para continuar a crescer e desenvolver habilidades funcionais e interpessoais. Finalmente, os profissionais de RH de alto desempenho são vistos não apenas como eficientes, mas estimulam essa eficiência na equipe, na organização e na comunidade profissional.

Como observado no Capítulo 2, o impacto do ativismo confiável na classificação do desempenho profissional do RH é significativo. Este é o domínio

Tabela 4.1 Fatores de competência do ativismo confiável

Fator	Média	Eficácia individual	Desempenho do negócio
Ganhar confiança por meio de resultados	4,36	28%	25%
Influenciar a relação com os outros	4,24	28%	26%
Melhorar por meio de autoconhecimento	4,08	26%	30%
Moldar a profissão de RH	4,13	18%	19%
Total R^2		0,405	0,056

no qual os profissionais de RH de nossa população têm maior pontuação e a maior média entre as seis competências. Sabemos que as pontuações mais altas para o ativismo confiável são compatíveis tanto entre os entrevistados RH e não RH (linha). Ambos reconhecem sua importância.

A posição do ativista confiável como a competência profissional de mais alta pontuação foi consistente em diferentes regiões. Estava no auge em todas as regiões, nos papéis desempenhados por profissionais de RH, e nas classificações de diferentes níveis de entrevistados, e representou a maior variação na avaliação da eficácia profissional dos profissionais de RH. É o fator mais associado com eficácia pessoal, mas não é a principal correlação com o sucesso do negócio; para isso precisamos analisar outras áreas de competência. Entretanto, o ativismo confiável é a entrada para a competência, necessária, mas não suficiente, a base, mas não a origem. Como ativistas confiáveis, os profissionais de RH têm acesso e relacionamentos de confiança com seus líderes. Os outros cinco domínios sugerem o que os profissionais de RH precisam contribuir, uma vez envolvidos com os líderes do negócio.

Fator 1: Ganhar confiança por meio de resultados

A eficácia profissional percebida começa e termina com resultados. Os profissionais de RH de alto desempenho obtêm confiança ao cumprir os compromissos. Evidentemente, os profissionais de RH ao redor do mundo ganharam confiança com seus líderes de negócio.

Os fortes executores de qualquer área entendem que o cumprimento dos compromissos sempre é um ato de equilíbrio entre, por um lado, a clareza e a consistência de objetivos e, por outro, a flexibilidade e agilidade nas reações às mudanças. Isto é particularmente verdade no RH, onde a presteza é fundamental: os profissionais de RH atuam em um ambiente dinâmico e precisam cumprir metas estabelecidas e também reagir a prioridades cambiantes; a perda de um grande contrato pode exigir uma mudança nas prioridades a fim de fazer as necessárias mudanças organizacionais e de pessoal, no prazo exigido. E todos precisam colocar 'mãos à obra' em caso de uma aquisição ou da venda da empresa.

Conquistar confiança por meio de resultados exige:

1. Definição clara de expectativas
2. Cumprimento de compromissos
3. Demonstração de integridade

Definir expectativas claras quanto a desempenho e metas

Os resultados baseiam-se em planos, e planos são necessariamente dinâmicos. Para preservar a consistência e a flexibilidade os profissionais eficientes de RH utilizam alguma forma de acordos de nível de serviço por meio de frequentes discussões e *feedback*. Esse acordo não deve ser legalista; pode ser tão objetivo quando uma única frase: "Vamos nos encontrar mensalmente para analisar o desempenho, revisar prioridades e identificar maneiras de melhorar nossa atuação".

Cumprir compromissos

Os ativistas confiáveis cumprem seus compromissos. Estabelecem confiança ao cumprir suas promessas, entregando a melhor solução no prazo determinado. Jane Wakely, diretora de *marketing* da Chocolates Mars, conta a história de um funcionário do RH, trabalhando em um projeto estratégico especial, que permaneceu em uma importante *conference call* até 15 minutos antes de submeter-se a uma cirurgia. Um caso extremo, mas que construiu uma forte reputação de comprometimento. Os ativistas confiáveis querem receber *feedback,* de forma regular e específica. Reconhecem que cumprir os compromissos está, em parte, nos olhos de quem recebe. Os grandes profissionais de RH precisam saber como são avaliados e querem frequentes *feedbacks* a fim de poder melhorar seus serviços e a qualidade de seus relacionamentos.

Os ativistas confiáveis entendem que criar confiança por meio de resultados não se concentra apenas nas grandes coisas; os detalhes são importantes. Cumprir os compromissos inclui pontualidade, preparação adequada, cortesia e iniciativa na resolução de problemas ou na superação de obstáculos.

Mostrar integridade

Ganhar confiança por meio de resultados significa "fazer a coisa certa, da maneira certa, no tempo certo, com as pessoas certas". Mas vá mais fundo, e a integridade – ética – se torna um elemento importante. Como disponibilizadores da cultura, os profissionais de RH têm a obrigação de agir como modelos das aspirações culturais da organização – como os funcionários deveriam agir com relação aos clientes, fornecedores e parceiros, e uns com os outros. Demonstrar integridade pessoal é um elemento-chave do ativismo confiável. Parceiros comerciais que não acreditam que os profissionais de RH se comportarão com integridade não darão atribuições importantes ou delicadas para o RH, e procurarão limitar o relacionamento a questões transacionais ou administrativas. Para questões estratégicas, as pessoas de fora do RH querem trabalhar com profissionais em quem confiam e em cujas opiniões podem confiar.

Aqui estão algumas das coisas que os profissionais de RH podem fazer para consolidar os princípios éticos da organização:

- Escrever um código de conduta ou declaração de valores éticos.
- Identificar e analisar abertamente questões obscuras. São questões éticas sobre a política da empresa ou o comportamento mais adequado que talvez as pessoas não conheçam bem, ou situações para as quais há diferenças significativas de ponto de vista sobre o que é mais apropriado.
- Analisar frequentemente os princípios éticos ou valores da organização e ajudar as pessoas a aplicá-las a situações reais. Introduzir comportamentos de outras organizações e analisar suas ações através da perspectiva dos valores de sua empresa. Como Kurt Lewin gostava de dizer: "não há nada mais prático do que uma boa teoria".
- Ajudar as pessoas a entender as consequências de transgressões para a organização e para os colegas. Isto tem o benefício extra de ajudar os profissionais de RH (e outros) a desenvolver uma perspectiva mais racional e perspicaz sobre a resposta certa, como lidar com situações semelhantes no futuro, e o que fazer quando observam comportamentos problemáticos.
- Analisar o comportamento de pessoas de outras empresas – concorrentes e também aquelas de outros setores – para entender as implicações práticas dos princípios éticos. Por exemplo, mostrar como a falta de trabalho em equipe entre a British Petroleum e seus terceirizados, e a falta de rigor na aplicação dos valores da empresa, levou ao pior derramamen-

to de óleo no Golfo do México da história. Ou como orientação para o lucro e a falta de foco nos seus valores essenciais levaram à falência.

Criar confiança

A nova reforça a mensagem fundamental de que a confiança é uma dimensão importante na criação de fortes relacionamentos com os *stakeholders* internos e externos. Por exemplo, David Maister fez carreira no trabalho de entendimento dos construtores de confiança em serviços profissionais.[1] Ele e seus colegas descobriram que a criação de relacionamentos de serviços de consultoria confiáveis dependiam de quatro elementos:

$$\text{Confiança} = \frac{\text{Credibilidade} + \text{Confiabilidade} + \text{Intimidade}}{\text{Percepção do interesse pessoal}}$$

O trabalho de Maister combina perfeitamente o conceito de confiança por meio de resultados. Os profissionais eficientes de RH ganham confiança demonstrando inteligência, habilidade e *expertise* necessárias para contribuir com o negócio e com as metas funcionais (*credibilidade*), criando reputação e histórico para cumprir com os compromissos e manter as promessas ao ter um bom desempenho nos compromissos (*confiabilidade*), estabelecendo relacionamentos interpessoais eficientes (*intimidade*) e assegurando honestidade e clareza nas comunicações. Eles evitam parecer manipuláveis ou atuar em interesse próprio em tudo o que fazem.

Faça um teste no Exercício 4.1. Utilizando a fórmula de confiança, classifique a sim mesmo e depois entreviste seus colegas, tanto no RH quanto nos outros departamentos. Talvez seja difícil para as pessoas responder francamente a essas perguntas, mas o exercício é uma oportunidade de demonstrar sinceridade e vontade de correr algum risco para melhorar. Enquanto você analisa os resultados, identifique o que vê como oportunidades para melhoria com base em prioridades.

Por exemplo, muitos profissionais de RH estão sentem-se pressionados para vender uma solução de RH corporativo. Exemplo típico disso é uma política que pode ser adequada em uma região, mas criar problemas em outra. Aqui estão diversas maneiras de lidar com o conflito de maneira mais produtiva:

- Seja claro e explícito sobre as áreas de acordo e desacordo com preferências locais.

Exercício 4.1 *Avaliando confiança*

Elemento de confiança	Auto-avaliação (1=baixo; 5=alto)	Classificação dos *stakeholders* (1=baixo; 5=alto)	Oportunidades de melhoria
Credibilidade			
Confiabilidade			
Intimidade (relacionamentos pessoais)			
Percepção de autointeresse			
Média			

- Ajude os gerentes de área a entender as implicações práticas da mudança e a avaliar realisticamente os problemas que podem ocasionar, sua gravidade e seu impacto.
- Trabalhe com os gerentes de linha para identificar claramente as áreas onde o RH pode necessitar rever aspectos da decisão e defenda uma revisão adequada.
- Ajude os gerentes de área a entender tudo e a lógica corporativa para a mudança.
- Assegure que o RH corporativo entenda as preocupações dos gerentes locais com a mudança e aconselhe sobre que resposta ou mudança pode ser mais útil.
- Evite tomar partido. O papel do RH é equilibrar o empreendimento e as necessidades locais, não faça escolhas.
- Faça uma avaliação depois de 60, 90 e 120 dias da decisão e das ações terem sido tomadas.

Fator 2: Influenciando e relacionando-se com os outros

Tracy Chastain, vice-presidente divisional de RH na McKesson, sob a diretoria de RH de Jorge Figueredo, dá um bom exemplo da segunda dimensão do ativismo confiável: influenciar e relacionar-se com outros. A divisão de sua empresa identificou a necessidade de eliminar 200 cargos de TI. A redução era necessária, mas ela queria evitar as prováveis consequências: perda de funcionários talentosos, impacto sobre a marca da empresa, um golpe para o ânimo organizacional (pois as pessoas questionavam: serei eu o próximo?), e o alto custo financeiro de diversos milhões de dólares em indenizações. Ao invés de ranger os dentes e enviar avisos de demissão, Chastain e sua equipe trabalharam intimamente com outras divisões da McKesson que contavam com equipes próprias de TI na identificação de posições para quase todos os funcionários demitidos. O custo de recolocar as pessoas era uma fração do esperado custo das indenizações, representando uma economia de aproximadamente $10 milhões para a empresa. Os valorizaram a flexibilidade o compromisso da empresa com as pessoas, e o impacto no negócio foi minimizado. O plano tinha seus desafios e detratores, mas Chastain e sua equipe levaram a melhor, trataram das preocupações, demonstraram a economia e convenceram a empresa e os líderes do negócio sobre o impacto positivo para os funcionários e para a comunidade. No processo, ela e sua equipe mostraram as seguintes competências:

- Correram o risco de propor uma solução para a empresa mais difícil e mais complexa, mas mais eficiente.
- Fizeram o trabalho de casa sobre o que estaria envolvido no plano e analisaram custos e benefícios.
- Previram problemas e ofereceram e implementaram soluções viáveis.
- Previram obstáculos e propuseram meios de, praticamente, superá-los.
- Assumiram responsabilidade e compromisso.

A fórmula de confiança ilustra a importância de criar relacionamentos eficientes com colegas da área e funcionais. Se Chastain não tivesse desenvolvido um relacionamento de confiança com os líderes de seu negócio, é improvável que eles tivessem assumido a exigência adicional de encontrar recolocação para quase 200 pessoas. E se ela não tivesse criado fortes relacionamentos com os colegas do RH, provavelmente eles não seriam tão prestativos no processo de contratação ou menos confiantes de que as novas pessoas disponíveis para o TI fossem bons profissionais.

Após ganhar confiança por meio de resultados, o próximo fator mais importante é influenciar e relacionar-se com os outros. Como os dados sugerem, os profissionais de RH de alto desempenho criam relacionamentos amplos e profundos, para cima, para baixo e em toda a organização, e também além da organização, a fim de poder desenvolver uma perspectiva externa sobre os desafios. Esses relacionamentos são baseados no princípio de dar e receber. Um relacionamento sustentável significa consideração de ambos os lados, como acontece com qualquer contrato entre pessoas. Os profissionais de RH com reputação de conselheiros confiáveis costumam ser descritos como:

- Comprometidos com o desempenho dos gerentes de área e com as equipes com quem trabalham, demonstrando interesse contínuo e genuíno de manter contato, prestando informações úteis e oferecendo ajuda.
- Fornecedores de *insights* com perspectiva de fora para dentro, ajudando os gerentes de área a entender as implicações de seus planos e prioridades sobre o capital humano. Coletam informações sobre os concorrentes e sobre diferentes abordagens. Também avaliam como as principais empresas abordam questões semelhantes, estão atualizados e atentos a dados. São atentos a questões fundamentais do setor, utilizam bases de dados como, por exemplo, a pesquisa da RBL/Hewitt "as melhores empresas para os líderes" para identificar necessidades de melhoria em sua gestão de talentos e nas práticas de desenvolvimento de liderança.
- Respeitadores do tempo das pessoas com quem trabalham, mantendo o bem mais precioso na vida organizacional atual. Isto é particularmente importante para os profissionais de RH que buscam influenciar a comunicação de forma articulada e sucinta, tanto na escrita quanto na apresentação. Se necessário, fazem uso de organizações como *Toastmasters* como uma forma livre de riscos de melhorar suas habilidades de comunicação.
- Trabalham bem com os demais. É fácil trabalhar bem com as pessoas de que gostamos; é muito mais difícil trabalhar com pessoas que são desafiadoras ou desagradáveis. Os bons profissionais encontram maneiras de discordar sem ser desagradáveis. Eles não evitam o conflito, mas o administram de forma a preservar e, na verdade, criar o relacionamento. Muitas vezes dizemos que o desenvolvimento é favorecido pela criação de uma energia que fortalece outras. Trabalhar eficientemente com outras pessoas e formar uma boa equipe se enquadram nessa categoria.
- Estão dispostos a riscos adequados em nome da organização. O conflito muitas vezes significa risco pessoal, especialmente quando alguém desafia o ponto de vista de seu chefe ou de um gerente de área. Este risco não deve ser evitado, mas pode ser reduzido pelo planejamento e antecipação de áreas de discordância. O risco pode ser determinado pela vontade de vencer comparado com o medo de fracassar. O risco aumenta com o crescente impulso e desejo de vencer, e o medo de errar diminui quando se aprende a não punir os erros.

O risco pode ser reduzido quando os profissionais de RH demonstram que entendem os interesses e opiniões dos gerentes de área, resumem os benefícios e potenciais problemas e sugerem maneiras de maximizar o sucesso por suas abordagens e atitudes. E o risco pode ser reduzido ainda mais quando se faz a lição de casa para falar sobre fatos e não sobre hipóteses e tendências. Ouvir e demonstrar compreensão por meio de resumos, paráfrases e identificação de implicações também reduz o risco. Deve ficar claro que o objetivo é a melhor solução, o argumento não deve ser ganhar ou perder. Isto pode ser demonstrado ao concentrar em fazer cada uma das opções funcionar.

Quando se trata de desenvolver relacionamentos que resultam em influência, uma auditoria de relacionamento com *stakeholders* é uma ferramenta útil. Os bons profissionais de RH têm uma ampla base de relacionamentos entre os colegas, gerentes de área e outros membros importantes da equipe. O objetivo do mapa é claro: Com quem você se relaciona? Quais os relacionamentos necessários não existem ou não são suficientemente fortes? E quais suas prioridades para melhorar? A Tabela 4.2 fornece um exemplo de o mapa para um grupo hipotético.

Quando você fizer seu próprio mapa de relacionamentos com *stakeholders,* lembre-se do seguinte:

- *Buscar orientação na identificação dos relacionamentos que você precisa desenvolver e manter*: Talvez você não tenha uma percepção perfeita – poucos conhecem todas as pessoas que importam para seu desempenho. O treinamento irá ajudar, assim como o contato com colegas mais experientes da área ou do RH.
- *Pedir feedback constante para melhorar a qualidade de seus relacionamentos*: Não acredite que ter um contato frequente com alguém faz dele um parceiro confiável. Pergunte-se: "Meu nome é o primeiro a ser lembrado quando o parceiro de negócios precisa de ajuda? E o meu círculo de influência – convites para envolvimento e discussões – está aumentando?"
- *Pensar no futuro*: Não se concentre apenas nos relacionamentos que precisa agora. Pense no futuro. Pergunte-se: "Que outros relacionamentos serão úteis nos próximos dois anos? Qual a melhor maneira de começar esses relacionamentos?"
- *Definir o plano*: Qual a frequência necessária para o contato? Quais são os itens mais importantes da agenda? Os debates promovem resultados que são oportunamente implementados, com que impacto? Após a identificação de relacionamentos que precisam ser reforçados, em que ponto esses poderão ser considerados bons?
- *Certificar-se de que todos os relacionamentos são de mão dupla*. Pense em uma parceria que defina o que é esperado e necessário de ambos os lados

Tabela 4.2 Mapa de relacionamento com os *stakeholders*

Individual	Razão da importância	Status do do relacionamento	Ideias de melhorias
Bill Smith	Importante parceiro de negócios	Forte	Manter contato permanente
Karmit Havens	Diretor financeiro	Bom	Almoço mensal, por sua solicitação
Julia Mai	Chefe de produção	Fraco	Participar da reunião mensal de sua equipe
Jacqueline Filo	Diretor de vendas	OK, mas necessita melhorar considerando as prioridades de 2012	Concordar com as prioridades de tratar e trabalhar com sua equipe para construir um plano de jogo compartilhado e protegido
Mark Tomosic	Executivo de P&D, não é gerente, mas muito influente	A estabelecer	Propor uma conversa mensal
Jeff Ng	Forte apoio ao RH	Forte	Enviar artigos de áreas de seu interesse
Aurelia Lopez	Crítica permanente do RH	OK	Ajudá-la a tratar de suas principais prioridades de mudança

– mas com o objetivo de criar uma forte aliança. Por exemplo, a Aramco, a gigante petrolífera da Arábia Saudita, recentemente finalizou uma experiência inovadora para consolidar esse aspecto do ativismo confiável. Tendo investido na criação de habilidades de parceria empresarial no RH, a empresa está agora treinando gerentes para que sejam parceiros eficientes do RH. A Aramco aprendeu que parceria é um processo de duas mãos, exigindo um conjunto de habilidades de duas vias.

- *Finalmente, pergunte-se: Como continuo a criar uma rede ao longo do tempo*? Aqui, uma variedade de ferramentas pode ser útil. Com que frequência você consolida sua rede de contatos, por exemplo, fornecendo informações, ou artigos de interesse, ou exemplos de práticas de RH inovadoras de outras empresas? Uma rede de contatos é um organismo vivo e precisa ser alimentado através de manutenção e exercício. Nas redes de contato fazemos isso por meio de compartilhamento de informação, interação, e apoio mútuo.

Fator 3: Melhorando o autoconhecimento

Melhorar o autoconhecimento é um novo fator no domínio de ativismo confiável. É um importante acréscimo às descobertas desta rodada. O autoconhecimento é um benefício óbvio na melhoria e importante para construir a confiança por meio de resultados e na construção de relações mais fortes, como evidenciado em ideias como inteligência emocional. Mas há um segundo valor: o RH assume a responsabilidade para moldar e consolidar a importância de continuar o desenvolvimento e o domínio da carreira individual.

O autoconhecimento é difícil. Imagine o número de pessoas que se empenham em perder peso ou fazer exercícios no ano novo, e a pequena proporção (12%) que têm sucesso.[2] Um plano bem sucedido de auto-aperfeiçoamento conta com cinco elementos:

1. Reconhecimento da necessidade de mudança
2. Um objetivo, um prazo específico e um plano de ação para a mudança
3. Apoio antes, durante e após a decisão
4. Monitoramento rigoroso do progresso
5. Ajuda de um observador ou vigilante individual que consolida e apoia a motivação e o compromisso com a mudança

O autoaperfeiçoamento necessita de autoconhecimento e uma crença profunda na necessidade de mudança. Mas autoconhecimento não é a mesma coisa que humildade. É uma compreensão profunda e conhecida das forças e fraquezas de agora e das forças de longo prazo necessárias para alcançar um objetivo. Nietzche escreveu: "O que não mata nos torna mais fortes". Menos dramático, mas não menos verdadeiro, é que o desenvolvimento sempre envolve riscos – riscos de tempo, riscos de custos, riscos de desempenho e riscos na carreira. Exatamente como nas outras formas de inovação. O autodesenvolvimento desafia o *status quo* e gera suspeita.

O risco precisa ser entendido emocionalmente. Mas também precisa ser administrado e contido. Uma boa regra é começar onde está o sistema. Uma análise de risco/recompensa ensina que grandes riscos com recompensas não definidas não ganham força. Há diversas maneiras de reduzir o risco da inovação, quer você esteja desenvolvendo o autoconhecimento ou inovando em nome do negócio.

- *Teste o valor do esforço*: Pergunte se é aqui que queremos gastar nosso precioso tempo e esforço.

- *Seja específico e explique as metas*: Utilize SMART como um acrônimo para a definição das metas: *Specific* (específico), *measurable* (mensurável), *ambitious* (ambicioso), *realistic* (realista) e com tempo determinado.
- *Colete os dados certos para dar andamento ao problema.*
- *Considere as contingências e antecipe as áreas de dificuldade, desafio e suspeita:* Depois, peça ajuda aos *stakeholders* que serão afetados pela implementação.
- *Peça ajuda dos parceiros de negócio*: Existe poder em pedir ajuda e *feedback*, e também em comprometer os gerentes de área com os quais você trabalha, quando você diz: "Estou trabalhando para melhorar meu conhecimento do negócio e gostaria de ter a sua ajuda. Você pode me envolver em reuniões pertinentes ou direcionar-me a colegas que possam me ajudar a entender o negócio e saber onde e como o RH pode ser útil de forma mais proativa?" Raramente essas solicitações são recusadas, e são duplamente úteis. Além da informação específica que ela suscita, compromete os líderes de área com você e ajuda a criar relacionamentos com eles.
- *Comemore pequenas vitórias*: Herb Shepard em seu livro "Rules of Thumb for Change Agents", escreveu que a mudança significa diversos pequenos incêndios ou pequenos *passos*.[3] É praticamente a mesma coisa que administrar seu próprio crescimento e desenvolvimento. Esses pequenos passos – ou, *pequenas vitórias*, como alguns chamam – devem ser bem pensados e comemorados. São uma fonte de aprendizado e também uma fonte de força e convicção.

O desenvolvimento pessoal e profissional é um esporte de contato, uma versão de acrobacias de habilidade. E, como em todos os esportes de contato, aqueles que estão no campo beneficiam-se ao contar com alguém que ajude a aprender e a manter o equilíbrio. Grande parte da pesquisa dos últimos 20 anos mostra as virtudes de ter um mentor. Se você não tiver um mentor, busque um – alguém que possa ajudá-lo a traduzir as condições e entenda onde deve colocar sua energia para benefício da organização. Por isso o treinamento de executivos é uma indústria em crescimento; isso não surpreende muito dado o desafio de liderança destes tempos economicamente dinâmicos.

As principais organizações utilizam diversas ferramentas para garantir que os profissionais de RH conheçam suas próprias forças e necessidades, e que tomem as medidas necessárias para melhorar e desenvolver. Descrevemos essas ferramentas mais detalhadamente no Capítulo 9, concentrado em estratégias de desenvolvimento do profissional de RH. Entretanto, é importante observar algumas das ferramentas mais úteis aqui:

- *Estruturas de competência*: O autoconhecimento começa com uma compreensão do padrão de desempenho. A pesquisa do RBL Group/Hewitt publicada pela revista *Fortune* assinala que cerca de 70% das organizações têm um modelo de competência.[4] É fundamental certificar-se que esse padrão é adequado, seja utilizado pela organização e bem difundido.
- *Planos de desenvolvimento individual*: A melhoria do desempenho é um trabalho de equipe e um esforço solitário. As principais organizações garantem promovem um debate de alta qualidade entre os gerentes e os profissionais de RH que levam ao reconhecimento das forças, à identificação de prioridades para melhoria, ao desenvolvimento de planos e à concordância sobre os resultados.
- *Treinamento:* O treinamento é um aspecto integral para garantir a melhoria por meio do autoconhecimento. O melhor treinamento é ativo, comprometido e focado na aplicação de conceitos e ferramentas a situações reais que o profissional irá enfrentar.
- *Comunidades de prática*: As comunidades de prática reúnem profissionais – física ou virtualmente – com interesses e papéis comuns e para um aprendizado compartilhado.
- *Feedback*: Processos como o *feedback* de 360º ou o uso de ferramentas como o *Myers-Briggs Type Inventory* promovemo autoconhecimento. Quando associado com planejamento de desenvolvimento, este tipo de informação proporciona uma forte base de melhoria.
- *Coaching e orientação*: Muitas organizações estão agora usando treinadores internos ou externos para ajudar os líderes e outros profissionais enquanto eles trabalham, para entender como melhorar sua eficácia.
- *Análise depois da ação (After-action review – AAR)*: A AARs foram inventadas pelas forças armadas para analisar o impacto de uma ação, identificar o que deu certo e o que deu errado, e o que poderia e deveria ter sido feito de maneira diferente. As boas AARs usam termos descritivos em vez de termos de avaliação (isto é, "fulano fez X", em lugar de "fulano falhou") para concentrar no comportamento das pessoas e dos grupos.

A Tabela 4.3 resume as competências envolvidas no autoconhecimento e as ações que podem ser tomadas para melhorá-lo.

Tabela 4.3 Melhorando o autoconhecimento

Disciplina de percepção e melhoria	Ações potenciais para profissionais de RH	Ações potenciais para líderes de RH e equipes
Aprender por meio de sucesso e fracasso	Estabelecer uma disciplina de análise pessoal pós-ação.	Estabeleça uma análise pós-ação como um disciplinador chave de desempenho no RH.
Correr riscos apropriados (baseados em um sólido conhecimento dos custos e benefícios)	Melhorar sua avaliação de riscos: o que precisa ir bem para ter sucesso, o que poderia ir mal, maneiras de monitorar e acompanhar os resultados, que ações podem colocar as coisas de volta nos trilhos se ocorrer algum problema.	Pratique a disciplina da análise de potenciais problemas.
Desenvolver a percepção do impacto nos outros, tanto nos colegas de RH quanto de área	Utilize um feedback de 360° ou outro método para melhorar seu conhecimento de como os outros o percebem.	Instale um modelo de competência numa base de dados e aplique um feedback de 360° anual como parte da gestão geral de desempenho e do processo de desenvolvimento do RH.
Ter uma marca de liderança pessoal que ajude a concentração no aprendizado e autoaperfeiçoamento	Defina como você quer ser percebido pelos colegas do RH e de área, e utilize sua definição para ajudar a concentrar nas prioridades para melhoria.	Certifique-se que todos os membros da equipe do RH tenham uma marca de liderança pessoal e um plano de desenvolvimento e melhoria associado.

Fator 4: Fortalecendo a profissão de RH

Como sugerido pelas seções anteriores, o ativismo confiável – como os outros domínios de competência – refletem a orientação de fora para dentro. Saber "como se pratica o RH em nossa empresa" é fundamental para o desempenho em uma organização, mas uma carreira presente em diferentes empresas e indústrias ganha com o investimento de aprender como os profissionais de RH de outras organizações tratam de problemas semelhantes, como eles inovam em favor da organização, e as implicações dos desafios ambientais enfrentados por outros negócios e seus profissionais de RH. Sem esse conhecimento, é muito fácil que alguém bem-sucedido em uma empresa fracasse em outra, como observado nos profissionais de finanças pelo professor de Harvard, Boris Groysberg.[5]

O fortalecimento da profissão de RH envolve quatro ações:

1. *Participar de organizações profissionais de RH.* Os bons profissionais de RH reconhecem que as organizações profissionais são fontes de ideias únicas e ricas, e as inovações que podem ser adaptadas ou adotadas pelas suas organizações. Também estimulamos uma mistura de adesão física e virtual. Por exemplo, *websites* como *RecruitingBlogs.com* oferecem oportunidades de redes de relacionamento para pessoas que se concentram em pessoal e recrutamento.
2. *Melhorar as habilidades dos colegas de RH.* Os melhores alunos também são professores. Investir na criação de habilidades dos colegas de RH exige que as pessoas sejam claras e disciplinadas sobre um tema, uma ferramenta ou uma tecnologia.
3. *Criar uma grande rede externa de relacionamentos.* Quão forte é sua rede de relacionamentos? Você tem relacionamentos variados e profundos que permitam que você reúna as informações que necessita e esteja segura de sua veracidade? Em caso negativo, talvez você queira trabalhar sua rede de contatos, aprimorando sua compreensão de como o RH está inovando em outras organizações.
4. *Envolver*-se em eventos-chave da comunidade do RH. É raro que passe uma semana ou duas sem que os profissionais de RH tenham uma oportunidade de escutar especialistas em capital humano ou executivos de RH falarem sobre seu trabalho e desafios. Além das sessões públicas, TED ou outras mídias apresentam uma variedade de oportunidades *online* ou virtuais. Nós o incentivamos a participar e a fazer isso com seus colegas – permitindo que o evento inspire uma discussão das implicações e aplicações sobre o que o orador disse. Lance uma grande rede: *websites* e *blogs* abundam, originados em uma variedade de países e permitindo que os profissionais de RH aprendam em primeira mão como o RH estratégico é praticado em diferentes setores e diferentes partes do mundo. Alguns *websites* incluem:
    * *TED* para palestras em vídeo e entrevistas com empreendedores e especialistas em muitas áreas
    * *EO – Entrepreneur´s Organization* (para uma perspectiva do que os empreendedores estão pensando
    * *McKinsey Quarterly*, uma boa fonte de novas ideias dos consultores e líderes da McKinsey (e muitas outras empresas têm *sites* semelhantes)]

- *Marketwatch*, um importante *website de* negócios
- *Frontline*, um excelente programa de TV sobre negócios
- *Hoovers´*, para informações sobre as novidades e principais eventos do mundo dos negócios
- *Career Journal*, que oferece a perspectiva de quem está contratando e para que função
- *Motley Fool*, um divertido *website*, mas sério, com informações sobre empresas a partir do ponto de vista de investimentos
- *Vault*, como as pessoas descrevem suas empresas como empregadores
- *Multexinvestor.com*, para informações sobre relatórios de pesquisa

O psicólogo Stanley Milgram oferece uma interessante metáfora para participação na maior comunidade de profissionais de RH. Ele completou uma série de experiências muito conhecidas para identificar os "níveis de separação" entre as pessoas: quantos relacionamentos seriam necessários para que uma pessoa receba um cartão postal de alguém que ela não conhece.[6] Recentemente, o Facebook revisitou a pesquisa e descobriu que as mídias sociais reduziram ainda mais os "níveis de separação" entre as pessoas, de uma média de 5,5 a 6 contatos (consequentemente, "seis níveis de separação") para menos de 5 contatos. Por meio de utilitários como Facebook e LinkedIn, o mundo está se tornando menor. A pergunta para os profissionais de RH é: seu mundo é suficientemente pequeno e sua rede de relacionamento profissional suficientemente forte para permitir que você encontre, com rapidez e precisão, a informação e a orientação necessárias? Em caso negativo, reduza seus "níveis de separação" profissionais investindo na ampliação de suas redes externas.

Conclusão

Os profissionais de RH precisam ser ativistas confiáveis se quiserem se destacar em seu trabalho. Sobretudo, o domínio do posicionador estratégico também exige atuação de ativista confiável, para que as pessoas prestem atenção quando os profissionais de RH se propõem a ajudar suas organizações a entender e identificar as principais tendências externas que moldam oportunidades e ameaças do negócio. Profissionais eficientes de RH criam confiança por meio de resultados, estabelecendo relacionamentos de confiança, e aumentando o autoconhecimento para saber quando, como e com quem atuar.

Capítulo 5

Construtor de capacitações

Quanto tempo você leva para sentir o ambiente quando entra em um restaurante, loja, igreja ou banco – ou uma unidade de negócio em sua organização? Normalmente, minutos. Esta sensação pode ser chamada de muitas coisas: cultura, clima, ambiente de trabalho, expectativas, regras não escritas, ambiente, marca, identidade. Não importa o nome que se dá, é real, e afeta tanto a maneira como os clientes se sentem ao fazer negócios nesse local como o que os funcionários sentem ao trabalhar ali.

Os profissionais de RH podem concordar com essa intuição informal e ajudar a criar a organização certa – isto é, uma organização eficiente e atraente que faz o que é necessário – ao tornar-se o que chamamos de "capacitador". Nos últimos 20 anos, trabalhamos com líderes de dezenas de empresas para definir e entregar a organização certa. Os exemplos vêm de todo o mundo e de todos os tipos de negócio.

- A Organização Internacional do Trabalho – agência das Nações Unidas – tem trabalhado para incutir um sentimento de responsabilidade para que os associados cumpram o que prometem e entreguem no prazo combinado.
- Os líderes da General Electric trabalham para criar uma identidade de inovação, imaginação e invenção em todos os negócios da empresa.
- A Harrah´s trabalha para criar entre os funcionários um atendimento distinto da experiência em outros cassinos.
- O NAB, um importante banco australiano, concentrou-se na criação de uma reputação de "valor justo", em termos de produtos e preços.
- A Quintiles, empresa farmacêutica de pesquisas e consultoria, enfatiza a responsabilidade social corporativa e a conexão com o cliente como seus diferenciais culturais.

- A MTN, importante operadora de telecomunicações da África, concentrou-se em trabalhar por um período de um a três anos em capacitações de velocidade e talento, e em prazo maior para trabalhar liderança e aprendizado.

Todas as organizações – grandes e pequenas, públicas e privadas, globais ou locais, corporativas ou divisionais – encontram valor na definição e entrega de uma atmosfera diferente que afeta os funcionários, clientes e investidores. Este capítulo analisa a história e o poder do conceito, o explica e define, e compartilha nossos resultados da pesquisa. Depois, oferece ações específicas que os profissionais de RH podem tomar para tornarem-se criadores de suas próprias capacitações.

O que queremos dizer com "construtor de capacitações"

No livro *The Visible Hand*, o historiador de negócios Alfred Chandler trata do papel da administração na criação de organizações que respondem a forças invisíveis do mercado. Ele destaca que, após a revolução industrial, as organizações foram importantes para a formação e entrega de uma estratégia de negócio.[1] Para ajudar os profissionais de RH a criar a organização certa, é importante fundamentar seu entendimento de "organização certa" em uma breve análise histórica do pensamento organizacional. Isto está na Tabela 5.1.

Seguindo a lógica da Tabela 5.1, os profissionais de RH ajudam a criar a organização certa, tornando-a mais eficiente por um trabalho de reengenharia, explicando os papéis e as responsabilidades com o design da organização, ajustando e integrando sistemas por meio de auditorias organizacionais, ou definindo e entregando as capacitações certas por meio de auditorias culturais.

As habilidades organizacionais representam a maneira como as organizações são reconhecidas, o que fazem bem, e como configuram as atividades para oferecer valor. Admiramos mais as organizações por suas capacidades do que pela eficiência, morfologia e sistemas. A abordagem da capacitação das organizações beneficia-se de outras abordagens. Para o movimento sistêmico, as capacitações representam o mastro unificador que une sistemas diferentes. Para o movimento morfológico ou burocrático, as capacitações representam os resultados do design da organização.

Tabela 5.1 Abordagens para a criação da organização certa

Tema do movimento da organização	Autores fundadores	Como caracterizar uma organização	Foco do aperfeiçoamento organizacional	Aplicações atuais
Eficiente	Frederik Taylor	Máquinas e peças	Procedimentos operacionais padrão	Reengenharia para estimular a eficiência
Burocracia	Max Weber, Alfred Sloan	Morfologia e forma definidas por papéis claros e por especialização	Responsabilidade clara com papéis e responsabilidade	Empresa multidivisional, unidades de negócio estratégicas; matriz, simplificação
Pensamento sistêmico	Bob Katz e Daniel Kahn, Jay Galbraith, Dave Nedler e Mike Tushman, Dave Hanna	Organização alinhada com o ambiente, sistemas integrados na organização	Sistemas conectados uns com os outros (como com *sociotech*), diagnóstico de sistema da organização	Organizações centradas no cliente, organização horizontal, auditorias da organização
Capacitação	G.K.Prahalad, George Stalk, Bob Kaplan e Dave Norton, Dave Ulrich e Norm Smallwood	Capacitações dentro da organização	Diagnosticar e investir nas principais capacitações	Auditorias culturais, melhorias do processo

Para o movimento de eficiência, a lógica da capacitação leva os resultados das organizações além da eficiência. Moldar a organização certa pela lente da capacitação sintetiza quatro abordagens atuais para a avaliação da organização. (ver Figura 5.1).

Criar a organização certa por meio de uma perspectiva cultural significa encontrar os valores, as normas ou os padrões certos da organização (ver Tabela 5.2 com exemplos de uma visão cultural da organização).[2] Criar a organização certa através de uma lente de processo significa identificar e melhorar os principais processos, como desenvolvimento de novos produtos, melhoria contínua, diversificação de produtos, ordens de remessa, inovação e assim por diante. Geralmente, esses processos se destacam por meio de avaliações de *balanced scorecards* do alinhamento da organização.[3,4,5] Criar a organização certa através da lógica de competências essenciais concentra-se em aprimorar atividades funcionais como o P&D, produção, qualidade, *marketing*, cadeia de suprimentos, RH e tecnologia da informação.[6] Criar a organização certa através uma visão de recursos significa identificar os principais recursos de uma organização para criar valor.[7] A lógica da capacitação sintetiza e melhora essas abordagens para permitir que o RH crie as organizações certas.[8]

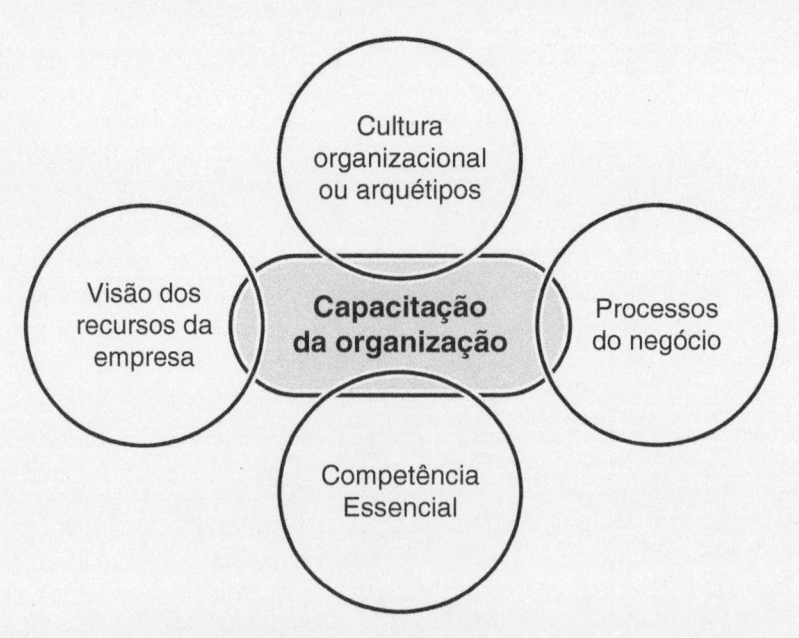

Figura 5.1 Síntese da capacitação da organização.

Tabela 5.2 Culturas ou arquétipos da organização

Dan Denison	Bob Quinn	Henry Mintzberg
Quatro grandes culturas (e 12 subculturas, não mostradas): • Missão • Consistência • Envolvidas (pessoas) • Adaptabilidade	Quatro valores concorrentes: • Criar (adocracia) • Competir (mercado) • Controlar (hierarquia) • Colaborar (clã)	Cinco arquétipos principais: • Empreendedor • Burocrático • Profissional • Divisional (diversificado) • Inovador ("adocracia")

A perspectiva da capacitação foi introduzida nos anos 90 e desde então progrediu para tornar-se uma prioridade para os profissionais de RH e os líderes de negócio.[9, 10]

Sob este ângulo, os profissionais de RH definem, revisam e melhoram as capacitações-chave necessárias ao sucesso. Aproximadamente 60% dos 1.440 entrevistados de uma pesquisa da McKinsey de 2011 com líderes de negócio dizem que criar capacitações organizacionais é uma das três principais prioridades para suas empresas.

> As empresas podem ganhar uma vantagem competitiva ao criar capacitações fundamentais... As empresas precisam pensar mais para entender quais as habilidades que impactam verdadeiramente o desempenho do negócio.
>
> —McKinsey Quarterly

Recentemente, foram publicadas diversas listas de capacitações genéricas e possíveis. George Stalk propôs que organizações tivessem habilidades de velocidade, consistência, acuidade (capacidade de ver o cenário competitivo), agilidade e criatividade.[11] A empresa de consultoria Korn Ferry entende que as capacitações criam eficiência estratégica e reduziu 20 capacitações sem sete categorias:[12]

- Execução estratégica
- Gestão da inovação e da mudança
- Atração, retenção e motivação dos talentos

- Alavancagem de uma cultura produtiva
- Administração da rentabilidade e agregação de valor
- Desenvolvimento de futuros líderes
- Governança

Ulrich e Smallwood identificaram 10 capacitações essenciais que as organizações poderiam ter e, posteriormente, as acrescentaram à lista:[13]

Os profissionais de RH criam a organização certa quando definem, diagnosticam e oferecem as capacitações organizacionais certas. É importante ser um criador de capacitações, pois as habilidades duram mais que qualquer líder individual e estabelecem uma identidade da organização que resiste ao tempo.

Os fatores do criador de capacitações

Por 20 anos estudamos as capacitações organizacionais. Nesta rodada da pesquisa identificamos possíveis capacitações (ou culturas) que um profissional de RH pode adotar. Ao todo, encontramos 18 competências agrupadas em três fatores que definem como se tornar um criador de capacitações. Esses fatores, seus escores médios, e seu impacto na eficácia individual e no sucesso comercial estão descritas na Tabela 5.3.

Esses resultados mostram três áreas nas quais os profissionais de RH podem melhorar para tornarem-se criadores de capacitações e ajudar a criar a organização certa. Primeiro, eles podem capitalizar nas habilidades da orga-

Tabela 5.3 Criador de capacitações: fatores, meio, eficácia individual e impacto no negócio

Fator	Escore médio (de 5,0)	Eficácia individual	Impacto no negócio
Capitalizar a capacitação organizacional (7 itens)	4,03	36%	32%
Alinhar estratégia, cultura, práticas e comportamento (8 itens)	3,94	36%	37%
Criar um ambiente de trabalho significativo (3 itens)	3,94	28%	31%
R^2		0,31	0,074

nização, o que significa dizer que eles fazem auditorias de capacidade (organização) para determinar quais capacitações são mais importantes, considerando a estratégia da organização, os *stakeholders* e o contexto. Esta capacidade ajuda os profissionais de RH a serem vistos como individualmente eficientes, e contribui para o sucesso do negócio. Segundo, eles podem criar uma linha de visão entre estratégia, cultura e comportamento individual. Nossa pesquisa mostra que essa capacidade tem um impacto maior no sucesso do negócio. Terceiro, e talvez uma tendência emergente, os profissionais de RH podem ajudar a criar um significativo ambiente de trabalho. Hoje os profissionais de RH são melhores o diagnóstico das capacitações necessárias do que na determinação de quais seriam elas ou na criação de ambientes significativos de trabalho. Os resultados também mostram que a capacidade de alinhar a estratégia com a cultura e com o comportamento tem maior impacto no desempenho do negócio.

As seções a seguir analisam processos e ferramentas para melhorar em cada uma dessas áreas.

Fator 1: Capitalizar uma capacitação organizacional

As organizações devem ser desenhadas para ajudar a oferecer estratégias. Para isso, os profissionais de RH e os líderes de negócio devem focar em uma organização como um conjunto de capacitações, e não de processos, estruturas ou sistemas. Quando os líderes definem sua direção estratégica, deveriam também refletir sobre os recursos necessários para chegar lá. Concentrar nas capacitações organizacionais garante a realização das estratégias desenhadas. Os profissionais de RH devem ser capazes de fazer auditorias organizacionais por meio de cinco etapas:

1. *Selecionar o elemento da organização no qual irá ocorrer a auditoria.* Este elemento pode ser toda a organização ou uma unidade de negócio, região ou fábrica. Qualquer grupo que tenha uma estratégia com resultados financeiros e tenha um cliente pode e deve fazer uma auditoria organizacional – mas isso não pode ser um esforço de baixo para cima. Uma auditoria organizacional deve ser patrocinada pela equipe de liderança desse elemento. Por exemplo, se você quiser fazer uma auditoria em toda a empresa, é preciso que o conselho de administração ou uma equipe da alta liderança apoiem o projeto. Os executivos do RH podem ser os arquitetos da auditoria, mas ela precisa ser de propriedade e apoiado pelo líder da unidade ou por uma equipe de transformação.

2. *Criar o conteúdo da auditoria*. O conteúdo trata das dimensões do que deve ser auditado. Propusemos 13 capacitações genéricas (ver Exercício 5.1). A equipe de criação da auditoria deve adaptar essas capacitações genéricas de acordo com as exigências da organização. Identifique a gama de capacitações organizacionais necessárias para cumprir promessas estratégicas que vão além das 13 descritas. Uma das formas de apossar-se das capacitações adotadas envolve a análise dos documentos públicos da empresa, palestras de executivos, atas das reuniões do comitê executivo, propaganda e indicadores de reputação na mídia. A análise do conteúdo desses documentos públicos permite que os profissionais de RH documentem as capacitações existentes. Essa lista precisa ser colocada em palavras e frases de acordo com a organização. O resultado desse esforço será um modelo de auditoria da organização que sugere capacitações específicas relacionadas com a unidade organizacional auditada.
3. *Coletar dados de diversos grupos sobre a situação atual e desejada das capacitações analisadas*. Esta informação pode ser coletada seguindo diversos padrões:
    * *90 graus*. Coletar dados apenas da equipe de liderança da unidade auditada. Este é o método mais rápido, mas muitas vezes ilusório, pois o autorrelato da equipe de liderança pode ser tendencioso.
    * *360 graus*. Coletar dados de diversos grupos dentro da empresa. A avaliação de diferentes grupos pode contar uma história diferente, dependendo de como cada grupo vê a informação.
    * *720 graus*. Coletar dados não apenas dentro da empresa, mas de grupos de fora da empresa. Avaliadores externos podem incluir investidores, clientes ou fornecedores. Esses grupos externos são importantes, pois, em última análise, determinam se a organização tem valor tangível. Particularmente, gostamos de entrevistar clientes-chave para determinar as capacitações que desejam e as habilidades que observam na empresa.
4. *Sintetizar os dados a fim de identificar as capacitações mais importantes que requerem uma atenção gerencial*. Os dados da auditoria precisam ser condensados em mensagens-chave e depois colocados em ação. Isto exige que sejam buscados padrões nos dados e que se escolha não mais do que três capacitações que exijam uma atenção de liderança para cumprir os objetivos estratégicos. Para chegar a poucas capacitações é necessário que se priorize e identifique quais delas terão maior impacto e serão mais fáceis de implementar.

Capítulo 5 Construtor de capacitações   **111**

Exercício 5.1 *Auditoria de capacitações genéricas*

	Qual a eficiência atual (1=baixo, 5=alto)	2-3 mais críticos (Marcar)
Com que eficiência atuamos atualmente nas 13 seguintes capacitações?	1 2 3 4 5	
Talento: Sabemos atrair, motivar e reter pessoas competentes e comprometidas.	☐ ☐ ☐ ☐ ☐	☐
Velocidade: Sabemos agir rapidamente, com agilidade, adaptabilidade, flexibilidade, receptividade e dentro do prazo	☐ ☐ ☐ ☐ ☐	☐
Mentalidade compartilhada: Sabemos administrar ou mudar nossa cultura, o que pode envolver a transformação da identidade da empresa, patrimônio sólido, marca sólida, agenda compartilhada.	☐ ☐ ☐ ☐ ☐	☐
Aprendizado: Sabemos gerar e generalizar ideias com impacto através da administração do conhecimento e so compartilhamento das melhores práticas.	☐ ☐ ☐ ☐ ☐	☐
Colaboração: Sabemos trabalhar em equipe, trabalhar através de fronteiras e compartilhar informações.	☐ ☐ ☐ ☐ ☐	☐
Inovação: Sabemos inovar em termos administrativos, de produtos, canais ou inovação estratégica.	☐ ☐ ☐ ☐ ☐	☐
Responsabilidade: Sabemos estabelecer rigorosos princípios de desempenho que definem claras expectativas de desempenho e tornam as pessoas responsáveis pelos resultados.	☐ ☐ ☐ ☐ ☐	☐
Liderança: Sabemos construir profundas lideranças na empresa envolvendo líderes de todos os níveis, os quais criam confiança no futuro.	☐ ☐ ☐ ☐ ☐	☐
Unidade estratégica: Sabemos articular e compartilhar um ponto de vista estratégico, uma agenda estratégica e prioridades estratégicas.	☐ ☐ ☐ ☐ ☐	☐
Eficiência: Sabemos diminuir custos sem afetar a qualidade por meio de redesenho, re-engenharia ou re-estruturação.	☐ ☐ ☐ ☐ ☐	☐
Conectividade com o cliente: Sabemos manter um bom relacionamento com os clientes, com uma organização focada no cliente e familiaridade com o cliente.	☐ ☐ ☐ ☐ ☐	☐
Responsabilidade social: Demonstramos uma boa cidadania corporativa na gestão da emissão de carbono, filantropia e valores.	☐ ☐ ☐ ☐ ☐	☐
Risco: Sabemos administrar o risco atendendo a perturbações, imprevisibilidade e desacordos.	☐ ☐ ☐ ☐ ☐	☐

5. *Designar equipes para desempenhar capacidades importantes para formar um plano de ação com etapas a cumprir e medidas a monitorar.* Este plano de aptidão deve ser focado e oportuno. Uma vez identificadas as principais capacitações, projete um processo consistente para a definição e entrega dessas habilidades. Já vimos empresas reunir a equipe em encontros (geralmente auxiliado pelo RH) para tratar dos seguintes pontos das principais habilidades:
    * *Definição de capacitação.* O que precisamos conquistar com as capacitações de velocidade, talento e colaboração? Essa declaração deve ter um resultado claro que possa ser medido e monitorado.
    * *Decisões sobre a realização das capacitações*: Quais as decisões que podemos tomar imediatamente para promover essa capacitação?
    * *Medidas para controlar e monitorar capacitações*: Como vamos monitorar nosso progresso?
    * *Ações que podem ser tomadas para oferecer capacitações*: Como líderes, o que podemos fazer para investir nessa capacitação? Nossa lista de ações pode incluir eventos de educação ou treinamento, designação e nomeação de pessoas-chave para um projeto ou força-tarefa, definição de padrões de desempenho para aqueles responsáveis pela capacitação, criando força-tarefa ou outras unidades de organização para aqueles que desempenham o trabalho, compartilhando informação através das fronteiras e investindo em tecnologia para apoiar essa capacitação.

Descobrimos que os melhores planos de capacitação tem uma janela de 90 dias. Isto é, identificam ações e resultados específicos que irão acontecer dentro de 90 dias para demonstrar que o desenvolvimento da habilidade está em andamento e garantir um processo de passagem que incentive essa realização. Essa ação de ciclo rápido irá impulsionar um progresso imediato e significativo na organização.

Lições das auditorias de capacitações

Como trabalhamos com dezenas de empresas, aprendemos algumas lições práticas que ajudarão os profissionais de RH a se tornarem construtores de capacitações. Nenhuma auditoria é igual à outra, mas nossa experiência tem mostrado que, em geral, há boas e más maneiras de abordar um processo. Recomendamos algumas orientações:
* *Fique focado.* É melhor detacar-se em algumas importantes capacitações *do que espalhar energia em muitas*. Isso significa identificar quais

capacitações terão maior impacto, considerando os recursos necessários e priorizando-os. As demais capacitações identificadas na auditoria devem obedecer aos padrões do setor. Os investidores raramente buscam a certeza de que uma organização está na média, ou ligeiramente acima da média, em todas as áreas; em vez disso, eles querem que a organização tenha uma identidade distinta que se alinhe com sua estratégia.

- *Aprenda com o melhor.* Compare sua organização com empresas que tenham um desempenho de classe mundial em suas capacitações-alvo. É bom olhar para setores similares em que as empresas possam ter desenvolvido uma força extraordinária na capacitação que você deseja. Por exemplo, as empresas de hotelaria e as companhias aéreas têm muitas diferenças, mas podem ser comparadas quando tratam de diversas forças motrizes: gerenciamento de ativos, agrado aos viajantes, contratar diretamente os trabalhadores, e assim por diante. A vantagem de olhar para fora de seu próprio setor na busca de modelos é que você pode imitá-los sem competir com eles. Nesses setores, as pessoas têm muito mais disponibilidade em compartilhar informações com você do que seus principais concorrentes.
- *Crie um ciclo virtuoso de avaliação e investimento.* Uma rigorosa avaliação ajuda os executivos da empresa a decidir as capacitações necessárias para o sucesso, e isso os ajuda a determinar onde investir. Ao longo do tempo, a repetição do ciclo avaliação-investimento resulta na base para um *benchmarking*.
- *Compare percepções de capacidade.* Como o *feedback* de 360 graus na avaliação de liderança, as auditorias organizacionais podem revelar diferentes pontos de vista da organização. É instrutivo, por exemplo, quando os principais líderes compartilham de uma mentalidade compartilhada, mas os funcionários ou clientes não. Envolva os *stakeholders* nos planos de melhoria. Se os investidores dão uma baixa classificação para a empresa em determinada capacidade, o CEO ou CFO pode reunir-se com os investidores para discutir planos de ação específicos para seguir adiante.
- *Evite subinvestimentos nos intangíveis da organização.* Geralmente, os líderes caem na armadilha de focar naquilo que é fácil de medir, em vez do que é mais necessário consertar. Eles leem balancetes que demonstram os lucros, o valor econômico agregado (EVA), ou outros dados econômicos, mas deixam de observar os fatores subjacentes que agregam valor.
- *Não confunda capacitações com atividades.* Uma capacidade organizacional é um conjunto de atividades e não qualquer busca única. Por isso o

treinamento de liderança, por exemplo, precisa ser entendido em termos da capacidade para a qual ele contribui, e não apenas a atividade que ocorre. Em lugar de perguntar qual o percentual de líderes que receberam 40 horas de treinamento, pergunte quais as capacidades criadas pelo treinamento dos líderes. Prestar atenção às capacitações ajuda os lideres a evitar a procura de soluções únicas e simples para os complexos problemas comerciais.

Olhar para a frente

Os profissionais de RH tornam-se criadores de capacitações quando podem fazer auditorias organizacionais que apresentam claros resultados de capacitação. Como qualquer esforço para desenvolvimento de habilidades, as auditorias organizacionais geralmente começam pequenas, permitindo que seus responsáveis aprendam com a experiência. Isso quer dizer que os primeiros esforços de criação de capacidades podem focar em divisões ou funções menores, ou em uma organização externa (como uma organização sem fins lucrativos ou comunitária).

Fator 2: Alinhando estratégia, cultura, práticas e comportamento

A maioria dos ambiciosos profissionais de RH quer acrescentar valor, tentando alinhar seu trabalho pessoal com os objetivos da empresa. Entretanto, tanto na nossa pesquisa quanto em nosso trabalho profissional descobrimos que ter uma visão do contexto do negócio para estratégia, capacitação, práticas de RH, comportamento individual e métricas, é mais fácil dizer do que fazer. Após anos de testes e práticas, descobrimos um processo em sete passos que funciona – algo que os profissionais de RH podem adotar para ganhar um alinhamento estratégico. No centro desse processo está a definição de capacitação. O processo segue os sete passos mostrados na Tabela 5.4. Os sete passos são descritos de forma a tornar um modelo genérico para o alinhamento estratégico do RH. Porém, eles podem ser modificados para incluir algo específico, dependendo da situação.

Enquanto os profissionais de RH lideram suas equipes de gestão pelos sete passos apresentados na Tabela 5.4, é importante que eles garantam a ajuda em conversas educadas e sinceras que levem aos resultados de cada etapa. Muitas vezes, isso significa um *workshop* de um ou dois dias onde os gerentes de área e os profissionais de RH criam uma clara linha de visão entre o contexto do negócio e as ações gerenciais. Também é importante seguir uma se-

Tabela 5.4 Passos para alinhar estratégia, cultura, práticas de RH e comportamento

Passos/Perguntas	Atividades	Resultados
1. **Negócio:** Onde vamos fazer uma conexão estratégica de RH?	Selecione o negócio para o qual você quer criar uma conexão de RH estratégica. Provavelmente essa empresa tem uma estratégia própria e um conjunto de indicadores de desempenho.	Especifique um negócio onde possa ocorrer uma conexão estratégica de RH.
2. **Ambiente:** Quais são as tendências do negócio?	Defina o contexto do negócio: • Identifique as principais tendências do ambiente que irão afetar sua organização no futuro. • Examine as expectativas de cada um dos principais *stakeholders*.	Explique as condições externas ambientais e do stakeholder que irão moldar a indústria e a organização.
3. **Estratégia:** Quais os orientadores estratégicos para o negócio?	Especifique a estratégia necessária para responder às condições externas: • O que sua empresa está tentando fazer? • Qual é a melhor maneira de atender os clientes? • Que escolhas estratégicas e scorecards você terá para orientar essas escolhas?	Prepare uma declaração clara e simples de uma estratégia com perspectiva de futuro: visão, missão, metas e prioridades.
4. **Organização:** Em que precisamos ser bons como organização?	Identifique, faça auditoria, priorize e defina as principais capacitações organizacionais: • Selecione as duas ou três principais capacitações. • Prepare expressões comportamentais para casa uma delas.	Priorize duas ou três principais capacitações para o sucesso estratégico.
5. **Investimento de RH:** Quais as prioridades do RH?	Priorize e invista nas principais práticas de RH: • Crie uma tipologia ou lista de práticas de RH que possam ser usadas para alcançar resultados. • Gere alternativas de práticas de RH. • Priorize as principais práticas de RH. • Faça opções de investimento das práticas importantes (análise custo/benefício).	Prepare um conjunto de práticas de RH importantes que devem ser implementadas a fim de realizar as entregas.

(continua)

Tabela 5.4 Passos para alinhar estratégia, cultura, práticas de RH e comportamento (*continuação*)

Passos/Perguntas	Atividades	Resultados
6. **Planos de ação:** Quem vai fazer o que, quando, onde e como?	Prepare planos de ação específicos (quem, o que, quando e onde) para realizar as prioridades do RH.	Comprometa-se com um plano de ação com tarefas detalhadas, responsabilidades, recursos necessários, prazos e assim por diante.
7. **Medidas das métricas:** Como vamos avaliar nosso progresso?	Defina um scorecard com medidas e métricas para acompanhar o sucesso, principalmente sobre as principais capacidades.	Assegure que as medidas estão adequadas para rastrear o progresso, tanto na atividade quanto no resultado da atividade.

quência e não avançar para as prioridades sem executar os passos anteriores. Nossa experiência mostra que garantir que a administração compre a idéia da importação das capacitações é o segredo sucesso.

Acompanhamos centenas de equipes de gestão nesses sete passos. Aqui estão algumas dicas para que o processo funcione:

1. *Negócio*: Onde faremos uma conexão estratégica com o RH?
   - Exija clareza sobre a estratégia e a estrutura do negócio: a empresa é uma entidade avulsa, uma empresa *holding* ou uma empresa diversificada?
   - Faça com que a equipe de gestão saiba onde a empresa está agora e para onde se dirige no futuro.
2. *Ambiente*: Quais as tendências do negócio?
   - Convide, leia ou aprenda com indústrias ou países futuristas, os quais podem antecipar os acontecimentos.
   - Priorize tendências ambientais em termos de probabilidade de ocorrência e impacto no negócio.
   - Analise as consequências das tendências, de segunda ou terceira ordem.
3. *Estratégia*: Quais são os impulsionadores estratégicos do negócio?

- Seja claro ao pedir para que cada membro da equipe responda e esta pergunta: "Em 20 palavras ou menos, para onde se dirige sua empresa?" Trabalhe para ter consenso.
- Identifique opções-chave com relação a produtos, clientes, finanças, operações e organização de acordo com a direção futura.
- *Organização:* No que precisamos ser bons como organização?
- Faça uma auditoria organizacional com os principais líderes da empresa perguntando o que a organização necessita para ser boa e reconhecida.
- Também colete dados dos principais clientes e investidores de fora da empresa.
- Priorize as duas ou três principais capacitações e então designe expressões comportamentais para elas.

4. *Investimento do RH*: Quais as prioridades do RH?
   - Tenha metodologia para priorizar as práticas de RH. É interessante definir o impacto das iniciativas do RH (de baixo para cima) e sua facilidade de implementação (também de baixo para cima). Assim, você poderá ver quais as iniciativas que devem receber mais atenção.
   - Faça com que membros da equipe de gestão dividam 100 pontos nas prioridades possíveis de RH.
   - Ordene as prioridades para ver qual deve vir em primeiro lugar.
5. *Planos de ação:* Quem fará o que, quando, onde e como?
   - Certifique-se que todas as pessoas percebam como seu comportamento irá mudar como resultado do trabalho estratégico de RH. Peça que as pessoas sejam muito específicas sobre o que devem interromper, começar ou continuar.
   - Crie responsabilidades claras, com prazos e consequências, para as iniciativas de RH priorizadas.
6. *Medidas ou métricas*: Como vamos medir o progresso?
   - Pergunte aos membros da equipe o que deve aumentar ou diminuir se a prioridade do RH fosse implementada. Transforme essas declarações em padrões.
   - Convide todos os gestores a declarar publicamente o que irão fazer e como serão avaliados por isso.
   - Acompanhe e publique as principais métricas para que haja *follow-up* e responsabilização.

Os profissionais de RH que atuam como facilitadores em um processo de alinhamento têm a capacidade de criar capacitações, pois as capacitações desejadas tornam-se o eixo central do processo de estratégia do RH.

Fator 3: Criando um ambiente de trabalho significativo

Surpreende (e não surpreende, ao mesmo tempo) que nesta pesquisa a capacitação de criar um ambiente de trabalho significativo foi fator único para tornar-se um criador de capacitações. Foi um novo desenvolvimento, mas os conceitos associados com significado estão se tornando fortes na psicologia individual e na literatura de *marketing*. Na Tabela 5.6 mostramos que sob o ângulo da psicologia, líderes pensadores como Marlin Seligman, da Universidade da Pensilvânia, estão demonstrando que a felicidade duradoura vem de encontrar sentido e não apenas realizar as atividades. No mundo do *marketing*, o grande líder Phil Kotler tem um pensamento muito semelhante em termos de *marketing* centrado no valor, onde o objetivo de uma campanha é tornar o mundo um lugar melhor. Vamos mostrar a comparação desses trabalhos na conexão dos empregados da Tabela 5.5. Na Tabela 5.6 resumimos pensamentos líderes que vão além de motivar empregados, com conceitos como o bem-estar,, florescimento, orientação e autoconfiança.

A metamensagem está cada vez mais clara: as pessoas hoje, em todos os países, querem do emprego mais do que trabalho; querem o trabalho com um sentido. Os profissionais de RH, que criam capacidades sustentáveis,

Tabela 5.5 Difusão de significado

Fatores psicológicos da felicidade Como ajudamos as pessoas a encontrar a felicidade?	Fatores de conexão do funcionário Como ajudamos os funcionários a sentirem-se conectados ao trabalho?	Conexão do cliente de marketing Como construímos intimidade com o cliente?
Martin Seligman	Dave e Wendy Ulrich	Phil Kotler
Prazer Sensualidade	Satisfação Gostar de seu emprego e trabalho	Produto Vender produtos (participação de mercado)
Engajamento Perdido no curso de uma atividade	Engajamento Transmitir energia ao trabalho sem restrições.	Cliente Satisfazer e servir os principais clientes (parcela do cliente)
Significado Conectado a valores mais profundos	Significado Encontrar sentido e plenitude no trabalho	Orientado a valor Tornar o mundo um lugar melhor (participação emocional)

Tabela 5.6 Exemplos de impulsionadores de sentido no trabalho

	Daniel Pink	Tom Rath (Gallup)	Martin Seligman	Marshall Goldsmith	Dave e e Wendy Ulrich
Livro básico	Drive	Well-being	Flourish	Mojo	Por que trabalhamos
Premissa ou pergunta central	O que motiva as pessoas?	Como seria seu futuro ideal?	Como as pessoas encontram felicidade em suas vidas?	Como atingimos uma vida e carreira equilibradas?	Como as pessoas encontram plenitude em suas vidas pessoais e profissionais?
Fatores-chave	Autonomia Domínio Sentido	Carreira Social Financeira Física Comunitária	Emoção positiva Engajamento Relacionamentos Sentido Realização	Identidade Realizações Reputação Aceitação	Identidade Sentido Relacionamentos Ambiente de trabalho Desafio do trabalho Aprendizado Prazer

precisam ajudar todos os funcionários a encontrar um significado pessoal no trabalho que fazem.

Para ter o significado como uma capacitação, sugerimos que os profissionais de RH avaliem a atual abundância em sua organização utilizando uma escala como a do Exercício 5.2 a seguir. Uma vez definido o significado de *benchmark*, eles podem encarregar-se das seguintes atividades a fim de melhorá-lo:

- Defina uma identidade ajudando as pessoas a reconhecer como elas querem ser conhecidas e ligue essa identidade com a identidade corporativa.
- Prepare um objetivo convincente articulando os desejos da organização em termos emocionais.
- Incentive relacionamentos positivos no trabalho ajudando os funcionários a criar e fazer relacionamentos, os quais podem se concentrar em interesses comuns, gestão de conflitos e cooperação.
- Crie um ambiente de trabalho positivo compartilhando informações, sendo transparente e definindo normas claras.
- Estabeleça desafios adequados em torno do trabalho que é feito, de onde é feito e como é feito.
- Ajude as pessoas a aprender com os sucessos e fracassos.
- Estimule as pessoas a se divertir e encontrar prazer no trabalho.

Os profissionais de RH podem conversar sobre estes assuntos e então preparar os líderes para que sejam fabricantes de significado. Eles também podem projetar e oferecer práticas de RH tendo em mente estes critérios e, depois moldar essas atividades de criação de significado.

Ao preencher a avaliação do Exercício 5.2, pense na organização na qual você trabalha. No caso de uma pequena empresa, seria toda a organização, em uma grande empresa, seria uma divisão, fábrica, localização ou outra unidade de trabalho.

Se sua pontuação estiver entre 85 e 105, você está em um ambiente de trabalho abundante. Aproveite e trabalhe para que perdure.

Se sua pontuação estiver entre 70 e 84, seu ambiente de trabalho está no caminho certo para fazer com que a abundância aconteça. Identifique as perguntas nas quais teve menos pontos e concentre-se nessas áreas.

Se sua pontuação estiver entre 55 e 69, você está quase perdendo.

Se sua pontuação for menor de 54, talvez a jornada de sua organização em direção a abundância seja impossível atualmente. Se você pretende continuar na organização, encontre uma ou duas áreas nas quais pode ter sucesso. Não tente fazer tudo ao mesmo tempo.

Exercício 5.2 Avaliação da organização abundante

Princípios das organizações abundantes	Perguntas das organizações abundantes Até que ponto minha organização:	Avaliação (1=baixo; 5=alto; faça um círculo na escolhida)
Identidade: Pelo que somos conhecidos? Fortalezas construídas (capacitações da organização) que fortalecem os demais.	1. Tem consciência de como a empresa é conhecida, e esta consciência é compartilhada por todos, dentro e fora da organização.	1 2 3 4 5
	2. Foca nas fortalezas individuais (ou capacitações organizacionais) que a distinguem no seu mercado.	1 2 3 4 5
	3. Incentiva os funcionários a utilizar suas fortalezas no trabalho para incentivar os outros.	1 2 3 4 5
Propósito e direção: para onde vamos? Ter objetivos que mantém as responsabilidades social e fiscal.	1. Comunica seu objetivo social e direção organizacional com clareza e consistência.	1 2 3 4 5
	2. Combina os objetivos pessoais dos empregados com o propósito da organização.	1 2 3 4 5
	3. Ajuda os funcionários a buscar o que os motiva.	1 2 3 4 5
Trabalho em equipe e relacionamentos: como funcionamos juntos: Ir além de equipes de alto desempenho para equipes de excelente relacionamento.	1. Reúne os membros da equipe para resolver problemas e tomar decisões.	1 2 3 4 5
	2. Adota o trabalho em equipe em busca de resultados criativos.	1 2 3 4 5
	3. Capacita as pessoas a formar relacionamentos positivos e resolver conflitos.	1 2 3 4 5

(*continua*)

Exercício 5.2 Avaliação da organização abundante *(continuação)*

Princípios das organizações abundantes	Perguntas das organizações abundantes Até que ponto minha organização:	Avaliação (1=baixo; 5=alto; faça um círculo na escolhida)
Engajamento e trabalho desafiador: Que desafios interessam aos empregados? Engajar não apenas a cabeça (competência) e as mãos (compromisso) mas também o coração (contribuição) dos empregados.	1. Incentiva os empregados a escolher projetos de trabalho desafiadores. 2. Permite flexibilidade na maneira de realizar o trabalho. 3. Ajuda os empregados a ver o impacto positivo do seu trabalho sobre os outros.	1 2 3 4 5 1 2 3 4 5 1 2 3 4 5
Conexões eficientes: Como exibimos um ambiente de trabalho positivo? Criar culturas de trabalho que confirmem e conectem as pessoas em toda a organização.	1. Demonstra um ambiente de trabalho positivo, em vez de cético. 2. Utiliza o tempo e o espaço para criar padrões de afirmação e conexão. 3. Proporciona recursos para ajudar todos os funcionários a atender as exigências de seu trabalho.	1 2 3 4 5 1 2 3 4 5 1 2 3 4 5
Resiliência: Como aprendemos e crescemos com as mudanças? Reagir à mudança dominando princípios do crescimento, do aprendizado e da resiliência.	1. Persiste no desenvolvimento de pessoas e produtos. 2. Incentiva o aprendizado a partir de sucessos e fracassos. 3. Recupera quando as coisas vão mal.	1 2 3 4 5 1 2 3 4 5 1 2 3 4 5
Civilidade e alegria: Como trazemos alegria para nossa organização? Ficar atento ao que ajuda as pessoas a sentirem-se felizes, cuidadas e entusiasmadas com a vida.	1. Sente como um lugar acolhedor. 2. Incentiva os empregados a ter prazer no trabalho. 3. Demonstra respeito e civilidade com todos.	1 2 3 4 5 1 2 3 4 5 1 2 3 4 5

Conclusão: Profissionais de RH como criadores de capacitações

O estabelecimento da organização certa leva ao sucesso estratégico e comercial. Definir a organização certa através da lente da capacitação exige que os profissionais de RH promovam auditorias de capacitação, alinhem a estratégia com a capacitação e comportamento individual. Como criadores de capacitações, os profissionais de RH percebem como o todo é maior do que as partes e estabelecem identidades organizacionais que sobrevivem a qualquer líder individual. O ambiente que você sente quando entra em uma organização não precisa ser acidental, mas uma consciente aplicação dessas ideias.

Capítulo 6

Campeão de mudanças

O crescente ritmo das mudanças em todos os aspectos da vida moderna tornou os profissionais de RH tornaram-se campeões de mudança em muitas empresas. Isso geralmente é uma vantagem para seus empregadores.[1] Começamos com dois exemplos.

Hilton Worldwide

O *Hilton Worldwide* é uma das maiores empresas de hotelaria do mundo: 10 bandeiras principais, 3.750 propriedades (865 hotéis em desenvolvimento), 620 mil quartos em 89 países, equipe própria de 142 mil membros e 360 mil de franquias. O ano 2011 foi o ano de maior desenvolvimento na história de 93 anos do *Hilton Worldwide*, com expressivo crescimento na China, Rússia, Egito, Jordânia, Turquia e Arábia Saudita. Para competir neste mundo global em transformação, os líderes do Hilton concentraram-se no crescimento nos mercados emergentes, como viajantes em automóveis e clientes de viagens curtas em um cenário cada vez mais competitivo.

Para atender as exigências do negócio, o Hilton teve que enfrentar e administrar uma série de desafios. Em 2010, transferiu sua matriz da Califórnia para Virgínia, substituindo 90% dos funcionários da matriz e agregando 70 novos líderes aos 100 principais líderes da empresa. Apresentou duas marcas novas, Hilton Worldwide e Home2Suites, enquanto retrabalhava as marcas existentes, como Hilton Hotels e Waldorf Astoria e garanta as taxas de crescimento desejadas em sua atuação nos mercados emergentes.

Como diretor de Recursos Humanos desde julho de 2009, Matt Schuyler reconhece que a capacidade da empresa de administrar mudanças é decisiva, pois a estrutura organizacional é uma matriz entre as marcas, as funções de serviços compartilhados e as operações no hotel – cada uma delas concentrada em operações de responsabilidades compartilhadas, atendimento ao hóspede e crescimento. Para antecipar, enfrentar e lidar com mudanças, os membros da equipe de RH simplificaram algumas iniciativas:

- Convencionaram uma visão concisa, atraente e inspiradora ("Para encher o mundo com a luz e o calor da hospitalidade"), missão ("Seremos a melhor empresa de hotelaria do mundo – a escolha dos hóspedes, membros da equipe e proprietários"), e valores ("Hospitalidade, Integridade, Liderança, Trabalho em equipe, Propriedade, Agora"), o que produz o acrônimo HILTON (*Hospitality, Integrity, Leadership, Teamwork, Ownership, Now*).
- Pesquisaram o negócio em áreas onde o processo de RH poderia agregar valor significativo, fixando-se em recrutamento, movimento, desenvolvimento, avaliação, colocação de executivos, recompensas e reconhecimento.
- Fizeram um inventário dos processos e dos vendedores globais de RH para simplificar as ofertas e melhorar a estrutura de custo.
- Simplificaram, automatizaram e criaram políticas e práticas de RH flexíveis, partindo de 300 políticas de RH até chegar a 3, que estão de acordo com as necessidades do negócio.
- Projetaram e implementaram sistemas de medidas de liderança baseados em objetivos comerciais, e incorporaram comportamentos de liderança no sistema de compensação.
- Desenvolveram robustas e rigorosas avaliações de talento em executivos e introduziram um novo sistema de planejamento de sucessão, e modernizaram no processo as habilidades de mudança dos profissionais de RH para se tornarem mestres de mudança, agentes de mudança e especialistas em senso comum.

Em parte devido a esses esforços, os membros da equipe agora estão mais engajados e o *Hilton Worldwide* teve resultados extraordinários – crescente satisfação dos hóspedes e uma taxa de crescimento anual composta de 30% de 2009 a 2011 – ao mesmo tempo em que acrescentava mais de 150 mil quartos e 500 propriedades. Hoje, o *Hilton Worldwide* tem o maior número de novas propriedades e quartos no setor. Como Schuyler e a equipe de RH mostram em sua experiência, eles aprenderam que a liderança, com a orientação correta, é inacreditavelmente adaptável à mudança – e o que é medido é feito com a correta estrutura de apoio do RH e de outras funções.

Viterra

Em 2000, *Saskatchewan Wheat Pool* era uma pequena cooperativa provinciana com $ 1,5 milhão em dívidas sem garantia. Em 2011, havia se tornado a maior empresa canadense do agronegócio. No caminho, adquiriu a *Agricore United*, rebatizou-se de *Viterra*, e passou por uma enorme transformação.

Para fazer essa mudança, Mayo Schmidt, CEO do *Wheat Pool*, começou reduzindo radicalmente o tamanho da empresa, liquidando empresas com desempenho ruim, aumentando o capital e dissolvendo seu conselho. Ele fez o trabalho para o qual foi contratado. Porém, seu *coach* pessoal chamou a atenção para que não "reduzisse a empresa ao sucesso" e ele começou a desenvolver um processo de crescimento. Decidiu criar uma nova empresa com o objetivo de fazer dela a organização mais eficiente em sua categoria no Canadá. Com seu *coach*, ele buscou as seguintes contribuições:

- Schmidt preparou-se para ser o líder que precisava ser empregando os recursos de seu *coach*, participando do programa de estudos de casos agrícolas de Harvard, fazendo uma rodada de 360 graus com todos seus principais empregados, e contratando outros para complementar suas próprias habilidades.
- Desenvolveu uma nova visão e trabalhou em todo o processo de engajamento com todos seus altos executivos até que a ideia fosse comprada toda a empresa.
- Ampliou o planejamento estratégico a partir de um único escritório para todo o grupo. Este grupo passou por um *workshop* de solução criativa de problemas, e desenvolveu uma estratégia totalmente nova.
- Contratou uma empresa externa para remover vários milhões de dólares de desperdício e burocracia corporativas.
- Criou um escritório para o CEO, o qual compartilhava com seu principal assessor de operações e com o líder do RH.
- Supervisionou a inserção de diversas novas tecnologias de informação e desenvolveu um novo sistema de gestão de desempenho para que as pessoas fossem responsabilizadas por objetivos e valores.
- Finalmente, colocou em prática sistemas temporários responsáveis pela mudança e uma cartilha para aquisições.

Hoje, a Viterra é a maior moageira de aveia do mundo. Entrou no negócio de esmagamento de canola e produz alimentos para bovinos, aves e suínos. A empresa tem o respeito da comunidade financeira em razão do seu fluxo de caixa. Schmidt foi eleito o CEO do ano no Canadá, e a rotatividade dos funcionários da Viterra é muito baixa, apesar de a empresa competir por pessoal com empresas de óleo de xisto. Este sucesso estava evidente em um *press release* de Regina: "Viterra teve uma receita líquida de $288,3 milhões no ano, bem mais alto do que os $116,5 milhões que lucrou durante o mesmo período em 2007". Schmidt comentou: "Nosso contínuo foco na excelência operacional, juntamente com nossos esforços de integração, levaram a um despenho recorde este ano".

O que queremos dizer com campeão da mudança

Somos privilegiados por ter experiências com gerentes de área e campeões de mudança do RH, como as que acabamos de descrever. Eles sempre nos ensinam a transformar a teoria da mudança em prática. Eles exemplificam a teoria e a pesquisa sobre mudança. Há, literalmente, milhões de livros, artigos, estudos e teorias de mudança. Coletivamente, como autores, temos mais de cem anos de experiência estudando e aplicando a mudança organizacional. Wayne começou sua carreira como um consultor interno da *Organization Development* (OD), ajudando uma empresa a enfrentar e administrar mudanças antes de fazer seu Ph.D. Um dos seus primeiros *papers* foi:"Quando, por que e como o desenvolvimento da organização irá se organizar?" Jon conduziu a mudança como consultor interno e externo e como executivo de negócios. Ao longo dos anos, tivemos o privilégio de trabalhar com alguns dos mais relevantes líderes do pensamento no campo de mudanças.[2] Enquanto refletimos sobre este trabalho, propusemos 10 ideias sucintas sobre mudança que moldam como os profissionais de RH campeões de mudança. A Tabela 6.1 relaciona essas 10 ideias e resume as implicações profissionais e pessoais para os profissionais de RH como campeões de mudança, e a seção seguinte as analisa mais detalhadamente.

A mudança acontece

O ritmo de mudanças está crescendo exponencialmente. A mudança acontece em todas as partes da vida pessoal e profissional. A customização, o fluxo de informações, as expectativas do cliente e do empregado e a transformação organizacional estão crescendo, estimulados pela tecnologia. O conhecimento tem uma meia-vida cada vez menor à medida que a mudança emana de novos conhecimentos, mais acessíveis pela Internet. As organizações também passam por mudanças radicais. Cinquenta e seis anos de-

Tabela 6.1 Implicações dos *insights* de mudança

Insights	Implicações organizacionais: até que ponto nossa organização...	Implicações individuais: até que ponto sou capaz de...
1. A mudança acontece.	Reconhece e aceita as pressões e a realidade da mudança?	Sentir-me confortável com as pressões por mudança em vez de ignorar e evitá-las?
2. A mudança exige uma resposta.	Cria uma capacidade interna para reagir à mudança que é igual às necessidades externas de mudança?	Demonstrar bons comportamentos, coerentes com as exigências de mudança do negócio?
3. A maioria das tentativas de mudança falha.	Aprende com os fracassos nas mudanças e transfere esse aprendizado para futuros esforços de mudança?	Enfrentar e aprender com os fracassos para não repetir os mesmos erros?
4. A mudança é importante.	Aumenta, mede e acompanha nossa capacidade de mudança e compartilha essa informação com os empregados, clientes e investidores?	Monitorar minhas capacidades pessoais para aprender, adaptar e mudar?
5. A mudança capacita.	Move-se com mais rapidez do que os concorrentes nas principais iniciativas organizacionais?	Encarar a mudança como um elemento significativo de minha capacidade de atingir minhas metas pessoais?
6. A mudança exige o fechamento da lacuna saber-fazer.	Identifica os últimos avanços e melhores práticas das mudanças e aplica e adapta essas descobertas em nossa organização?	Estudar as teorias de mudança, praticar e adaptá-las ao meu cenário de trabalho?
7. A mudança surge da evolução e da revolução.	Equilibra a mudança por meio da melhoria contínua ou defende mudanças audaciosas e dramáticas?	Aprender continuamente com o passado e agir sobre o futuro esperado?
8. A mudança pode ser empurrada ou puxada.	Começa com uma poderosa visão de futuro e o desdobra, a partir do presene ou começa com o presente e dá passos adicionais para seguir adiante (ponto da virada)?	Prever um futuro para meu trabalho e tomar medidas diárias para buscar esse futuro?

(*continua*)

Tabela 6.1 Implicações dos *insights* de mudança   (*continuação*)

Insights	Implicações organizacionais: até que ponto nossa organização...	Implicações individuais até que ponto sou capaz de...
9. A mudança acontece em diferentes níveis.	Concentra a mudança na iniciativa individual ou nos esforços institucionais?	Ver como minhas mudanças pessoais modelam o que quero ver na cultura da minha organização?
10. A mudança segue um processo normal.	Tem um processo disciplinado que aplicamos às iniciativas de mudança?	Ter um processo regular e rotineiro de mudanças pessoais?

pois da publicação, em 1955, da lista original da *Fortune 500*, apenas 70 empresas existem de forma independente. Em apenas uma década, de 2000 a 2010, cerca de metade dessas grandes e aparentemente estáveis empresas, desapareceram. Obviamente que as mudanças ocorrem nas vidas pessoais e profissionais de todos.

Os profissionais de RH deveriam ajudar suas empresas a enfrentar, aceitar e estar aberta às pressões por mudança, em vez de fugir delas.

As mudanças exigem respostas

As organizações (e as pessoas) têm diversas habilidades para reagir à mudança. Se uma organização não puder mudar tão rápido quanto o ritmo de seu ambiente, vai ficar para trás, decair e desaparecer. A mudança em uma organização deve, pelo menos, acompanhar o ritmo de mudança do ambiente. Gary Hamel, renomado pensador e professor da *London Business School*, sugere que os gerentes questionem-se continuamente: *Como você cria uma organização que se transforma tão rapidamente quanto a própria mudança?*

Os profissionais de RH conceituam e projetam agilidade e flexibilidade organizacional, assim como flexibilidade às mudanças externas.

A maioria das tentativas de mudança falha

Há diversas estatísticas sobre o fracasso nas mudanças pessoais e organizacionais. Em um nível pessoal, 98% das resoluções do Ano Novo falham, 70% dos americanos que liquidam as dívidas de cartões de crédito com um empréstimo garantido por hipoteca de um imóvel acabam, em dois anos, com um débito igual ou maior, e apesar do $40 bilhões que os americanos gastam por ano com dietas, 19 entre 20 pessoas não perdem nada além do seu dinheiro. O aconselhamento matrimonial recupera apenas um entre cinco casais que estão à beira de um divórcio. Apenas um quarto das pessoas que sofreram um ataque cardíaco mudam seu comportamento. Os esforços para superar problemas como distúrbios alimentares, depressão, ansiedade ou um estilo de vida sedentário também têm baixas taxas de sucesso no longo prazo.

As mudanças organizacionais não têm maior índice de sucesso. No final, apenas 20 ou 25% das iniciativas (tentativas de melhorar em áreas como qualidade, atendimento ao cliente, ou tempo de processamento) são implementadas com sucesso. A maior parte das transformações organizacionais começa com entusiasmo e acaba com cinismo, e o tempo de permanência dos líderes nos altos cargos também tem caído.

Os profissionais de RH precisam enfrentar o desafio dos fracassos das mudanças e trabalhar para melhorar esses números desanimadores, o que quer dizer diagnosticar as razões do fracasso nas mudanças e aprender com elas.

A mudança é importante

Os líderes e as organizações que conseguem mudar tendem a alcançar seus objetivos. Na pesquisa de liderança, os líderes que têm facilidade para aprender são vistos como eficientes e permanecem por mais tempo no cargo.[3] A pesquisa de liderança também mostra que os líderes eficientes ajudam a fazer as mudanças organizacionais que facilitam a aplicação de estratégias.[4] A pesquisa organizacional da mudança sugere que, se as empresas mudam, têm mais chances de sobreviver; se não mudam, elas murcham e morrem.[5,6]

Os profissionais de RH ajudam a criar aptidões pessoais e organizacionais de mudança em discussões periódicas, pois essas capacidades melhoram o desempenho.

A mudança capacita

Para alguns, a *mudança* é o resultado ou objetivo de um líder ou de uma organização. Cada vez mais a capacidade de mudança é mais vista como um complemento que permite alcançar outros objetivos do negócio; dessa forma a mudança é um meio, e não um fim. Assim, vemos os líderes trabalhando para criar inovações *rápidas*, globalização *rápida*, atendimento *ágil* ao cliente, colaboração *flexível*, *mudança* de identidade de marca ou estratégia *rápida*. Em um mundo de mudanças bruscas, a organização deve não só definir os resultados corretos, mas deve mover-se rapidamente para alcançá-los. No setor de produtos de consumo, por exemplo, diz-se que o primeiro a se movimentar com novos produtos ou serviços conquista cerca de metade do mercado, e outros quatro dividem o resto.

Os profissionais de RH podem ajudar os líderes a buscar em suas estratégias ser claros e precisos sobre o que estão procurando fazer e, depois, criar uma capacidade de mudança para rapidamente oferecer cada resultado. Por exemplo, após reduzir seu débito, a Viterra transformou sua estratégia de transportador de grãos em uma empresa que ajuda os agricultores a solucionar problemas em cada etapa do processo de produção agrícola. Assim, quando o agricultor necessita de dinheiro para comprar insumos agrícolas e sementes da Viterra, a empresa tem uma parceria com bancos para conceder crédito, para proporcionar os melhores prazos de colheita, para transportar de grãos e para conectar o agricultor com clientes de outros países.

A mudança exige o fechamento da lacuna saber-fazer

A maioria das pessoas que come mais do que deveria sabe que deveria perder peso. Elas até sabem como fazer isso – comer menos e fazer mais exercício físico – mas não fazem. O mesmo se aplica para outros maus hábitos, pessoais ou organizacionais. Com frequência pedimos aos participantes de seminários que façam um *brainstorm* por 60 segundos sobre o tema "O que você sabe sobre mudança organizacional eficaz?" Geralmente descobrimos que o grupo tem os mesmos conceitos relacionados nos principais livros de mudanças. Sabemos o que fazer, mas nem sempre fazemos.[7]

Os profissionais de RH trazem disciplina aos processos de mudança para que as pessoas façam o que sabem. Eles criam e usam uma lista de mudanças para ajudar a manter a organização no rumo.

A mudança surge da evolução e da revolução

A mudança pode ser desencadeada de muitas maneiras. A mudança evolucionária sugere uma melhoria contínua, pequenos passos, ações transacionais, planejamento rigoroso até alcançar o ponto da virada. A mudança revolucionária sugere uma mudança descontinuada, movimentos ousados, resultados transformacionais, ação imediata, antecipação do futuro próximo.

Os profissionais de RH precisam ajudar os gerentes de área a determinar quando começar a mudança evolucionária e quando optar pela mudança revolucionária.

A mudança pode ser puxada ou empurrada

Algumas vezes a mudança começa com um destino claro – uma estratégia, meta ou resultado específico – apoiados por planos concretos para ajudar a mover-se do presente para o ponto final. Outras vezes a mudança começa com uma direção – um desejo, um conjunto de valores ou uma orientação – continuando por dar os primeiros passos para movimentar-se do presente para o futuro. A mudança de destino exige uma mentalidade de engenharia para definir o estado final e os passos em direção a ele. A mudança de direção exige uma mentalidade pioneira para definir um futuro e, depois, agir rapidamente para avançar.

Os profissionais de RH podem ajudar a conceber desejos e definir ações para unir o presente ao futuro.

A mudança ocorre em diferentes níveis

Classificamos três alvos de mudanças: individual, iniciativa e institucional. A mudança individual ajuda as pessoas a melhorar seus comportamentos e desempenho. A mudança de iniciativa significa realizar de maneira oportuna projetos específicos (destinados à qualidade, inovação, custo, serviço, trabalho de equipe e assim por diante). A mudança institucional significa uma cultura ou ambiente de trabalho para manter a mudança.

Os profissionais de RH podem ser instrutores para a melhoria individual, agentes para as mudanças de iniciativa e administradores para a transformação cultural.

A mudança segue um processo comum

Na literatura de mudança, muitos programas, iniciativas, ferramentas e ações foram propostas como processos comuns para que a mudança acontecesse. A Tabela 6.2 resume algumas das principais abordagens. Muitas vezes incluem a criação de um caso para a mudança, a definição do estado futuro, a criação de compromissos para avançar e encontrar maneiras de institucionalizar a mudança.

Os profissionais de RH precisam criar um processo aceito, compartilhado e sabiamente utilizado para implementar iniciativas por toda a organização.

Tabela 6.2 Processos de mudança

Autor	Warner Burke	John Kotter	Dale Lake	Price Pritchett
Exemplo de trabalho	*Organization Change*	*Leading Change*	*Change Manual*[8]	*Quantum Leap*
Processos de mudança	• Ser autoconsciente. • Monitorar o ambiente externo. • Estabelecer a necessidade de mudança. • Fornecer uma visão ou direção clara. • Comunicar a necessidade. • Lidar com a resistência. • Alavancar múltiplas ações. • Ter consistência e persistência.	• Estabelecer um sentido de urgência. • Criar uma aliança de orientação. • Desenvolver visão ou estratégia. • Comunicar a visão de mudança. • Dar poder aos funcionários para mudanças • Gerar vitórias de curto prazo. • Consolidar os ganhos e produzir mais mudança. • Fixar novas abordagens na cultura.	• Desenhar uma agenda de mudança. • Avaliar a situação atual. • Criar insatisfação ou necessidade de mudança. • Ativar campeões de mudança. • Influenciar *stakeholders*. • Avaliar e superar resistências. • Criar equipes e redes de contato. • Criar estrutura para o sucesso. • Administrar o projeto. • Monitorar o progresso. • Ter um aprendizado contínuo.	• Dar ordens de comando claras. • Ajustar cada função. • Administrar a resistência à mudança. • Incentivar correr riscos. • Criar ambiente de trabalho aceitável. • Prestar atenção à transição e mudanças. • Cuidar as questões do "eu". • Comunicar sempre.

Capítulo 6 Campeão de mudanças **135**

Autor	Michael Beer	Hay Group	Processo de aceleração de mudança da GE	Desenvolvimento organizacional P&G	Sua empresa
Exemplo de trabalho	Organization Change and Development	Hay Model for Change	Change Acceleration Process	*Organization Systems Design Model*	
Processos de mudança	Insatisfação • Modelo ou propósito da mudança. • Sucesso ou resultados. • Custo da mudança. • Resistência à mudança.	• Assegurar razões para mudança. • Identificar "agentes de mudança." • Avaliar *stakeholders* e patrocinadores. • Planejar atividades do projeto. • Comunicar mudanças. • Avaliar o impacto nas pessoas e na estrutura. • Abordar o impacto da mudança. • Compartilhar o processo de mudança. • Apoiar mudanças. • Treinar novas habilidades. • Medir e informar sobre o progresso.	• Liderar a mudança. • Criar uma necessidade. • Definir uma direção ou formar uma visão. • Mobilizar o compromisso. • Tomar decisões. • Empregar recursos. • Aprender, adaptar e monitorar.	• Começar com os resultados necessários. • Alinhar a liderança. • Definir a cultura necessária para alcançar resultados. • Integrar os sistemas organizacionais para reforçar a cultura.	

Os fatores do campeão de mudanças

Identificamos 11 itens de conhecimento e comportamento que caracterizam o campeão de mudanças. Esses 11 itens se agrupam estatisticamente em dois fatores, como mostrado na Tabela 6.3.

Esses dados oferecem *insights* adicionais para o processo de mudança. Separando estatisticamente o primeiro fator de mudança da mudança sustentável, os dados sugerem que os profissionais de RH precisam fazer mais do que começar a mudança; eles precisam ser persistentes na manutenção da mudança. Uma das razões pelas quais são chamados de "campeões de mudança" e não de "agentes de mudança" (termo mais comum) é que o agente geralmente começa, mas não chega ao fim da mudança.

Um agente age em nome de outra pessoa e não assume a responsabilidade de fazer com que algo aconteça. Baseados nesses dados, vemos os campeões como pessoas que começam e vão até o fim com as mudanças.

Os dados da Tabela 6.2 também sugerem que para que os profissionais de RH sejam vistos como pessoalmente eficientes, eles precisam começar as mudanças. Porém, para impulsionar o sucesso do negócio eles também precisam manter as mudanças ao longo do tempo. Atualmente, a maioria dos profissionais de RH parece ter mais experiência em começar uma mudança do que certificar-se que ela permaneça.

Fator 1: Começando uma mudança

Começar uma mudança significa por em movimento, transformar a pressão por mudança em iniciativas, e dar os primeiros passos para avançar com a mudança. Nossa pesquisa mostrou que seis competências definem quanto os profissionais de RH dão início à mudança:

Tabela 6.3 Fatores dos campeões de mudança: média, individual, eficácia e impacto no negócio

Fator	Pontuação média	Eficácia individual	Impacto no negócio
Iniciar a mudança	3,94	53%	46%
Manter a mudança	3,91	47%	54%
R^2		0,296	0,066

1. Garantir que os principais líderes apoiam as principais iniciativas de mudança.
2. Ajudar as pessoas a entender por que a mudança é importante – criar um senso de urgência.
3. Identificar e superar as fontes de resistência à mudança.
4. Ajudar a definir o rumo da mudança com claros resultados almejados.
5. Criar comprometimento das pessoas-chave para apoiar os esforços de mudança.
6. Esclarecer as principais decisões e ações necessárias para que a mudança seja bem sucedida.

Como agentes que começam a mudança, os profissionais de RH ajudam a definir sua importância, o que deve ser mudado e quem apoia a mudança. Ao definir a importância da mudança, precisam criar um convincente exemplo de mudança intelectual e emocional. O argumento intelectual geralmente surge de evidências empíricas de que uma mudança bem sucedida levará a resultados pessoais ou organizacionais positivos. O argumento emocional para mudança surge quando as pessoas veem e sentem o seu impacto nos princípios que são importantes para elas.

Para definir o que deve ser mudado, os profissionais de RH precisam transformar desafios complexos em simples oportunidades. Precisam definir os resultados da mudança como direções para a mudança ou como destinos. Esses resultados precisam ser comunicados com imagens visuais para abranger a mudança, com mensagens verbais para anunciar a mudança, com histórias para abranger emocionalmente a mudança e com métricas para monitorar a mudança. Como diz Bob Eichinger:

> Há uma bala mágica para mudar. A pesquisa é clara. As pessoas têm menos receio de mudar na medida em que participam do projeto e execução. Quanto mais as pessoas se envolverem na determinação, no planejamento, projeto e execução da mudança, menos resistentes serão. Os líderes de mudança precisam ter paciência e propor toda a participação q humanamente possível.[10]

Para que a mudança tenha apoio, os profissionais de RH precisam envolver as pessoas-chave para participar do processo de mudança. A bala mágica de Bob Eichinger sugere a necessidade de entender como mobilizar o compromisso na identificação e envolvimento dos principais *stakeholders* para uma mudança. Isso pode acontecer ao pedirmos sua opinião, ao transformá-los em corresponsáveis (um processo chamado de *cooptação*), convidando-os a tomar decisões-chave e tornando-os defensores públicos da mudança.

A fim de saber promovera mudança, os profissionais de RH precisam praticar. Eles podem treinar líderes de negócio em meio e observar o que eles (profissionais de RH) fazem bem e o que não fazem bem. Podem participar de equipes responsáveis pela implementação de iniciativas empresariais. Podem investigar de que maneira sua organização realizou mudanças no passado, sintetizar lições aprendidas e propor novas ações para o futuro. Podem ajudar a estabelecer um modelo sob medida de mudança organizacional que adapta as lições e as pesquisas de mudança à sua organização. Podem ajudar a criar disciplina no uso desse modelo nas iniciativas-chave.

Eles podem analisar como a mudança ocorreu dentro do departamento de RH com a implementação de novas práticas e estruturas. A utilização do departamento de RH como laboratório de testes ajuda os profissionais de RH a serem competentes na mudança antes de trabalharem nas questões do negócio. Eles também podem atuar como *coaches* ou consultores de organizações sem fins lucrativos, que estejam passando por mudanças, e observar como o processo de mudança se aplica a esses ambientes.

Fator 2: Manter a mudança

Manter a mudança significa persistir com as iniciativas, certificando-se que as mudanças desejadas aconteçam, e apresentando resultados da mudança. Nossa pesquisa identificou três comportamentos específicos que os profissionais de RH podem demonstrar para ajudar a manter a mudança:

1. Assegurar a disponibilidade de recursos necessários para persistir com a mudança (dinheiro, informação, tecnologia, pessoas).
2. Monitorar e comunicar o progresso dos processos de mudança.
3. Adaptar os aprendizados de mudança para a nova configuração.

Como campeões de mudança que mantêm a mudança, os profissionais de RH precisam certificar-se da duração das mudanças implementando em suas organizações disciplinas sustentáveis. Em nossos trabalhos sobre sustentabilidade da liderança, identificamos sete princípios de que os profissionais de RH devem dominar para que as mudanças persistam.[11] As iniciais em inglês formam o acrônimo "STARTME", que ajuda a mantê-los na mente:

1. *Simplicidade:* Simplicidade significa os líderes focam nos poucos comportamentos-chave que têm alto impacto nas questões mais importantes. A sustentabilidade da liderança exige que encontremos simplicidade diante da complexidade e possamos substituir a desordem do conceito com uma simples determinação. Implica em priorizar os comportamen-

tos que mais importam, mudando da análise com dados para ação com determinação, enquadrando fenômenos complexos em padrões simples, e coordenando a mudança. Os profissionais de RH devem ajudar a priorizar e simplificar as prioridades de mudança.
2. *Tempo*: Os líderes colocam os comportamentos desejados em seu calendário e isso fica demonstrado na maneira que gastam seu tempo. Os empregados prestam muito mais atenção no que seus líderes fazem do que no que dizem. A sustentabilidade da liderança fica evidente em escolhas como com quem passamos o tempo, onde passamos nosso tempo e como fazemos isso. Os profissionais de RH deveriam monitorar a maneira que os líderes investem seu tempo com o mesmo cuidado que investem seu dinheiro.
3. *Responsabilização (accountability)*: A sustentabilidade da liderança exige cobrança. Os líderes assumem responsabilidade pessoal de fazer o que prometem fazer. A responsabilidade aumenta quando os líderes também exigem o compromisso pessoal de outros e fazem um acompanhamento disso. Os profissionais de RH garantem a responsabilidade ao tornar públicos os compromissos, ao fazer o acompanhamento das responsabilidades e ao receber *feedback* dos esforços de mudança.
4. *Recursos*: Os líderes destinam recursos para apoiar as alterações desejadas com treinamento e infra-estrutura. Em todos os níveis, quando as pessoas contam um trabalho de *coaching*, são muito mais propensas a aprovar a mudança comportamental. Marshall Goldsmith demonstrou o uso de *coaching* com os líderes, e nós descobrimos que uma mistura de *self-coaching, coaching* com especialista, *coaching* com colegas e *coaching* com o chefe podem ser trabalhadas em conjunto como um recurso para a mudança sustentada. A seleção, promoção, desenvolvimento da carreira, planejamento de sucessão, análise de desempenho, comunicação, políticas e projetos de organização também podem ser alinhadas para apoiar a mudança de liderança. Os profissionais de RH podem servir de *coaches* e arquitetos para a mudança sustentável.
5. *Rastreamento (tracking)*: A não ser que os desejados comportamentos e as mudanças de liderança sejam operacionalizados, quantificados e rastreados, eles são fáceis de fazer, mas provavelmente não serão feitos. As métricas eficazes para o comportamento de liderança devem ser transparentes, fáceis de avaliar, oportunas e vinculadas às consequências. A sustentabilidade de liderança deve ser vinculada aos *scorecards* existentes e pode até tornar-se seu próprio *scorecard* para garantir que os líderes monitorem o que é feito. Os profissionais de RH ajudam a criar e administrar esses *scorecards*.

6. *Melhoria:* Os líderes se *aperfeiçoam* – fazem com que eles e seus ambientes sejam melhores – ao aprender com os erros e fracassos, e quando demonstram resiliência. A sustentabilidade da liderança exige que os líderes dominem os princípios de aprendizagem: experimentar frequentemente, pensar sempre, tornar-se resiliente, enfrentar o fracasso, acolher o sucesso e não dar por certo, e improvisar continuamente. Os profissionais de RH avançam com seu aprendizado defendendo e modelando esses processos.
7. *Emoção:* A sustentabilidade ocorre quando os líderes não apenas sabem, mas sentem o que devem fazer para melhorar. Essa paixão aumenta quando os líderes veem suas desejadas mudanças como parte de sua identidade e de seu propósito pessoal, quando suas mudanças modelam seus relacionamentos com os outros, e quando elas alteram a cultura de seu ambiente de trabalho. Os profissionais de RH podem ser arquitetos do significado em suas organizações.

Ação no domínio do campeão de mudanças

Os profissionais de RH tornam-se campeões de mudança quando sua habilidade de iniciar e manter mudanças é aplicada nos níveis de mudança individual, de iniciativa e institucional. Durante o processo, eles precisam continuar a aprender, dominar as regras informais da organização, começar onde podem e encontrar o sucesso cedo, criar alianças de apoio, experimentar e aprender frequentemente e manter-se otimista com o processo de mudança.[12] As seções a seguir oferecem ferramentas específicas para tornar-se um campeão de mudanças em todos os níveis.

Objetivo 1: Mudança individual

As organizações não pensam, as pessoas sim. Os profissionais de RH ajudam as pessoas nas mudanças organizacionais personalizando as práticas de RH em torno de uma proposição de valor do funcionário ideal, criando um ambiente de trabalho que incentive o crescimento pessoal e orientando os principais líderes a criar uma marca pessoal.

Como os empregados mais experientes cada vez mais se tornam agentes independentes, eles têm mais oportunidades de trabalho. Para atrair, motivar e reter os talentos, as organizações precisam proposição de valor do empregado que atenda as necessidades individuais de cada um. Para isso, elas podem aplicar os princípios da customização em massa dos produtos e serviços para personalização em massa dos empregados. Isto significa segmentar a força de trabalho baseada em interesses e capacidades comuns. Significa oferecer opções de trabalho estilo *buffet* e modulares. Significa permitir que os empregados adaptem suas regras considerando um conjunto de princípios compartilhados. Isto cria uma mentalidade de força de trabalho unificada que adapta uma proposição de valor do funcionário para cada funcionário.[13]

Os profissionais de RH desempenham um papel importante na definição de um ambiente de trabalho positivo. Eles ajudam os líderes e as pessoas a se revelar, formar equipes de alto relacionamento e inspirar as pessoas a experimentar novos comportamentos. Já vimos profissionais de RH patrocinar treinamentos, facilitar reuniões públicas (*town hall meetings*), investir em planos de desenvolvimento pessoal e ajudar as pessoas a aprender e a mudar. Quando os profissionais de RH se dedicam e criam um ambiente de trabalho positivo, é mais provável que ocorra a mudança individual que promove o crescimento.

Os profissionais de RH também podem orientar os líderes a criar uma marca pessoal que os guie e permita sua mudança. Ao longo de nossas carreiras, trabalhamos para ajudar os líderes a desenvolver um ponto de vista pessoal sobre liderança. Agora, acreditamos que precisamos evoluir essa abordagem para ajudar os líderes a mudar e melhorar criando uma marca de liderança pessoal (ver Tabela 6.4). Um ponto de vista da liderança geralmente olha para dentro; trata-se de quem sou eu como um líder. Uma marca de líder pessoal olha para fora e foca no impacto nos outros. Um ponto de vista da liderança oferece informações e perspectivas sobre o que o líder precisa ser, saber e fazer. Uma marca de liderança oferece uma narrativa e uma história que abrange não apenas o ser, saber e fazer, mas também a emoção e o sentimento por trás da educação e da ação. Os líderes que se concentram mais em sua marca e menos em seu ponto de vista obtêm maior produtividade dos empregados, mais confiança dos clientes e crescente segurança do investidor. Um ponto de vista da liderança acaba sendo mais retórico do que decisivo, mais desejo do que ação e mais esperança do que realidade. As promessas de marca que não trazem um consequente resultado não se mantêm. As listas de desejos da liderança precisam ser substituídas por votos de liderança. Quando pedimos aos líderes que preparem sua marca pessoal, eles estão se comprometendo com o que precisam fazer para manter sua marca pessoal aos olhos daqueles que servem. O foco da marca ganha sustentabilidade de liderança.

Tabela 6.4 Ponto de vista da liderança e marca de liderança pessoal

Ponto de vista da liderança	Marca de liderança pessoal
Começa por olhar para si mesmo: Quem sou eu como um líder?	Começa por olhar para os principais *stakeholders*: Quem são as pessoas com quem me importo?
Concentra-se nas declarações "Eu": Eu acredito, desejo, quero, espero – declarações focadas nas ambições pessoais.	Concentra no impacto da liderança nos outros ("de modo que"): Como minha liderança irá afetar aqueles com quem me importo?
Enfatiza o que o líder precisa ser, saber e fazer.	Oferece uma história que traz emoção e sentimento à liderança.
Aumenta o sentimento de auto-estima.	Aumenta o valor para os outros.
Surge como um grande desejo e inspirador.	Surge com valor criado para os outros.

Como campeões de mudança, os profissionais de RH ajudam as mudanças individuais ao criar um ambiente de trabalho mais personalizado, um ambiente de trabalho aberto a mudanças e uma marca de liderança pessoal.

Objetivo 2: Iniciativa da mudança

Quando fazemos workshops dentro de empresas pedimos aos participantes que listem todas as iniciativas patrocinadas por suas empresas recentemente. Geralmente é uma longa lista que reflete as ideias de administração mais populares nos últimos anos. Elas podem incluir:

- *Feedback* de 360 graus
- Aprendizado pela ação
- *Balanced scorecard*
- *Benchmarking*
- *Brand delayering*
- Computação em nuvem
- Competências essenciais
- Responsabilidade social
- *Customer relationship management* (CRM)
- Segmentação de clientes
- Desenvolvimento no local
- Ensino à distância
- *Downsizing*
- *Empowerment*
- Ergonomia
- *ERP*
- *EVA*
- Ganho de participação
- Equipes de alto desempenho
- *Just-in-time* (inventário, treinamento)

- Gestão do conhecimento
- *Lean*
- Aprendizagem
- Inovação gerencial
- *Timing* no mercado
- Gerenciamento matricial
- Gerenciamento por objetivos
- Marketing de nicho
- Diagnóstico organizacional
- Terceirização
- Planejamento de portfólio
- Análise preditiva
- Otimização de processos
- Gerenciamento de projetos
- Círculos da qualidade
- Prototipagem rápida
- Reengenharia
- Diagnóstico de recompensas
- Rightsizing
- Gerenciamento de risco
- Planejamento por cenários
- Equipes autodirigidas
- Equipes autogerenciadas
- Serviços compartilhados
- Simplicidade
- Seis Sigma
- Mídias sociais
- Stretch assignment
- Gerenciamento da cadeia de suprimentos
- Fortalezas, fraquezas, oportunidades e ameaças (SWOT)
- Town hall meetings
- Gestão da qualidade total (TQM)
- Tripé da sustentabilidade
- Valores
- Organização virtual
- Visão e missão
- Web 2.0

Somos favoráveis à inovação de gestão, geralmente identificada como um conjunto de ações de gestão, e pessoalmente defendemos ou ensinamos muitas das ideias relacionadas aqui como parte de uma iniciativa de inovação de gestão.

Vemos o RH desempenhando quatro papéis para ajudar a transformar esses modismos que aparecem e desaparecem em inovações gerencias que duram. Primeiro, as ideias desiguais precisam ser integradas através de capacidades organizacionais (Capítulo 5), ou através de soluções integradas de RH (Capítulo 8). Os gerentes não devem procurar soluções rápidas; eles precisam encontrar soluções organizacionais sustentáveis. Segundo, as ideias precisam ser encadeadas para que haja uma lógica fundamentada no passado. A evolução de círculos de qualidade para TQM, Seis Sigma e gestão *lean* apresenta *insights* adicionais sobre trazer princípios para a organização. Terceiro, as ideias precisam ser priorizadas. As organizações não podem assimilar tantas inovações de gestão ao mesmo tempo. Quais dessas inovações teriam maior impacto (na estratégia, finanças e outros objetivos) com menos recursos? Quarto, uma vez integrado, sequenciado e priorizado, como o RH pode verdadeiramente promover a iniciativa desejada?

Promover as iniciativas desejadas é uma função importante de um campeão de mudanças. Para isso, os profissionais de RH deveriam criar um processo de mudança viável e confiável e, então, criar a disciplina para aplicar esse processo às iniciativas pretendidas. A partir do processo de mudança descrito anteriormente, sugerimos sete fatores principais que ajudam a garantir que as iniciativas aconteçam transformando o que as pessoas sabem que precisam fazer em coisas que elas realmente fazem (Tabela 6.5). Podemos adaptar essas sete condições para o sucesso para permitir que todas as iniciativas aconteçam.

Os profissionais de RH podem fazer auditorias dessas sete condições para o sucesso, classificando o estado atual de cada uma em uma escala de 1 a 10. As classificações podem ser mencionadas na Figura 6.1 para diagnosticar onde focar para ter mais sucesso em qualquer iniciativa de mudança.

Tabela 6.5 Condições necessárias para uma mudança bem sucedida

Condições necessárias para uma mudança bem sucedida	Implicações para o RH como campeões de mudança
1. **Liderança**: Ter apoio da liderança para a mudança.	Obter apoio da liderança para a iniciativa.
2. **Criar uma necessidade**: Saber a razão de estar mudando.	Mostra por que a iniciativa agrega valor.
3. **Antevisão**: Ter uma ideia clara dos resultados da mudança.	Desenvolver um sentido claro do resultado da iniciativa em termos de desejo e ação.
4. **Envolvimento**: Mobilizar o compromisso de pessoas-chave.	Ganhar confiança de todos comprometidos com a entrega da iniciativa.
5. **Tomada de decisão**: Conhecer as decisões que precisam ser tomadas para dar andamento à mudança.	Ser claro sobre as decisões que precisam ser tomadas para que o projeto avance.
6. **Institucionalização**: Certificar-se que a mudança está integrada com outras atividades empresariais.	Incorporar a iniciativa em tecnologia (operações e TI), RH, sistemas financeiros e processos da empresa.
7. **Monitoramento e aprendizagem**: Acompanhar o sucesso da mudança.	Refinar e ajustar o projeto, acompanhar o progresso e aprender com a experiência.

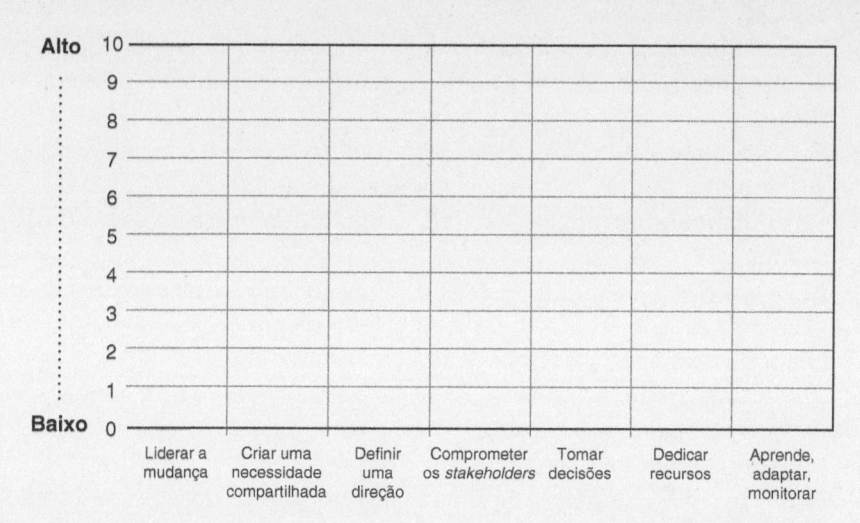

Figura 6.1 Perfil da iniciativa da mudança – por meio de integração, sequenciamento, priorização e entrega de iniciativas o RH faz a mudança acontecer.

Objetivo 3: Mudança institucional

A mudança sustentável tem que tornar-se um padrão que se estende além de um evento isolado. Para tornar-se um padrão, a mudança precisa ser institucionalizada – isto é, tornar-se parte de regras tácitas, rituais, normas, expectativas, suposições tácitas e expectativas comportamentais que todas as organizações tem. Os padrões geralmente determinam a maneira dos funcionários proceder. Quando essas expectativas implícitas não são explicitadas, os funcionários tendem a perpetuar os padrões aos quais estão acostumados em vez de mudá-los.

Os profissionais de RH ajudam a criar mudanças institucionais expondo e confrontando esses padrões ocultos. Em nosso trabalho, identificamos 36 viroses organizacionais comuns que podem existir em um grupo. Essas viroses impedem que o grupo mude ou melhore. Na medicina, uma vez detectadas infecções por vírus, elas podem ser tratadas. Do mesmo modo, quando viroses organizacionais são identificadas, elas podem ser eliminadas. Os profissionais de RH podem apresentar a seguinte lista das 36 viroses identificadas e pedir que os membros de uma unidade de trabalho escolham os cinco que encontram com mais frequência em sua organização. Uma vez detectados, classificados e explicados, essas viroses podem ser enfrentadas.

1. *Super informação: Contar para todos – e depois fazer uma reunião.* Certificamos que todos saibam e depois fazemos uma reunião para reduzir o ritmo.
2. *Fazer do meu jeito*: Não aprendemos uns com os outros; em vez disso, gostamos da síndrome do 'não foi inventado aqui'.
3. *Saturday morning quarterback:* Criticamos tudo, mesmo antes de algo acontecer.
4. *Falso positivo*: Dizemos que concordamos quando isso não é verdade.
5. *Consenso oculto.* Confundimos participação com consenso. Achamos que todos precisam concordar antes de agirmos.
6. *Voltar ao passado: Olhar para o futuro no espelho retrovisor.* Temos tanto medo de perder nossa herança que não mudamos nossa cultura; estamos travados em nossos hábitos.
7. *Classe social*: Valor por classificação. Julgamos as pessoas por seu título e categoria e não por seu desempenho ou competência.
8. *Interesse próprio: Meu negócio contra nosso negócio.* Defendemos nosso interesse mesmo com prejuízo da organização geral.
9. *Comando e controle:* Gostamos de certificar-nos que os principais gerentes estão no comando da empresa, por isso delegamos responsabilidades para cima; isso evita que tenhamos um sentimento de obrigação pessoal de mudar.
10. *Mania de atividade:* Gostamos de estar ocupados; nossa medalha de honra é um calendário cheio, mesmo que ele não inclua pensamentos e resultados. Escondemo-nos por trás de nossa "ocupação".
11. *Concorrência narcisista:* Gostamos de vencer como pessoas, não como equipes.
12. *Mostre-me os resultados: regra de resultados.* Gostamos de resultados – de qualquer maneira, a qualquer tempo, de qualquer forma – e perseguimos resultados de acordo com nossos princípios somente se tivermos tempo ou recursos para isso.
13. *Crise*: Agimos decisivamente quando estamos em crise, e então esperamos pela próxima crise para agir outra vez.
14. *Aversão do cliente*: Não incluímos o critério do cliente em nosso raciocínio: estamos concentrados em seguir adiante.
15. *Ambiguidade de autoridade. Sem clareza da responsabilidade.* Em nossa matriz, não sabemos quem é responsável ou encarregado, e assim ninguém assume.
16. *Tudo para todos*: Temos prioridades demais. Cada boa ideia recebe energia e atenção; não dizemos não; não concentramos nas poucas que são cruciais.

17. *Sabor do mês*: Saltamos de programa em programa; não temos iniciativas integradas, somos céticos de novos programas; e acabamos com conceitos desordenados.
18. *Sobrecarregado*: Temos um problema de capacidade, com mudanças demais acontecendo ao mesmo tempo; estamos esgotados e estressados com as mudanças; não podemos deixar as coisas acontecerem.
19. *Desalinhamento: Ação desarticulada*. Não olhamos para o quadro completo para ver como nosso trabalho se encaixa na estratégia; tendemos a nos perder nos detalhes.
20. *Defletor compatível:* A submissão é comum. Esperamos para fazer o que nos pediram, seguimos as instruções e evitamos responsabilidade por nossas ações.
21. *Mania de processos:* Estamos tão consumidos com o processo que não nos concentramos nos resultados ou desfechos.
22. *Matar o mensageiro*: Nunca ouvimos más notícias, pois não é seguro.
23. *Resposta glacial*: *De quem é essa decisão?* Não conseguimos tomar decisões rapidamente.
24. *Perfeccionismo: Da maneira certa ou de nenhuma maneira*. Temos que ter a resposta perfeita antes de fazer qualquer coisa.
25. *O que você fez por mim ontem?* Depois de mudança bem sucedida queremos mais.
26. *Superavaliação:* Avaliamos tudo, mesmo com falhas. Nossos painéis são demasiadamente complexos.
27. *Subavaliação:* Não temos indicadores que localizem as coisas importantes; avaliamos o que é fácil, independente de ser o que precisamos saber.
28. *Insustentabilidade*: Não mantemos as mudanças que começamos.
29. *Procurando uma grande vitória:* Procuramos a megamudança que irá resolver todos os nossos problemas de uma vez.
30. *Habilidades e aptidões subdesenvolvidas:* Não temos as habilidades necessárias para o futuro.
31. *Acontecimento versus padrão:* A mudança é um acontecimento (fazer o *checklist*, participar da reunião) – e não um padrão sustentável.
32. *Síndrome do hidrante:* Todos precisam marcar cada iniciativa ou projeto antes que alguém possa se mover nela.
33. *Adivinhe o que estou pensando:* Quando o líder tem uma ideia do que fazer, os outros precisam adivinhar.
34. *Muita propaganda, pouco conteúdo:* Estilo acima do conteúdo; intermináveis apresentações de PowerPoint, mas pouca ação.
35. *Isso também vai passar*: Abaixe a cabeça, ignore e isso vai passar.
36. *Cultura do não:* Superavaliamos e criticamos tudo.

Descobrimos que os novatos em uma unidade de trabalho são mais dispostos a reconhecer os padrões tácitos do que os funcionários mais antigos. Quando você visita a casa de um amigo para jantar, os padrões da família ficam rapidamente evidentes para você – você observa se alguém faz uma prece e quem a faz, onde as pessoas sentam, com que rapidez as pessoas comem, e que tipos de conversas acontecem, coisas que ninguém da família observa. Do mesmo modo, nas organizações, os novos funcionários com olhos mais atentos veem o que se tornou rotina para os outros. Uma vez que a virose está exposta e superada, segue a mudança institucional.

Ao encontrar maneiras de falar sobre a cultura de uma instituição e de modificá-la, os profissionais de RH também institucionalizam a mudança. A cultura representa os padrões de como as pessoas pensam e agem. Utilizando nossa metáfora de fora para dentro, acreditamos que a cultura de uma organização pode ser mais bem definida como a identidade da organização na mente de seus clientes-alvo. Nossa definição de cultura a torna a marca de uma empresa. Os profissionais de RH podem colaborar com colegas que são a interface com o cliente e com os líderes de negócio para definir a cultura desejada de uma organização. Uma vez definida essa cultura centrada no cliente, o RH pode desempenhar um importante papel ao tornar reais as expectativas externas para os funcionários através de práticas de RH como: contratação, treinamento, planejamento de sucessão, gestão de desempenho, recompensas, comunicação e projeto organizacional.

A criação de uma mudança institucional, seja pela exposição e triunfo sobre as viroses ou por tornar a marca da empresa em uma cultura organizacional, ajuda a fazer com que a mudança aconteça.

Conclusão: Tornando-se um campeão de mudanças

Se tivéssemos uma varinha mágica, os profissionais de RH em todo o mundo se tornariam campeões de mudança, como os que destacamos no início desde capítulo. E nós temos esperança. Talvez não aconteça de uma só vez, mas mostramos os axiomas que os mestres em mudança precisam aceitar e as habilidades necessárias para dar início e manter a mudança e as ferramentas para fazer isso pelas pessoas, pelas iniciativas e pelas instituições.

Capítulo 7

Inovação e integração no RH

Para criar uma cultura capaz é necessário ter práticas inovadoras integradas de modo sinérgico. O caso a seguir oferece um exemplo útil:

AXA Equitable

Em meados de 2011, a AXA Equitable enfrentava o desafio de promover uma redução de pessoal ao mesmo tempo em que mantinha a produtividade da equipe e introduzia no mercado produtos mais inovadores e rentáveis. Rino Piazzola, Diretor de RH da AXA Equitable, reconheceu a necessidade de re-comprometer a organização e, conosco, implementou uma iniciativa de "treinamento" envolvendo os colaboradores de todos os níveis na identificação de maneiras de retirar da organização custos e trabalhos desnecessários, e permitir a concentração nas atividades importantes – aquelas que agregam valor para os clientes.

Ao longo dos três anos seguintes foram geradas centenas de ideias e um significativo número delas foi implementado – desde a eliminação de relatórios de pouca utilidade até a identificação de novas e eficientes maneiras de organizar o trabalho. Um extenso exame revelou que 80% dos participantes descreveram o treinamento como tendo um forte impacto pessoal e organizacional, e uma percentagem semelhante descreveu o treinamento como pessoalmente significativo e relevante para seu trabalho. Grupos de finanças, TI e desenvolvimento de produtos utilizaram o treinamento para dar o pontapé inicial nos esforços de melhoria em seus departamentos. Na verdade, mais de 180 iniciativas específicas de treinamento foram iniciadas como parte do projeto. O CEO Mark Pearson participou de uma sessão de um dia e meio, e escreveu uma nota a todos os executivos da empresa reforçando a importância de suas participações e liderança no treinamento. Como resultado do sucesso do treinamento, os gerentes de área apontaram a liderança e o envolvimento como capacitações críticas para a organização. Agora o RH está tratando de necessidades de melhoria semelhantes no desenvolvimento do *coaching* de líderes e gestão de desempenho e busca outras maneiras de reforçar a cultura de envolvimento dos empregados.[1]

No Capítulo 6, descrevemos o domínio da competência do campeão de mudanças e a importância da competência do profissional de RH em iniciar e manter a mudança. Neste capítulo, o domínio de competência de inovação e integração de RH retoma e amplia esse tema. As práticas eficazes de RH têm duas qualidades importantes. Primeiro, são inovadoras, refletindo maneiras mais robustas de permitir e fortalecer as aptidões sobre as quais a estratégia se baseia. As práticas de RH eficazes são alinhadas e integradas internamente. Não são sequências de eventos ou atividades desconexas, mas sim elementos conectados de um todo que é maior do que suas partes individuais. Tais práticas criam e mantêm uma cultura que rege o desempenho e agrega valor aos clientes e outros *stakeholders* do negócio.

O *case* da AXA Equitable é um exemplo de inovação que levou a um maior alinhamento e integração. Ao implementar o treinamento juntamente com a redução de pessoal, a diretoria da AXA enviou uma forte mensagem de que a empresa estava preocupada em melhorar a experiência dos empregados e comprometida na eliminação do trabalho improdutivo. O progresso no treinamento levou à melhora em outras práticas de RH e a uma crescente integração com as exigências do negócio.

O que queremos dizer com RH inovador e integrador

Um RH inovador e integrador é uma competência de grande importância. É uma extensão e expansão do projeto de gestão e organização de talentos do estudo de 2007. O foco está em garantir que a organização tenha o talento e a liderança certos para o sucesso atual e futuro do negócio. Enfatiza a necessidade de inovação no desenho de práticas de RH que orientam a agenda de talentos da organização. Isso significa garantir boas análises do atual estado de talento e das necessidades competitivas de talento. Os empregados talentosos precisam ser atraídos, recrutados, contratados e desenvolvidos. Os líderes precisam ser identificados e colocados em posições onde utilizem suas habilidades e estimulem sua competência. E as equipes e organizações precisam ser projetadas e compostas por empregados competentes que entregam as capacitações que levam as estratégias adiante.

A avaliação da inovação e integração do RH geralmente leva a uma discussão de melhores práticas. E ao longo dos últimos anos a identificação das melhores práticas tornou-se uma proposta comum entre as empresas de consultoria e os programas de mestrado executivo das escolas de administração, assim como entre organizações como *Corporate Executive Board* e *Corporate Leadership*. Assim como as empresas de investimento afirmam que o desempenho passado não é uma indicação dos ganhos futuros, as melhores práticas deveriam vir acompanhadas de uma etiqueta de advertência: o que funciona para outras empresas talvez não seja útil ou de interesse para sua empresa.

É muito fácil pensar que as melhores práticas irão funcionar para todas as empresas simplesmente por terem sido identificas e aprovadas. Na verdade, a melhor prática pode ser inovadora, mas talvez não seja compatível com as necessidades do negócio.

Há três desvantagens para a abordagem de melhores práticas:

1. *Adequação*: Goldman Sachs pode ter a melhor prática na remuneração dos executivos neste setor, mas a lógica de um banco de investimentos dificilmente seria apropriada na maioria dos outros setores.
2. *Relevância*: A melhor prática tende a ter uma visão de trás para frente, descrevendo o que funcionou para outras organizações no passado. Olhar para o passado tende a tirar o foco do que é necessário no futuro.
3. *Sinergia*: Práticas específicas de treinamento, orientação, avaliação de desempenho ou outros aspectos do RH podem ser extremamente úteis em uma organização, mas não em outra. A mistura de práticas de organizações com objetivos, estratégias, setores e marcas diferentes pode levar à confusão ou a mudanças muito frequentes.

Sugerimos a alternativa lógica do pensamento do "melhor sistema". O melhor sistema propõe que os profissionais e líderes de RH comecem com um tecido inteiro e não uma colcha de retalhos. Incentiva os profissionais de RH a evitar que comecem com uma solução quando buscam resolver um problema. A ideia de melhor sistema leva à melhor combinação de atividades que oferecem uma combinação de eficácia e alinhamento.

> A cultura não é a questão mais importante. É a única questão.
>
> Jim Sinegal, ex-CEO da Costco

Sistemas essenciais de RH

Quais são os elementos de um sistema melhor? São os sistemas essenciais de RH ou áreas práticas que definem inovação e integração:

- *Pessoas*: A prática das pessoas assegura que as habilidades e aptidões estão adequadas para atingir os objetivos da organização. Elas criam condições que incentivam as pessoas a se comprometer e empenhar para alcançar os objetivos da organização e a sentir que a participação na organização contribui para esse propósito e para a qualidade da vida no trabalho.
- *Desempenho e recompensa*: As práticas de desempenho transformam os resultados desejados em objetivos e incentivos mensuráveis que motivam as pessoas a buscar esses objetivos. Os critérios básicos para a gestão de desempenho são *responsabilidade* (vincular os comportamentos individuais e da equipe a objetivos claros), *transparência* (recompensas financeiras e não financeiras pelas contribuições são compreendidas e divulgadas), *completude* (as práticas de gestão de desempenho cobrem toda a gama de comportamentos e objetivos necessários para o sucesso total do negócio), e *equidade* (os níveis de recompensa devem acompanhar os níveis de contribuição). As práticas de gestão de desempenho, quando estabelecidas e integradas de acordo com esses critérios, ajudam a agregar valor.
- *Informação e comunicação*: As organizações precisam administrar o fluxo de informações externas (cliente, acionista, econômicas e de regulamentação, tecnológico e demográfico) para garantir que os empregados se adaptem a realidade externa. Eles também precisam administrar o fluxo interno de informação para coordenar as ações dentro da organização. Isso inclui 'de fora para dentro' (assegurar um conhecimento atualizado dos *stakeholders)*, 'de dentro para fora' (manter os *stakeholders* informados do progresso da organização), 'de cima para baixo' (desde a diretoria até os funcionários de todos os níveis e vice-versa), e 'lado a lado' (comunicação permanente entre as unidades organizacionais e seus líderes e funcionários).

* *Trabalho e organização*: As organizações precisam gerenciar a cadeia de valor, da demanda até o atendimento, para certificar-se que as obrigações sejam cumpridas. Para isso, distribuem metas para as pessoas e os grupos e definem estruturas de trabalho e organizacionais para integrar a produção variada em um todo colaborativo. Projetam processos para o próprio trabalho e para o ambiente físico que rodeia o trabalho. Os profissionais de RH são ideais para ajudar nesse processo, mas eles precisam ser competentes em diversas áreas: vincular o projeto organizacional com estratégia, avaliar a eficiência organizacional, implementar novas estruturas organizacionais, garantir que rigorosos processos de trabalho sejam feitos e montar equipes. Além disso, é cada vez mais importante alinhar o tempo com as instalações físicas – inclusive onde o trabalho é realizado (remotamente ou no local) e quando o trabalho é realizado (flexibilidade de tempo).
* *Liderança*: As práticas de liderança garantem que a organização estabeleceu e implementou uma marca de liderança clara e forte. A marca de liderança é a reputação dos líderes de sua organização: como são vistos pelos clientes e outros *stakeholders*, e pela concorrência. Os processos para desenvolver líderes com marca incluem o exemplo único de liderança (por que é importante investir em liderança), a descrição de qual liderança é necessária para alcançar resultados, avaliação dos pontos fortes e fracos dos líderes atuais, investimentos em liderança como uma aptidão (atribuição, treinamento, *feedback*, experiências externas), medidas (entender o impacto do investimento e necessidade contínua de mudança e desenvolvimento) e criar uma consciência externa (transmitir a marca para os *stakeholders*).

Níveis de inovação e integração

Em um recente estudo de altos executivos da McKinsey & Company, 84% descreveram inovação como "extremamente ou muito importante" para o crescimento e sucesso financeiro de suas empresas. Do ponto de vista do RH vemos três níveis de inovação sendo impulsionados pela função de RH:

1. Nova para o mundo
2. Nova para a empresa
3. Nova para a divisão

A inovação "nova para o mundo" pode provocar significativas oportunidades de negócio ou desempenho. Por exemplo, a GE descobriu que potenciais clientes industriais nos mercados emergentes estavam ansiosos para aprender com a GE como acelerar o desenvolvimento e a competência dos líderes locais. A oportunidade para que clientes participassem de um *workshop* para lideres no *Jack Welch Executive Development Center*, em Crotonville, Nova York, foi um importante incentivo para trabalhar com a GE Capital ou outras divisões. Esse tipo de proposta foi copiado por muitas outras organizações.

A inovação "nova para a empresa" pode ser aplicada ou adaptada às necessidades específicas e à cultura da organização. Em 2008, com base na tradição do *Peace Corps*, por exemplo, a IBM criou a *Community Service Corps (CSC)* como uma oportunidade para que funcionários talentosos trabalhassem juntos, em equipe, em todas as regiões, para devolver para as comunidades e para desenvolver como líderes futuros no decurso de fazê-lo.[2] A IBM envia equipes de funcionários de alto potencial para trabalhar com líderes nos mercados emergentes a fim de ajudá-los a tratar das questões de alta prioridade.

Mais de 1.000 pessoas, de 50 países, participam do CSC, servindo em mais de 120 equipes, em mais de 25 países. Os projetos variam desde ajudar a vida selvagem e a organizações do turismo da Tanzânia a melhorar seus processos de negócio até ensinar habilidades de liderança na Romênia e nas Filipinas.[3] Uma avaliação da *Harvard Business School* descobriu que o programa havia aumentado as capacidades de liderança e consciência cultural dos participantes, e também aprimorado o comprometimento dos funcionários que, após sua participação, eram menos propensos a deixar a IBM. A IBM ajudou meia dúzia de outras empresas a implantar programas semelhantes, tais como a FedEx, John Deere e Dow Corning.

Recentemente, a IBM lançou seu *Executive Service Corps*. Equipes de cinco ou seis executivos ajudam líderes municipais a solucionar problemas relacionados com questões como congestionamento do tráfego, conservação da água, segurança pública e saúde. Como no CSC, não há um chefe, assim todos são forçados a colaborar sem a 'muleta' de hierarquia. Tendo em vista a dificuldade dos executivos em passar algum tempo afastado de seus trabalhos regulares, o compromisso no local é de três semanas.

A inovação "nova para a divisão" seleciona iniciativas desenvolvidas por uma parte da organização e as aplica, ou adapta, às outras divisões. A *General Atlantic*, empresa de ações de capital de crescimento global, criou uma comunidade de práticas de líderes de RH nas empresas de seu portfólio para compartilhar inovações. Pat Hedley, diretor superintendente da empresa, chefiou o esforço de reunir diretores de RH para que aprendessem uns com os outros e para que conhecessem as experiências e iniciativas dos outros. Da mesma forma, a *Statoil*, companhia de energia da Noruega, utiliza redes de relacionamento e comunidades de práticas para comunicar e compartilhar com outras áreas da empresa as iniciativas e inovações de RH desenvolvidas por outra área.

Um *framework* para inovação e integração

Considerando os níveis de inovação, uma importante abordagem para explorar tanto a inovação quanto a integração é fornecida pela matriz na Figura 7.1.

Eficácia – o poder de produzir um efeito – lembra que a inovação por si só não é uma meta valiosa. O teste de uma inovação é o valor que ela cria para os clientes e *stakeholders*. Analise o futebol americano. Recentemente o *New Orleans Saints* (time da Liga de Futebol Nacional) teve problemas com um inovador esquema de indenização que não deu certo. Eles estavam pagando um bônus de $1.000 aos jogadores que literalmente nocauteavam os oponentes, com isso causando sérios danos físicos e sua retirada do jogo.[4] O programa reduziu muito a capacidade das equipes oponentes de competir com o *Saints*, mas, quando revelada, gerou uma onda de má publicidade tanto para a equipe quanto para sua liga. Os funcionários infratores foram suspensos. "Todos nós somos responsáveis pela saúde e segurança do atleta,

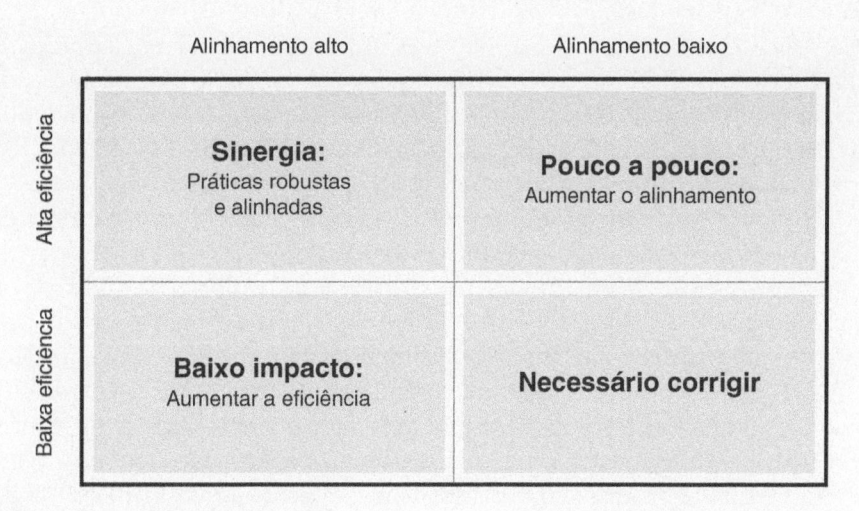

	Alinhamento alto	Alinhamento baixo
Alta eficiência	**Sinergia:** Práticas robustas e alinhadas	**Pouco a pouco:** Aumentar o alinhamento
Baixa eficiência	**Baixo impacto:** Aumentar a eficiência	**Necessário corrigir**

Figura 7.1 Matriz de inovação.

e pela integridade do jogo. Não toleraremos conduta ou cultura que destrua essas prioridades. Ninguém é melhor do que o jogo ou suas regras. O respeito pelo jogo e pelas pessoas que participam dele não será comprometido".[5]

Por outro lado, quando a eficiência significa alinhamento, cria-se valor. A combinação da prática correta e da mistura de práticas corretas para alcançar o resultado – a capacitação – proporciona uma combinação vitoriosa. Como destacado no exemplo do futebol, a "recompensa" por machucar jogadores pode ter sido uma prática de RH inovadora, mas certamente não foi em alinhamento.

Os fatores do inovador e integrador de RH

O domínio da inovação e integração no RH está intimamente associado com a competência do gerente de talento e planejador organizacional identificado na rodada de 2007 do HRCS. Naquela rodada, cinco fatores contribuíram para o domínio de talento e organização:

1. Garantir o talento de hoje e de amanhã
2. Desenvolver talentos
3. Moldar a organização
4. Promover a comunicação
5. Projetar sistemas de recompensas

Na pesquisa do HRCS de 2012, continua a ênfase no talento e liderança – mas com uma diferença. Não é suficiente criar bons sistemas de planejamento de forças de trabalho, desenvolvimento de talento, liderança e projetos organizacionais. Em 2012 os riscos são maiores. A inovação se torna um fator mais crucial, dirigindo o foco para maneiras mais eficazes de entregar talento, liderança e organização. E a integração – o melhor sistema – é reforçado.

Os fatores do inovador e integrador de RH estão apresentados na Tabela 7.1

Os inovadores e integradores de RH definem as exigências da força de trabalho, desenvolvem funcionários e moldam a organização e as práticas de comunicação. Porém, em diversas áreas vemos uma evolução de expectativas bastante significativa e certamente interessante. O planejamento e análise da força de trabalho são focos muito mais intensos na formulação atual. Impulsionar o desempenho é um fator mais significativo em 2012. E um forte elemento no domínio da competência nesta rodada é criar marca de liderança: a reputação da organização para o sistemático desenvolvimento de líderes fortes e de liderança. Isto é uma novidade para a pesquisa de 2012. Apesar da gestão de talentos ter sempre incluído a seleção e sucessão de líderes como

Tabela 7.1 Fatores de competência do inovador/integrador de RH

Fator	Média	Eficácia individual	Impacto no negócio
Otimizando o capital humano pelo planejamento e pela análise da força de trabalho	3,95	22%	21%
Desenvolvimento de talentos	3,83	16%	19%
Formatando as práticas organizacionais e de comunicação	3,94	23%	21%
Avaliando o desempenho	3,87	19%	19%
Criando uma marca de liderança	3,87	20%	20%
Regressão múltipla R^2		0,331	0,078

um fator principal, e o desenvolvimento de líderes como um aspecto essencial, o foco na liderança como uma capacitação organizacional diferente (e o papel dos profissionais de RH na criação dessa capacitação) é forte e clara.

Como vimos no Capítulo 2, o impacto da inovação e da integração na classificação do desempenho dos profissionais de RH é significativo. Assim como acontece com o ativismo confiável, aqueles que têm grande desempenho tendem a ser vistos do em termos positivos quando são inovadores e integradores. Entretanto, o impacto do inovador e integrador de RH no negócio é mais significativo; inovar e integrar em RH tem maior impacto no desempenho do negócio, o que explica a variação de 19%.

Fator 1: Otimizando o capital humano por meio do planejamento e análise da força de trabalho

A Organização Internacional do Trabalho desempenha um papel único e importante: intercede, recomenda políticas e apoia padrões mínimos de trabalho no mundo inteiro. O problema é que um terço dos membros da equipe profissional da OIT vai se aposentar em 2020. Nos últimos dois anos, sob a direção da diretora de RH Telma Viale, a OIT lançou a iniciativa de "levantamento de habilidades", o qual combinava o planejamento e análise da força de trabalho com a avaliação dos níveis de habilidade. Por meio desse esforço, o qual desafiou a cultura da organização, o RH pretendia ajudar a diretoria e o pessoal da OIT a alinhar os pontos de vista, habilidades e ações ao analisar e tratar rigorosamente dos pontos de vista de competência da OIT.

Outras organizações são menos proativas na identificação de desafios que enfrentam ao reconhecer a base de habilidade atual; as principais condições ambientais e competitivas que irão exigir um número maior e diferentes habilidades de acordo com a unidade e a localização; e como serão atraídos, orientados (ou "integrados"), desenvolvidos e mantidos. Dick Beatty, da *Rutgers University*, é o pesquisador mais conhecido dessa área. Seu trabalho com Mark Huselid e Brian Becker é seminal.[7] De acordo com eles, o principal desafio é primeiramente entender onde o valor é criado. A boa análise começa com a compreensão de como e onde a organização cria a aptidão que impulsiona a estratégia, ganha e perde dinheiro, e ganha e perde os principais clientes. Isto identifica as posições cruciais e os impulsionadores do desempenho organizacional. – ou o que chamamos de "unidade da vantagem competitiva". Beatty nos lembra que nem sempre existe uma correlação entre antiguidade e risco. Na indústria de bebidas, um papel crucial óbvio é o mestre cervejeiro. Na rede social, é o desenvolvedor de aplicação ou programador. Nas empresas de produtos de consumo, como a PepsiCo., é o profissional de marketing.

Recomendamos quatro princípios para otimizar o capital humano pelo planejamento e pela análise da força de trabalho:

1. *Definir papéis estratégicos importantes*: As entrevistas e outros esforços de coleta de dados, combinados com o trabalho em conjunto com a equipe de finanças, irão ajudá-lo a desenvolver um modelo das funções e habilidades que desproporcionalmente entregam valor aos clientes e investidores. O objetivo é definir quais funções são verdadeiramente estratégicas, quais fornecem apoio, mas não são estratégicas em si, e quais são essenciais, mas não acrescentam valor estratégico ou apoio importante.
   - As organizações e as indústrias são muito diferentes. Por exemplo, na indústria química, a produção é uma função estratégica. Nas empresas de alta tecnologia, como a Cisco e a Apple, a produção é importante, mas pode ser terceirizada.
2. *Faça uma avaliação SWOT*: É muito importante avaliar os pontos fortes e fracos na entrega da estratégia, seguido de perto pelo desenvolvimento do estado futuro baseado numa consideração de oportunidades e ameaças. Por exemplo, empresas de consultoria, como McKinsey e BCG, identificaram a necessidade de mudar os serviços estratégicos de consultoria para o suporte e a implementação de soluções. Esta é uma significativa mudança em estratégia e capacidade, e irá exigir um considerável retreinamento para novas habilidades nessas empresas.

3. *Comprar, construir, ou ambos*: Uma mudança na mobilização de recursos provoca o questionamento da melhor maneira de alcançar o resultado. Algumas organizações, como *P&G* e *Exxon Mobil*, são comprometidas desenvolvedoras de funcionários e resistem na contratação de equipes experientes.[7] Outras organizações, como a *Mars*, tendem a comprar talentos experientes (isto é, trazem de fora). E ainda outros, como *Goldman Sachs* e *J.P. Morgan* combinam essas estratégias: procuram ser desenvolvedores, mas complementam com uma contratação externa seletiva. Seu plano deveria ser tanto estrategicamente prudente quanto culturalmente aceitável.
4. *Administrar o processo de mudança*: Isto significa iniciar o processo de maneira que facilite o sucesso. Significa envolver as pessoas certas, fornecer informações eficazes e passar tarefas, analisar as contingências, monitorar e manter o desempenho revisando a eficácia das decisões tomadas e antecipando possíveis problemas.

Otimizar o capital humano é um desafio crescente. Towers Watson recentemente divulgou que 65% das empresas estão preocupadas com a retenção de habilidades importantes.[8] E o grupo *Aberdeen* observou que dois terços das empresas estão intensificando seus esforços no planejamento e análise da força de trabalho, e quase 30% dessas empresas responsabilizam diretamente o CEO e o conselho de administração.[9]

Fator 2: Desenvolvimento de talentos

Quando se trata de desenvolver funcionários, o foco está em como e quão bem a organização está desenvolvendo as habilidades técnicas e organizacionais ou interpessoais necessárias para que as pessoas tenham vidas profissionais satisfatórias. As ações que compõem esse fator são estabelecimentos de padrões, avaliação, investimentos em talentos e *follow-up*.

Estabelecer um padrão

A competência começa na identificação das competências necessárias para prestar trabalho futuro. Em vez de focar no que deu certo no passado, comparando funcionários de alto e baixo desempenho, os padrões mais recentes de competência surgem da transformação de expectativas futuras do cliente em exigências atuais do funcionário. Em qualquer nível de uma empresa, um profissional de RH pode facilitar um exame das seguintes perguntas:

- Quais são as competências atuais sociais e técnicas que temos em nossa empresa?
- Quais são as mudanças ambientais que nosso negócio enfrenta e quais são nossas respostas estratégicas?
- Considerando nossas escolhas futuras, ambientais e estratégicas, que competências técnicas e sociais os funcionários precisam demonstrar?

Simplificando essas perguntas os profissionais de RH ajudam os gerentes em geral a criar uma teoria ou ponto de vista sobre as competências que levam a um conjunto de padrões do funcionário. Ao criar modelos de competência baseados nas expectativas futuras do cliente, os gerentes dirigem a atenção dos funcionários para o que eles deveriam ser, saber e fazer. O teste mais simples do padrão de competência é perguntar aos principais clientes: "Se nossos empregados vivessem de acordo com esses padrões, eles inspirariam sua confiança em nossa empresa?"

Avaliando indivíduos e organizações

Definidos os padrões, os funcionários podem ser avaliados quanto ao atingimento desses padrões. Temos argumentado que o desempenho é uma função de atributos (competências) e resultados. O funcionário competente apresenta resultados da maneira certa, e a maneira certa é definida pelos padrões de competência. As organizações com visão de futuro estão cada vez mais buscando fora perspectivas de desempenho ao mesmo tempo em que busca visões internas. Esse *feedback* de 720 graus inclui *stakeholders* externos como clientes, fornecedores, investidores e líderes comunitários. Isso ajuda as pessoas a entender como melhorar, e também fornece valiosas informações para a organização sobre como projetar e distribuir práticas de RH a fim de aprimorar o talento. Nas palavras de um ex-funcionário do Google:

> O Google realmente comemora seu processo de contratação como se sua cruel ineficiência e interminável duração fossem prova de perfeição, algo para se orgulhar. Talvez ele seja minucioso. Mas eu apostaria que o processo de contratação da Microsoft, que leva bem menos tempo, não resulta em uma força de trabalho de qualidade inferior ou tenha taxa maia alta de desgaste. Se Larry Page ainda está analisando currículos, os acionistas deveriam organizar uma rebelião. É uma escandalosa perda de tempo para alguém naquele nível, e o fato de ser "esquisito" não muda nada.

Investindo no aprimoramento do talento

As falhas de pessoas e da organização podem ser preenchidas com investimento no talento. Em nosso trabalho encontramos seis investimentos que podem ajudar a aprimorar o talento:

1. *Comprar*: recrutar, buscar fornecedores, manter novos talentos na organização.
2. *Construir*: ajudar as pessoas a crescer por meio de treinamento ou experiências de vida.
3. *Pedir emprestado*: trazer conhecimento para a organização por meio de consultores externos ou parceiros.
4. *Promover*: promover as pessoas certas para funções-chave.
5. *Demitir*: retirar de suas funções, e da empresa caso não haja funções que eles possam desempenhar, os empregados de baixo rendimento.
6. *Vincular*: manter os principais talentos por meio de oportunidade, recompensa e reconhecimento não financeiro.

Quando os profissionais de RH criam opções nessas seis áreas, eles ajudam as pessoas e as organizações a investir em talentos futuros.

Fazendo um *follow-up* e rastreando a competência

O presidente Ronald Reagan gostava de dizer: "Confie, mas confira". Obviamente que é importante rastrear o desempenho e o desenvolvimento. De que maneira as pessoas estão desenvolvendo suas habilidades? Estamos aprendendo e trabalhando mais rápido que nossos concorrentes? Estamos fazendo mais coisas certas – temos melhorado a maneira como fornecemos as capacidades que sustentam nossas metas e estratégias nos níveis da equipe, organização e empreendimento? Como a organização está mantendo e desenvolvendo seus talentos? Os *backups* certos estão disponíveis para as posições-chave? Os líderes estão contribuindo para o desenvolvimento de longo prazo da organização em seu mercado?

Fator 3: Modelando as práticas organizacionais e de comunicação

Na pesquisa de 2007 moldar a organização e a comunicação eram fatores de competências separados e distintas. Nesta rodada da pesquisa, descobrimos que esses dois fatores estão combinados, que a formatação de práticas organizacionais e de comunicação se encaixam para formar um todo eficaz.

A organização não são as caixas de um gráfico. Uma organização eficiente é um conjunto de protocolos operacionais reforçados por relações que, necessariamente, envolvem comunicações combinadas com o que denominamos de capacitações. Um processo que entendemos particularmente útil é descrito por nosso colega Dave Hanna nas seguintes perguntas:[10]

- Qual o resultado do negócio que estamos tentando alcançar?
- Quais capacitações são adequadas para que o resultado do negócio ao longo do tempo seja alcançado e mantido?
- Como ativamos essas capacitações por meio de sistemas e práticas do RH?
- Como implementamos mudanças de maneira a reforçar esse ciclo virtuoso?
- Como medimos e monitoramos eficácia e eficiência?
- Como asseguramos alinhamento ao longo do tempo?

Por exemplo, equipes de alto desempenho têm determinados atributos em comum, como demonstrado na Figura 7.2 e na lista a seguir:[11]

- *Objetivo:* Uma equipe bem sucedida necessita de um objetivo claro. Esse objetivo deve conquistar não só a mente, mas o coração, e ser claro sobre o que deve ser feito e sobre o resultado que os membros da equipe obtêm

- Processos formais
- Experiência e fracasso
- Novas habilidades de conhecimento

- Claro
- Desafiador
- Consequente

EQUIPES
de alto desempenho

APRENDIZADO • OBJETIVO • GOVERNANÇA • RELACIONAMENTOS

- Cuidado
- Gestão de conflitos

- Pessoas certas
- Papéis definidos
- Processos administrativos

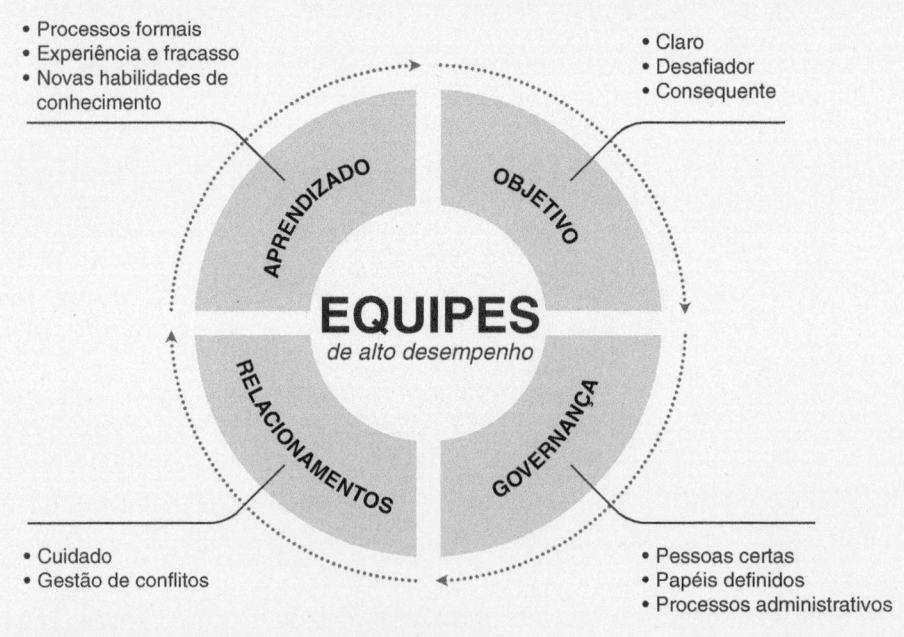

Figura 7.2 Equipes de alto desempenho.

de seu trabalho em conjunto. Esse objetivo da equipe atende a certos critérios:
- É tangível ou mensurável.
- Os membros da equipe participam de sua definição.
- Define os resultados ou metas da equipe e justifica a existência da equipe.
- Concentra-se no futuro e nos resultados da equipe, não apenas no processo, criando dessa forma um significado desejado.

Além disso, o líder da equipe precisa consolidar o objetivo por meio de palavras, símbolos, mensagens e ações que façam com que o objetivo seja real para os membros da equipe e usuários dos serviços da equipe, e que acompanhe o progresso na direção de seu objetivo.
- *Governança:* O controle reflete a maneira de operar da equipe: papéis e responsabilidades, hierarquia, tomada de decisões e sistemas de apoio. Essas rotinas administrativas moldam o significado quando os membros reagem às atividades da equipe. Os papéis se concentram em quem está na equipe, que pode incluir especialistas técnicos ou funcionais, clientes que harmonizam conhecimento às suas exigências, e gerentes que coordenam o trabalho, definem prazos e administram as atividades da equipe. Uma equipe funciona pelas decisões que toma. A tomada de decisões bem sucedida aumenta com clareza, responsabilidade, prazos, processos e *follow-up*, como segue:
- *Clareza nas decisões*: Concentra nas decisões que precisam ser tomadas e nas alternativas que devem ser consideradas no momento de tomar essas decisões.
- *Atribuição de responsabilidade*: Quem é responsável por essa decisão, e quem deve se envolver?
- *Detalhes práticos*: Quando essa decisão precisa ser tomada? Quem, finalmente, tomará essa decisão e de que maneira? Que processo será usado e em que critério se baseia?
- *Associação*: Uma equipe começa com objetivos, mas se desenvolve com relacionamentos saudáveis. Equipes eficientes criam relacionamentos de cuidado entre seus membros: engajando, ouvindo de forma eficaz, oferecendo ajuda e criando confiança por meio de resultados. Também administram conflitos: harmonizam diferentes pontos de vista, discordam sem ser inconvenientes, debatem sem humilhar. Certa vez um colega descreveu o trabalho de equipe como "aprender a lutar sem deixar cicatrizes". Para isso é necessário que os membros da equipe mergulhem nos problemas ao invés de afastar-se deles, forneçam *feed-*

back direto e honesto uns aos outros, e sacrifiquem interesses pessoais para os objetivos da equipe. As equipes eficientes evitam o que os psicólogos chamam de "assassinos de relacionamento": críticas, desprezo, protecionismo e obstrução.
* *Aprendizado*: Inevitavelmente, as equipes fazem algumas coisas certas e outras coisas erradas, e por isso precisam comprometer-se com o aprendizado. Deveriam adotar as seguintes práticas:
  * Ter tempo para refletir e avaliar. Katzenbach chama isto de "tempo juntos".[12]
  * Definir o que deu certo e o que não deu certo e por quê
  * Identificar os padrões dos erros comuns ou repetidos feitos pela equipe.
  * Ter um espírito de aprendizado, e não de censura. Reconhecer que os erros acontecem, pedir desculpas e seguir adiante sem muito estresse.
  * Se cometer um erro, reconhecer de maneira rápida, corajosa e pública. Procurar não repeti-lo. Aprender significa que as equipes têm um processo de aperfeiçoamento incorporado ao seu trabalho normal.

Conduzindo uma auditoria de comunicação

A qualidade de comunicação permanente pode fornecer uma poderosa medida de trabalho e eficiência organizacional, mas necessita ser observada detalhadamente. Dessa maneira, uma auditoria de comunicação irá recompensar o esforço necessário. A Tabela 7.2 representa diversas abordagens diferentes para conduzir a auditoria de comunicação, juntamente com os prós e contras de cada uma. Monte sua auditoria para que ela lhe proporcione a melhor avaliação que precisa, considerando o tempo, orçamento e considerações de ordem cultural. Por exemplo, uma pesquisa pode ser a abordagem mais eficiente, mas talvez sua organização esteja cansada de pesquisas. Se for assim, uma metodologia mais prudente pode ser grupos de foco, apesar do aparente custo maior.

Fator 4: Orientando o desempenho

As descobertas de 2007 não tratam explicitamente da gestão de desempenho como um fator principal nos domínios do gerente de talento e projetista organizacional. Na pesquisa de 2012, a importância da gestão de desempenho na contribuição de RH inovadora e integrada passou a ser fortemente reforçada.

Os profissionais de RH eficientes exercem diversos papéis importantes na administração de desempenho.

Capítulo 7 Inovação e integração no RH   **165**

Tabela 7.2 Alternativas de auditorias de comunicação[13]

Método	Prós	Contras
Entrevistas	Informações qualitativas detalhadas	Forte investimento de tempo e recursos
Levantamentos	Respostas padronizadas e comparáveis com um limitado número de perguntas	Não oferecem comentários detalhados quando usados sozinhos
Revisão de incidentes críticos	Exemplos específicos do que funciona e do que não funciona na prática	Útil em conjunto com entrevistas e pesquisas para explorar detalhadamente situações específicas
Análise da rede	Compreensão de como o projeto do processo e as estruturas de rede ajudam ou atrapalham a comunicação eficaz e eficiente; grande aproveitamento da informação caso seja feito corretamente	Forte investimento de tempo e recursos
Observação	Informações qualitativas detalhadas	Forte investimento de tempo e recursos
Análise de documentos	Esclarecimento e avaliação de mensagens	Útil como um passo de *follow-up* para tratar de questões específicas tais como consistência da descrição da estratégia
Grupos de foco	Avaliação detalhada do que está indo bem e o que deve ser melhorado	Forte investimento de tempo e recursos

♦ *Estabelecer padrões claros de desempenho:* Profissionais de RH eficientes afirmam que um bom processo de comunicação determina desempenho esperado e por quê. Em outras palavras, o processo cria um vínculo entre o empregado e o cliente ou outros *stakeholders*. Incentivamos este foco de fora para dentro, que torna real o impacto de desempenho para funcionários de todos os níveis e em todas as funções. Histórias que descrevem o impacto real de desempenho nos clientes são particularmente eficazes. Por exemplo, a *British Petroleum (BP)* fez um excelente trabalho de transformar ao dar significado à limpeza do Golfo, envolvendo os empregados em esforços de limpeza e envolvendo a organização com informações sobre os verdadeiros cidadãos da região do Golfo e o impacto do derramamento de petróleo em suas vidas. Da mesma maneira, a *GE Medical Systems* torna real o impacto do trabalho nos clientes apresentando seus empregados a sobreviventes de câncer.

- *Colocar um processo claro de avaliação de desempenho em vigor com medidas de desempenho bem definidas*: É importante que o processo de gestão de desempenho seja eficaz, eficiente e transparente: quem faz o que, quando, como e com que informações ou métricas em vigor.
- *Oferecer um rico feedback nos pontos fortes e necessidades de melhoria e desenvolvimento*: Um *feedback* relevante e significativo é a base para o desenvolvimento. Como já mencionamos, vemos uma mudança do *feedback* de 360 graus para as abordagens que envolvem diretamente os clientes, fornecedores e outros *stakeholders* externos.
- *Recompensar e reconhecer o bom desempenho*: A avaliação de desempenho depende da combinação das recompensas financeiras e reconhecimento não financeiro, ou reconhecimento de conquistas. Recomendamos os seguintes princípios no desenvolvimento de programas de recompensas eficientes e de reconhecimento:
  - *Equidade*: Os funcionários que contribuem com mais valor para a organização devem receber as maiores recompensas.
  - *Transparência*: A maneira como as recompensas são determinadas deve ser clara para os membros da organização. A justiça percebida no sistema fica enfraquecida quando as pessoas observam significativas variações na maneira como as recompensas são determinadas, de um tipo de empregado para outro.
  - *Significado*: As recompensas devem ter um significado para as pessoas. Por exemplo, alguns empregados podem se interessar mais por folgas, outros por recompensas financeiras e ainda outros por novas oportunidades ou desafios. É fundamental que se compreenda o que é importante para cada um.
- *Ensinar habilidades no fornecimento e recebimento de feedback aos funcionários e gerentes de área:* A gestão de desempenho eficiente se baseia em habilidades no fornecimento e recebimento de *feedback*. As melhores organizações não recebem *feedback* de graça, em vez disso, reforçam suas habilidades por meio de uma educação normal.

- *Adaptar padrões de desempenho a demandas estratégicas mutantes*: O RH desempenha um papel importante ao garantir que os padrões de desempenho permaneçam precisos e relevantes. Os padrões devem emanar de metas estratégicas – e quando as metas mudam, os padrões precisam mudar com elas. Por exemplo, a empresa de janelas e clarabóias *Velux Group* coloca um forte ênfase na implementação de tecnologias enxutas na produção industrial. Os padrões de desempenho estão mudando – liderados pelo RH – para reforçar a importância dessa iniciativa. Com o aumento da concorrência e, principalmente com a disponibilização de alternativas menos caras para os consumidores, a empresa se concentrou mais na redução do custo de produção sem perda de qualidade.
- *Lidando com o mau desempenho de maneira justa e oportuna*: Finalmente, a maneira como a organização lida com o mau desempenho tem um impacto significativo na maneira como a empresa é vista. O mau desempenho precisa ser tratado de forma respeitosa e justa e, acima de tudo, rapidamente. A reação da organização aos desempenhos altos ou baixos manda uma mensagem a todos os funcionários sobre o valor do desempenho, a equidade e a transparência do sistema, e a importância que a empresa coloca para alcançar essas metas e atender seus clientes e outros *stakeholders*.

Fator 5: Criando uma marca de liderança

O último fator-chave para o inovador e integrador de RH é o que costumamos chamar de "marca de liderança".[14] Ao longo dos últimos anos a pesquisa do *RBL Group* sobre eficácia da liderança identificou uma mudança seminal na ideia de liderança e talento. Entendemos que uma abordagem mais estratégica para o desenvolvimento de liderança deveria se concentrar menos nas habilidades sociais e técnicas dos gerentes e mais na liderança como uma capacitação organizacional: a capacidade de uma organização desenvolver sucessivas gerações de líderes, em todos os níveis, os quais reforçam a confiança interna e externa no futuro e que são "marcados" pela especificidade de suas competências. Por exemplo, com são conhecidos os líderes da *SONY*, *General Electric* ou *Intel*?

Uma marca de liderança tem dois elementos-chave. O primeiro deles é competência de liderança nos fundamentos de comando: o que chamamos de "código de liderança".[15] O segundo consiste dos diferenciadores – as coisas que fazem o líder refletir e explicar o caráter de uma empresa específica. A Figura 7.3 oferece uma imagem visual do modelo.

```
        ┌─────────────┐
        │  MARCA DE   │
        │  LIDERANÇA  │
        └─────────────┘
           ↙       ↘
┌──────────────────┐     ┌──────────────────┐
│ Código de liderança │ ✕ │ Diferenciadores  │
│      (Comum)        │   │  de liderança    │
│                     │   │     (Único)      │
└──────────────────┘     └──────────────────┘
```

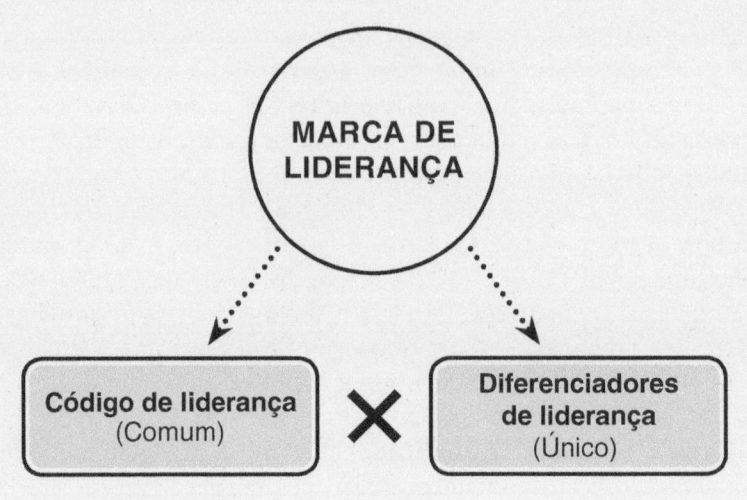

Figura 7.3 Arquitetura da marca de liderança.

O código da liderança

O código da liderança reflete as expectativas comuns e consistentes de qualquer líder em qualquer organização, quer sejam da Cruz Vermelha, PNB Paribas ou Heineken. Os líderes eficientes desempenham estes cinco papéis onde quer que estejam:

1. *Estrategista*: Posicionando a organização para o futuro, tendo objetivos e metas importantes focados em atender os principais clientes.
2. *Executor*: Instalando as disciplinas de desempenho e protocolos de execução para alcançar e medir o resultado.
3. *Gerente de talentos*: Instruindo e comunicando com os talentos de hoje.
4. *Desenvolvedor de capital humano*: Identificando, recrutando e desenvolvendo o talento necessário para tratar dos desafios de amanhã.
5. *Proficiência pessoal*: Ganhando o direito de aprender com atributos pessoais como inteligência emocional, rapidez no aprendizado, integridade e rede social.

O Exercício 7.1 vai ajudá-lo a avaliar os pontos fortes de sua organização e as oportunidades para melhoria nos elementos do código de liderança. Classifique cada elemento de sua organização e, depois, identifique um elemento onde você acredita que a oportunidade de impacto seja maior:

Exercício 7.1 Avaliando o código de liderança

Elemento do código de liderança	Pontuação (1-5)	Impacto da melhoria no negócio (seja específico)	Plano de melhoria
Estrategista			
Executor			
Gerente de talento			
Desenvolvedor de talento humano			
Proficiência pessoal			

Diferenciadores de liderança

O código de liderança é uma dimensão na criação de uma marca de liderança forte e característica. A outra dimensão é identificar a marca característica que a organização precisa estabelecer para seus líderes. Os líderes da *Apple* são conhecidos pela inovação, os líderes da *Victoria's Secret* são reconhecidos por focarem no cliente, os líderes da *Tiffany* têm reputação de excelente qualidade.

O desenvolvimento da arquitetura da marca de liderança é um processo de seis passos, como mostrado na Figura 7.4.

Como sua organização define a marca característica que espera de seus líderes? E quão eficiente é sua organização no desenvolvimento de líderes que exemplificam essa marca? A Tabela 7.3 apresenta algumas possibilidades de ação que irão melhorar a inovação e a integração do desenvolvimento de líderes de marca, considerando uma variedade de metas imediatas.

Por exemplo, a Damco, divisão da cadeia de suprimentos da *A.P.Moller-Maersk*, envolveu os clientes no desenvolvimento de liderança de maneira significativa e direta. O programa de "impacto" da Damco – um acelerador de desenvolvimento de dois anos para jovens líderes que reúne educação executiva, participação em projetos especiais, e colaboração com colegas em todos os mercados – convida os clientes a falar regularmente para os melhores jovens talentos da organização. O programa não faz rodeios ao fornecer *feedbacks* positivos e desafiadores. Os resultados tem sido interessantes. Os clientes que participaram (Home Goods, Kellogg, Abercrombie & Fitch. HP) mostram-se satisfeitos por estarem envolvidos, apesar da necessidade de longas preparações e viagens.

O desenvolvimento de uma marca de liderança pode ser extremamente revelador. Os líderes de RH do Google ficaram surpresos ao descobrir que os

Figura 7.4 Desenvolvendo uma marca de liderança.

Diagrama circular com "Capacitação de marca de liderança" no centro e seis etapas ao redor:
1. **Expor.** Fazer um *business case* para a liderança
2. **Teoria.** Concordar sobre a maneira que nossos líderes são reconhecidos
3. **Avaliação.** Avaliar os líderes e a liderança
4. **Investir.** Investir na capacitação de liderança
5. **Medida.** Medir o impacto no investimento
6. **Consciência.** Garantir a consciência e a integração

principais impulsionadores do sucesso gerencial não eram habilidades técnicas, mas um bom código básico de liderança ligado a uma inovação estratégica. As descobertas levaram o Google a repensar o papel do gerente e mudar sua filosofia. Aqui estão os oito princípios de liderança desenvolvidos como resultado do estudo[16]:

1. Seja um bom orientador.
2. Dê poderes à sua equipe e não controle demais os empregados.
3. Demonstre interesse no sucesso e bem-estar dos empregados.
4. Seja produtivo e orientado para resultados.
5. Seja um bom comunicador e escute sua equipe.
6. Ajude seus colaboradores no desenvolvimento da carreira.
7. Tenha uma boa visão e estratégia para a equipe.
8. Tenha habilidades técnicas importantes para que possa orientar sua equipe.

Tabela 7.3 Opções para a criação de marca de liderança

Se sua principal prioridade para melhoria for:	Ações potenciais para os profissionais de RH	Ações potenciais para os líderes de RH
Criar um business case em que liderança seja importante	Identifique os benefícios financeiros e operacionais dos líderes e liderança mais fortes em termos de crescimento, satisfação do cliente e mitigação de riscos.	Transforme a liderança em um aspecto explícito das discussões estratégicas. Temos parceria de liderança para implementar a estratégia?
Determinar a definição de um líder eficiente	Utilize entrevistas para identificar áreas de acordo e desacordo nos diferenciadores de liderança	Alinhe as exigências de liderança com as exigências estratégicas.
Avaliar os líderes de acordo com um conjunto de critérios	Participe ativamente na avaliação dos líderes e na auditoria do processo de avaliação	Garanta uma avaliação de processo consistentemente exigente e rigorosa
Investir nos futuros líderes	Utilize banco de dados como o RBL/Hewitt "As melhores empresas para os líderes" para definir como as melhores empresas investem nos futuros líderes.	Transforme o *benchmarking* global em parte regular da análise de eficiência dos investimentos no desenvolvimento de liderança
Avaliar ou rastrear a eficiência dos líderes	Utilize grupos de foco para identificar as áreas de integração e definir onde é necessária uma melhor integração	Faça uma auditoria anual do processo de desenvolvimento de liderança. Como podemos melhorar?
Integrar os esforços de desenvolvimento dos líderes	Avalie o alinhamento e as oportunidades para melhorar a integração das práticas de RH que apoiam o desenvolvimento da liderança	Envolva os clientes na avaliação dos líderes. Que habilidades nossos líderes precisam ter dentro de 2-3 anos para que continuemos a atender suas expectativas?

O desfio da integração

Cinco principais áreas de práticas de RH são o foco da inovação e da integração:

1. Pessoas
2. Desempenho e recompensa
3. Informação e comunicação
4. Trabalho e organização
5. Liderança

Quão eficiente é o setor na integração dessas áreas de prática de RH? Seu desempenho não é grande coisa. De acordo com um estudo recente feito pelo *Human Capital Media Advisory Group,* quando questionado se a aquisição de talento está totalmente integrada com outras práticas como a gestão do desempenho, aprendizado e desenvolvimento:

- 41% discordam ou discordam totalmente
- 26% não concordam nem discordam
- 33% concordam ou concordam totalmente

Não há dúvida que a integração é fundamental na criação de uma mentalidade compartilhada por toda a organização. Mas esses dados pelo menos sugerem que mesmo que a integração seja uma boa ideia, não está sendo feita muito bem ou com consistência.

Conclusão: Os profissionais de RH como inovadores e integradores

O domínio do inovador e integrador de RH oferece a oportunidade de apreciar as expectativas dos líderes de RH e gestores de área. A mensagem é clara para os dois: espera-se que o RH inove na implementação de práticas de RH, especialmente no espaço de talento que alinha com a aptidão, tem eficiência e integra para criar capacidade e uma cultura compartilhada. A inovação pode ser original, adaptada de fora da organização, ou reflete a adoção ou aplicação de novas maneiras de trabalhar de uma divisão de uma organização para outra. Mas a inovação não é suficiente. O trabalho do RH é permitir a cultura por meio de capacitações, e isso exige alinhamento ou integração nas práticas, especialmente nas áreas onde o impacto de alinhamento é significativo e o custo da inadimplência é confusão ou desrespeito pelo RH.

Capítulo 8

Proponente de tecnologia

(Este capítulo teve a contribuição de M.S. Krishnan; Joseph Handleman, professor de Sistemas de Informação e Inovação na Ross School of Business da Universidade de Michigan; e Wayne Brockbank, um dos coautores deste livro).

Algum tempo atrás, a *American Electronics Association* realizou uma conferência de dois dias em Washington, D.C., para analisar o relacionamento entre a indústria eletrônica americana e o governo dos Estados Unidos. Os participantes eram grandes *players:* CEOs do setor e altos funcionários representando o governo, incluindo diversos senadores, deputados e membros da administração. No meio de uma acalorada discussão, um senador americano pegou o microfone e perguntou se Dave Packard estava na sala. Realmente, o cofundador da Hewlett-Packard estava presente – era esse tipo de reunião – e ele se encaminhou para um dos microfones da plateia.

"Sr. Packard", disse o senador, "o senhor é famoso por criar uma empresa que tem muito sucesso pelo ambiente inovador e colaborativo. O senhor resolveu problemas entre empresas do Vale do Silício e as comunidades locais. O senhor desempenhou um papel importante na criação da *American Electronics Association*, que nos reúne hoje. Aqui trazemos ao senhor um desafio ainda maior. Como sugere que unamos os melhores interesses das empresas privadas do país aos melhores interesses do governo dos Estados Unidos?" Packard ficou pensativo por alguns segundos e respondeu: "Sugiro convocar um grupo de trabalho de CEOs da indústria eletrônica, do senado e do poder executivo. Vamos propor uma abordagem que otimize o interesse de todos. Tenho absoluta certeza que teremos sucesso". Imediatamente após esta reunião, Wayne Brockbank agendou um encontro com Dave Packard para examinar as relações empresa-governo. A sua primeira pergunta foi: "Por que o senhor acha que criar instituições faz com que as pessoas compartilhem informação e perspectivas em nome do interesses coletivos?" Packard sorriu e disse: "A equipe executiva da HP se reúne todas as sextas-feiras pela manhã. Algumas vezes a reunião dura algumas horas, outras vezes dura alguns dias. E nós passamos pelo menos 50% do nosso tempo tentando entender como passar informação de uma parte da empresa para outra, e certificar-nos que a informação é usada. O problema é que as pessoas que têm informações importantes muitas vezes não têm os meios ou a vontade de transmitir informações, e aqueles que necessitam da informação não têm os meios ou a vontade de receber e usar a informação. Enfrentar isso nos faz ser quem somos".

O que queremos dizer com proponente de tecnologia

Nem todos os CEOs têm o mesmo nível de discernimento de Dave Packard sobre o que precisa ser feito para garantir que a informação seja disseminada onde necessária, e a urgência do assunto só cresce. Nas duas últimas décadas, enquanto caía o custo do poder da computação e da comunicação digital, aumentavam as aplicações de *software* para abranger todos os aspectos da empresa (ver Figura 8.1). De transações de clientes a gestão de fornecedores, e de relações com investidores a envolvimento dos empregados, a tecnologia está em toda parte. Uma conectividade onipresente e uma digitalização generalizada transformaram a cara do TI em empresas de grande e pequeno porte nas últimas duas décadas. Felizmente, o RH pode desempenhar um papel ativo ao lidar com o tema de gestão de tecnologia e informação acrescentando valor para o negócio.

A arquitetura de informação de apoio da tecnologia nas empresas começou com aplicações que sustentavam a automação de transações funcionais. A maioria desses sistemas era desenvolvido internamente, e muitas vezes usava fontes de múltiplos dados para as mesmas entidades, o que levava à redundância de definição de dados e desafios de integração. A eficiência na execução de transações em várias funções por meio dessas aplicações era difícil de conseguir em face das informações conflitantes em diferentes silos.

Estes desafios começaram a ser enfrentados nos anos 90, por meio de um *software* integrado (e desenvolvido pelo fornecedor) de planejamento de recursos da empresa (ERP) que centralizou os dados e conectou com o *software* de outros produtos tais como a gestão de relacionamento com o cliente (CRM) e a gestão da cadeia de suprimentos (SCM). Embora promissoras – e apesar dos milhões de dólares que as organizações gastavam com eles – essas abordagens apresentaram resultados, na melhor das hipóteses, problemáti-

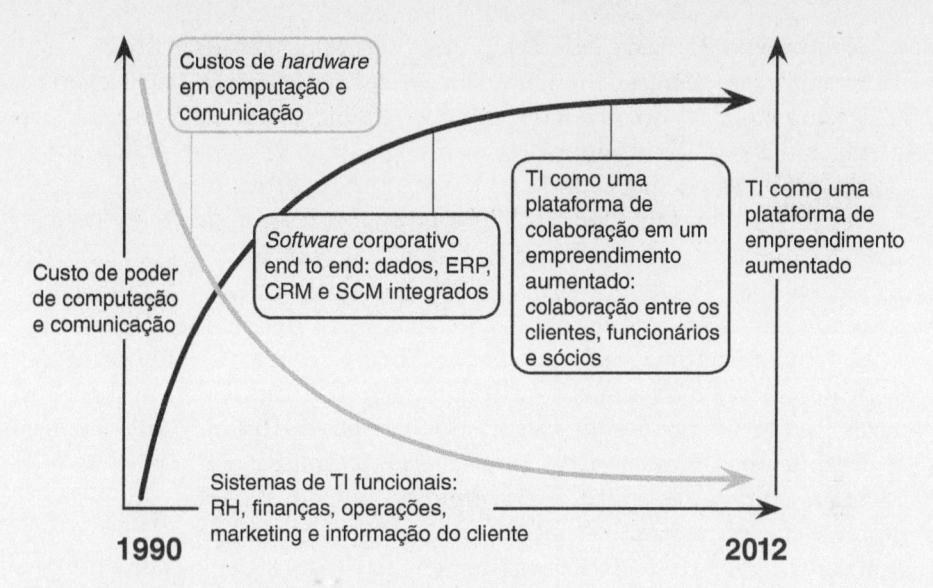

Figura 8.1 Redução nos custos de computação.

Elementos do gráfico:
- Eixo: 1990 → 2012
- Custo de poder de computação e comunicação
- Custos de *hardware* em computação e comunicação
- Sistemas de TI funcionais: RH, finanças, operações, marketing e informação do cliente
- *Software* corporativo end to end: dados, ERP, CRM e SCM integrados
- TI como uma plataforma de colaboração em um empreendimento aumentado: colaboração entre os clientes, funcionários e sócios
- TI como uma plataforma de empreendimento aumentado

cos. A correta implementação desses pacotes levou a ganhos de eficiência no processamento das transações, mas o sucesso não era garantido.

E pior, os dados contidos nesses sistemas raramente se transformavam em informação que pudesse ser usada para obter *insights* para a tomada de decisões. As interfaces do usuário tornaram difícil obter respostas para as perguntas, em parte porque os líderes empresariais funcionais não tinham um papel ativo no projeto da arquitetura de informações. Em vez disso, essa tarefa era delegada aos fornecedores de *software*, sócios do setor de tecnologia da informação, e equipes internas de TI, todos sem conhecimento do tipo de perguntas que seriam úteis fazer – e responder.

Em grande parte, os mesmos problemas continuaram no século 21. A tecnologia ainda não é uma zona de conforto para os gerentes funcionais. Como resultado os gerentes comerciais não entendem o fluxo de informação pelos processos de negócio que sustentam suas funções – e as equipes internas podem ser especialistas em TI, mas não estão conhecem o lado comercial da organização. Como C. K. Prahalad e M.S.Krishnan escreveram no livro *New Age of Innovation*, embora a articulação do processo de negócios e do fluxo de informação sejam os principais facilitadores de flexibilidade e inovação nas organizações, essa responsabilidade fica muitas vezes indefinida.[1]

A função do RH não é exceção. Todos os aspectos da função do RH – recrutamento, remuneração, treinamento, aprendizado do funcionário, gestão de desempenho, acesso ao conhecimento e até mesmo desenvolvimento de liderança – agora são ativados pela tecnologia da informação. A Figura 8.2 mostra a evolução do papel da TI no RH ao longo das duas últimas décadas.

O primeiro nível na Figura 8.2 é a automação das transações do RH por meio de sistemas de TI. Atualmente, quase todas as organizações estão neste nível ou acima. No segundo nível, o RH integra dados em várias atividades, incluindo outras funções comerciais. Por exemplo, o recrutamento pode não ser totalmente automatizado e integrado, mas a tecnologia da informação ainda desempenha um papel ao escolher as pessoas certas para as posições certas. Também é possível que algumas atividades de RH, como os sistemas de desempenho do funcionário, podem ser uma aplicação de silo e não seja integrada com outras aplicações. Entretanto, a maior parte das grandes organizações evoluiu para o segundo nível, onde as funções de RH estão englobadas no módulo de RH dos sistemas ERP. Esses sistemas aumentam a eficiência do RH através da integração de dados nas várias atividades de RH, minimizando a redundância e desarmonia dos dados. Esses sistemas também permitem que papéis específicos dos funcionários sejam mapeados para a estrutura da organização, dando transparência a determinados papéis e desempenhos. Porém, a maioria desses sistemas ainda é orientada para transações e fornecem análises de RH apenas no contexto dessas transações.

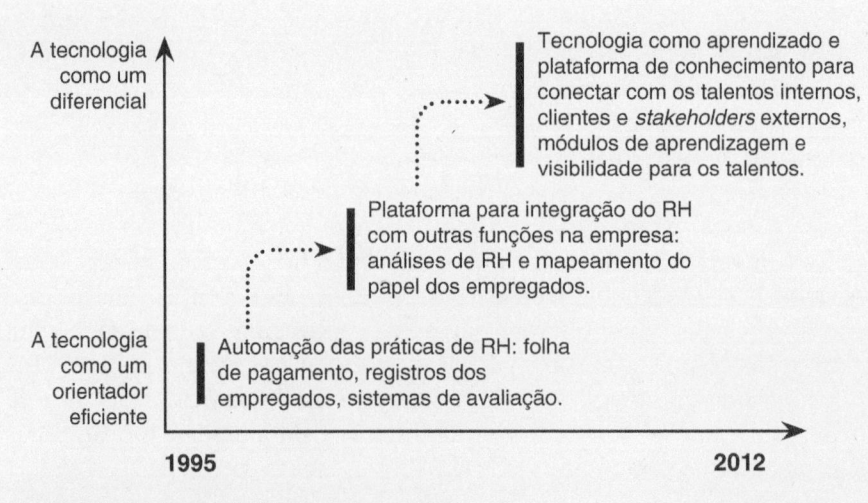

Figura 8.2 Evolução de Tecnologia em RH.

Embora a maioria das organizações ainda use a TI como impulsionador de eficiência, a tecnologia também pode ser um diferenciador na aplicação de ativos de talento e conhecimento, tanto dentro quanto fora da organização. Como representado na Figura 8.2, as empresas no terceiro nível utilizam a TI com uma plataforma de aprendizado e conhecimento para conectar com ativos de talentos internos e para colaborar com *stakeholders* externos, inclusive cliente e outros parceiros. Essas empresas utilizam suas plataformas de TI para proporcionar módulos de treinamento e aprendizado, e para controlar o uso desses módulos. Criam transparência para a *expertise* e o desempenho de seus funcionários e conectam esses funcionários com todas suas empresas no mundo via essas plataformas.

Os fatores do proponente de tecnologia

A Tabela 8.1 oferece o desdobramento estatístico dos fatores do domínio do proponente de tecnologia, inclusive a pontuação média de cada um e seu impacto relativo na eficiência individual e no sucesso do negócio. Como observado anteriormente no Capítulo 2, o componente tecnológico é o mais fraco dos seis domínios de competência quando se trata de qualidade de execução (3,74 de 5,00), mas tem quase o mesmo impacto de qualquer domínio no sucesso do negócio (18% do impacto total do RH). Assim, este domínio representa uma grande oportunidade para melhoria e valorização.

Fator 1: Melhorar a utilidade das operações de RH com a tecnologia

Apesar de ser lugar-comum dizer que os funcionários estão entre os ativos mais importantes de qualquer empresa, o uso da tecnologia no RH está muito aquém do uso da tecnologia em operações, finanças e *marketing*.

A automação de funções de RH como folha de pagamento, avaliação de desempenho e benefícios dos funcionários pode aumentar a eficiência. Mas isto é apenas o início. A capacidade de digitalização da informação do funcionário, papéis organizacionais e fluxo de trabalho nas funções abrem enormes oportunidades para que o RH melhore a gestão de informações e experiência do funcionário. Por exemplo, o RH da Cisco oferece *check-ups* médicos dentro da empresa para seus empregados e administra o boletim de saúde das equipes, incentivando medidas de cuidado com a saúde. Em algumas empresas, o sistema de RH abrange registros médicos anuais dos *check-ups* e oferece

Tabela 8.1 Proponente de tecnologia: fatores, média, eficiência individual e sucesso do negócio

Fator	Média (1-5)	Eficiência individual 100%	Impacto no negócio 100%
Melhorar utilidade das operações de RH	3,72	2,9	5,0
Alavancar ferramentas de mídia social	3,68	2,7	4,7
Conectar as pessoas por meio da tecnologia	3,77	4,6	6,3
R^2		12%	18%

incentivos para a manutenção de um índice de massa corporal dentro de níveis adequados. Esses programas podem motivar os funcionários a cuidar de sua saúde e dos custos a ela relacionados.

A American Express deu autonomia a suas equipes de atendimento ao cliente, por meio de plataforma tecnológica, para que esses troquem os turnos de trabalho entre si, sem ter que passar pela hierarquia de aprovação dos superiores. Isso permite que as pessoas melhorem o equilíbrio entre trabalho/vida pessoal. Por exemplo, se alguém quiser assistir a um jogo de futebol da escola do filho ou cuidar de uma criança doente, pode negociar a mudança de seu turno de trabalho com outro funcionário que estiver disposto a fazê-lo. O sistema registra digitalmente todas as trocas, acompanhando-as individualmente. Isso mantém a autonomia do empregado e não prejudica o atendimento ao cliente. Não é surpresa que esta plataforma tenha recebido o prêmio anual de inovação do CEO.[2]

A divisão BPS é um negócio de bilhões de dólares na indústria de saúde. Ela criou uma plataforma de informação integrada para conectar funcionários e as atividades do fluxo de trabalho em suas operações, as quais são compostas por redes globais de centros de tecnologia e associados dentro e fora do país, oferecendo a melhor opção para atender às necessidades e objetivos das organizações de saúde. Seu modelo de terceirização é projetado para estabilizar as forças de trabalho, fornecer um ponto único para responsabilidade e proporcionar mensuráveis economias de processo. A divisão BPS atende mais de 35 especialidades de saúde em diversos estados dos Estados Unidos. Além disso, presta consultoria e treinamento de melhoria de processos para ajudar as empresas e as organizações governamentais a melhorar o desempenho, aumentar a produtividade e atingir a conformidade com uma variedade de padrões e modelos internacionais, inclusive ISO 9001 e Seis Sigma.

A plataforma de TI de propriedade da BPS é projetada para conectar seus funcionários com as operações e os *stakeholders* externos, como os clientes e outros parceiros de conhecimento. Inclui comunicação de equipe, informação de talento, antigas classificações de desempenho e perfis completos de cada funcionário, e ela pode adaptar suas ofertas de treinamento e desenvolvimento às necessidades de cada funcionário. Por exemplo, se alguém designado para trabalhar com seguro-saúde faz *log in*, a plataforma fornece importantes módulos de treinamento para aquele papel e também as pontuações médias e melhores naqueles módulos – permitindo que a pessoa veja o que é preciso e como os outros aproveitaram a oportunidade. Os mesmos registros permitem que a gerência veja como estão funcionando os módulos de treinamento em nível de aceitação pessoal e em nível global.

A plataforma BPS automatiza e integra quase todos os aspectos das atividades relacionadas aos funcionários com as operações principais da empresa. Por exemplo, desde as primeiras entrevistas, no momento do recrutamento, os funcionários devem passar por testes eletrônicos específicos nesta plataforma de TI e seu desempenho é monitorado. Os funcionários não estão autorizados a começar os treinamentos antes de passar em testes gerados pelo computador com notas bem acima da média. Para certificar-se que os funcionários permanecem atualizados no domínio do conhecimento dos negócios e das tarefas que estão realizando, e também no conhecimento do processo operacional, eles devem realizar testes semanais e suas notas são registradas e divulgadas. Esta plataforma permite que o BPS administre a produtividade e o desempenho de seus associados utilizando dados atualizados e lógica baseada em habilidades.

O BPS também mantém um banco de dados de habilidades que captura o nível de cada funcionário em diferentes tarefas. Os clientes têm acesso a essas informações para que possam, por exemplo, analisar o conjunto de pessoas designadas para os processos comerciais, os níveis de habilidade dessas pessoas e seu desempenho nos últimos seis meses nas tarefas que lhes foram designadas. O sistema é semelhante a um processo de controle de qualidade da produção, mantendo ativos os níveis de qualidade de desempenho do funcionário na função. Tanto os funcionários quanto os clientes podem ver essas informações a qualquer tempo, o que é muito bom para manter a qualidade em primeiro plano.

O mesmo portal registra novas ideias geradas pelos empregados, e a avaliação mensal de desempenho de cada um é realizada em uma tela com classificação de desempenho. Do mesmo modo, supervisores e gerentes são avaliados com base no desempenho coletivo do grupo, mais uma vez mostrados ao vivo no sistema. Os detalhes de benefícios e remuneração de cada funcionário também estão disponíveis na mesma plataforma. Assim, as avaliações de desempenho não se baseiam em percepções, mas em dados reais. Os funcionários podem ver os diferentes quartís de seus níveis de desempenho na função e são informados da situação. Como resultado, os atritos na BPS estão bem abaixo da média no setor e muito menos problemáticos do que em outras empresas. Como um executivo da BPS diz, animadamente: "Também temos atritos, mas sabemos exatamente quem está nos deixando e assim está bem para nós". O processo de avaliação de desempenho é tão transparente que os funcionários com desempenho abaixo da expectativa saem por conta própria.

As operações de fluxo de trabalho da BPS também são transparentes para os clientes globais, os quais podem colaborar e monitorar as operações. A plataforma também inclui uma ferramenta de gestão de conhecimento e um processo de aquisição de conhecimento para obter aprendizados tácitos e explícitos sobre os clientes e os processos, permitindo um aprendizado rápido e imediato de qualquer mudança nos processos dos clientes ou nos regulamentos do setor de saúde. O desempenho total da qualidade no nível de processo e também no nível individual do funcionário fica claro tanto para o funcionário quanto para o cliente para quem o funcionário é designado. A empresa tem combatido o risco comum de terceirização dos clientes globais com esta plataforma de informação flexível e transparente.

Fator 2: Alavancando as ferramentas de mídia social

De acordo com o estudo Gartner em 2012, apenas 5% das organizações usam as mídias sociais como uma plataforma de colaboração com os clientes para melhorar seus processos.[3] Recentemente as mídias sociais e tecnologias de apoio, como *wikis* e *blogs*, surgiram como plataformas para que as companhias possam se envolver com os funcionários internos, clientes e parceiros. Praticamente todas as empresas têm uma página no Facebook e LinkedIn. Os departamentos de RH usam mensagens no Twitter para atrair potenciais talentos. As empresas usam vídeos e blogs nas plataformas de mídia social para comunicar sobre sua cultura de trabalho e apresentar novas oportunidades para o mundo exterior. Por exemplo, a Intel tem um vídeo no

YouTube e o Deutsche Bank desenvolveu um relatório chamado "Guia não oficial da atividade bancária" (*Unofficial Guide to Banking*) que simplifica o conteúdo para desmitificar a atividade bancária e atrair novos candidatos.[4] A GE apresenta seus novos projetos de inovação em mídia social para projetar sua cultura inovadora.

As mídias sociais também são hoje uma maneira de conectar funcionários e clientes. Além de simplesmente lidar com os problemas do cliente, essas plataformas estão se tornando um centro de conhecimento para colaboração entre funcionários e clientes a fim de resolver problemas e gerar novas ideias com o objetivo de melhorar produtos e serviços. Fundamentalmente, o tradicional *marketing* de boca a boca do cliente está agora sendo feito nas plataformas de mídias sociais. E as empresas não podem ignorar esta nova realidade. Por exemplo, alguns anos atrás, alguns *laptops* da Dell pegaram fogo inesperadamente. Este fenômeno foi mais intensamente monitorado nos *sites* de mídias sociais do que em qualquer outro meio, e a Dell usou a mesma plataforma para compreender a origem desses problemas e resolvê-los rapidamente.

O impacto das mídias sociais não está limitado aos compromissos externos. Vemos organizações criando plataformas semelhantes a mídias sociais dentro das organizações. Essas plataformas internas conectam os funcionários e evoluem como espaço de colaboração interno para novas idéias e detecção de talentos. Fóruns ativados por plataformas tecnológicas são agora comuns (por exemplo, UBS, IBM e Tata Consultancy Services). Essas plataformas criam novos canais de aprendizado pelo compartilhamento de melhores práticas em todas as unidades do negócio de grandes empresas. Algumas organizações, como a Pfizer, abriram documentos estratégicos e permitem discussões francas das políticas nessas plataformas internas para comunicar a cultura e transparência da empresa.

Apesar das redes sociais evoluírem rapidamente dentro e fora das empresas, elas também apresentam desafios. Os retornos do uso dessas plataformas são confusos. Por exemplo, os funcionários mergulhados nessas plataformas podem estar colaborando ou perdendo tempo. A legalidade em torno da regulamentação dessas plataformas também é ambígua. Algumas vezes não fica claro quem possui o conteúdo dessas plataformas. Por exemplo, há quem diga que sua página no Facebook contribuiu materialmente para o valor de mercado do Facebook! Em outro caso, uma grande empresa mundial implementou uma plataforma social dentro da organização para incentivar a comunicação aberta. Logo a linguagem usada nessas plataformas, principalmente em relação à diretoria, estava ultrapassando a linha de decoro mantida dentro da empresa. Os diretores não estavam prontos para isso. Eles fecharam a plataforma para repensar sua estratégia.

Acima de tudo, está claro que esta é uma tecnologia ainda em desenvolvimento. Por isso, não deve ser surpresa que seja um fator de pouco impacto nos nossos resultados.

Analise este de alavancagem de mídias sociais. No início dos anos 90, quando a IBM estava à beira da falência, o CEO Lou Gerstner comandou uma mudança estratégica, de venda de produtos eletrônicos para entrega de soluções tecnológicas empresariais sob medida para as necessidades dos clientes – e devolveu a saúde para a empresa. Desde então o foco dos negócios da IBM é conhecimento. A companhia diferencia-se no mercado por oferecer soluções personalizadas, únicas e inovadoras, capazes de capturar uma fatia maior da carteira do cliente. Desse modo, o conhecimento e a *expertise* dos funcionários da IBM são ativos importantes. No início de 1997, quando a maioria das organizações resistia à ideia de permitir que seus funcionários acessassem a Internet, a IBM encorajava os seus funcionários a fazer isso, tanto para acessar novas fontes de informação quanto para colaborar com os clientes e parceiros.

Mais recentemente, a IBM lançou-se no que chama de transformação social empresarial. Criou plataformas para ajudar seus funcionários a entender as mídias sociais e a usá-las em suas funções específicas. A IBM está implantando mídias sociais e redes semelhantes dentro da organização para tirar proveito da *expertise* das pessoas. Uma taxonomia de funções e *expertise* por toda a empresa, no contexto das necessidades do cliente, está disponível *online* para mais de 400 mil funcionários da IBM em todo o mundo.[5] E um sistema de plataforma social chamado *"The Greater IBM Connection"* ajuda os funcionários a identificar seus pontos fortes e a desenvolvê-los mais conectando-se com pessoas e parceiros, tanto dentro quanto fora da IBM – os funcionários da IBM e clientes potenciais ou outros parceiros semelhantes – e isso inclui um portal interno de busca para "encontrar um especialista" de tópicos específicos dentro da IBM. Por exemplo, se um especialista de envolvimento com o cliente no Arizona precisar de uma equipe de múltipla *expertise* – talvez um especialista em sistema de alimentação na Europa, dois especialistas em projetos de *software* na Califórnia, um integrador de sistemas e dois especialistas em testes de Bangalore a Mumbai, respectivamente – o grupo pode ser montado rapidamente, colaborando em diferentes fusos horários globais quase tão facilmente como no mesmo local.[6]

Semelhante às populares plataformas de redes de relacionamento sociais, a *IBM Connections* permite que os funcionários compartilhem atualizações de *status*, colaborem com ideias e compartilhem informações. Além disso, os funcionários da IBM administram mais de 17 mil blogs individuais, sobre vários tópicos. Coletivamente, essas plataformas se tornam uma incrível fonte de conhecimento para a IBM. A IBM também usa a mídia social para funções rotineiras de RH como recrutamento, educação do funcionário, treinamento em vendas e desenvolvimento de liderança. Por exemplo, no desenvolvimento de liderança a IBM criou uma rede social especial para novas contratações para que possam estar em contato uns com os outros não importando em que lugar do mundo esteja. Dessa maneira eles podem reunir sua inteligência coletiva em aprender sobre a organização e ficar familiarizado.

A IBM conseguiu criar uma plataforma interna social única para construir o conhecimento coletivo de centenas de milhares de funcionários em todo o mundo para projetar e fornecer soluções únicas para seus clientes. Este valor pode ser visto facilmente: nos últimos 10 anos as vendas e lucros da IBM cresceram significativamente, e o retorno para os acionistas foi quatro vezes maior do que o da S&P e quase o dobro da Nasdaq.

Fator 3: Conectando as pessoas por meio da tecnologia

O fator "conectando as pessoas por meio da tecnologia" do domínio do proponente de tecnologia é uma descoberta dramática e contraintuitivo. A justificativa para esta conclusão é relativamente simples. Todos os fatores proponentes de tecnologia têm as menores pontuações de eficiência pessoal de qualquer um dos domínios por boas margens (Ver Tabela 2.9 e Figura 2.7). Embora o fator conectando pessoas pela tencologia tenha a mais alta pontuação entre os três fatores proponentes de tecnologia, as diferenças são pequenas (ver Tabela 8.1). O problema maior ocorre quando se considera o impacto no sucesso do negócio. Conectar as pessoas por meio da tecnologia tem um impacto maior do que qualquer fator de qualquer domínio. Ao mesmo tempo é onde os profissionais de RH têm as piores pontuações e onde eles podem ter o maior impacto. Essencialmente esta é a definição da vantagem competitiva potencial. Algo que raramente é bem feito, mas que aumenta o sucesso do negócio quando bem feito, é onde devemos concentrar nossas energias.

Os itens do levantamento sobre este fator indicam uma detalhada estratégia de comunicação que pode ser expressa no *framework* mostrado na Figura 8.3.

Considerados em conjunto, os elementos da Figura 8.3 constituem a arquitetura estratégica da informação. E observamos que os profissionais de RH das empresas de alto desempenho estão se envolvendo mais nessas atividades.

```
Identidade ──┤ Identificar informações de mercado
    ⋮
    ⋯▶ Importar ──┤ Importar para a empresa informações de mercado
            ⋮
            ⋯▶ Priorizar ──┤ Reduzir informações de baixo valor
                    ⋮
                    ⋯▶ Difundir ──┤ Difundir informações por toda a empresa
                            ⋮
                            ⋯▶ Alavancar ──┤ Alavancar informações na tomada de decisões e de ações
                                    ⋮
                                    ⋯▶ Marca ──┤ Criar uma marca externa
```

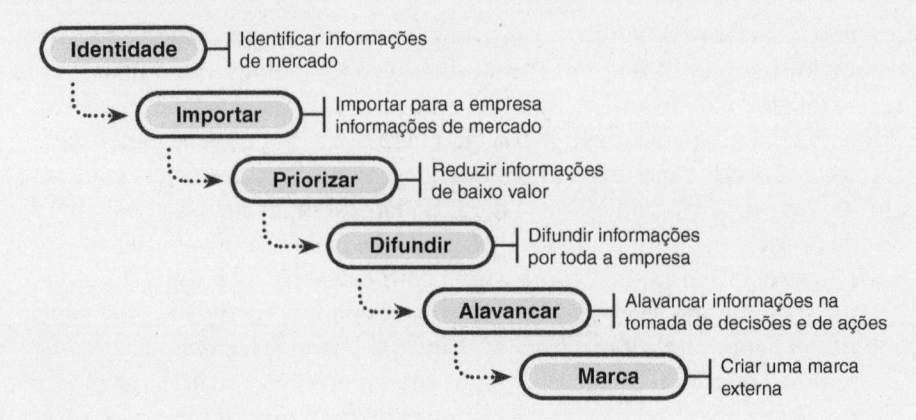

Figura 8.3 *Framework* da *estratégia de comunicação*.

Alguns podem questionar se esse foco afasta muito o RH de suas atividades principais e, superficialmente, a resposta parece ser 'sim'. Mas pensando melhor, faz sentido os profissionais de RH envolverem-se nessas atividades. Se começarmos com a premissa de que o RH deveria ser o arquiteto do lado humano e organizacional do negócio, certamente a informação que as empresas passam ao seu pessoal tem grande impacto no pensamento e comportamento das pessoas, na maneira como, em conjunto, elas veem seu mundo, sua capacidade de coordenar ações sobre silos desconectados e o desenvolvimento das principais capacidades organizacionais: a cultura da organização.

Nos últimos meses visitamos dezenas de empresas junto com nossos gerentes e descobrimos uma tendência interessante. Em geral, cada uma dessas empresas tem um diretor financeiro, um diretor de RH, um diretor de operações e um diretor de tecnologia. Algumas delas têm um diretor de informação – mas quando mergulhamos abaixo da superfície, descobrimos que quase sempre o título pertence ao *diretor de tecnologia da informação* – aquele que cuida do sistema de computação, isto é, se preocupa com o *pipeline*, mas não com que vai através do *pipeline*. Não encontramos uma única empresa onde alguém fosse responsável por pensar no detalhado fluxo de informação da empresa desde o início até o fim. Mesmo assim, a lógica dos processos comerciais de uma empresa *é* a arquitetura do fluxo de informação. No meio da era da informação ninguém parece estar assumindo responsabilidade por essa importante medida do sucesso organizacional. Como mencionado antes, isso é coerente com o trabalho de C.K. Prahalad e M.S. Krishnan.[7] Não estamos sugerindo que o RH seja o arquiteto do fluxo de informação, mas sugerimos que os profissionais de RH, aqueles que participam ativamente do assunto, possam melhorar substancialmente seu impacto no sucesso do negócio.

Identificar as principais informações de mercado

Pode parecer evidente, mas é surpreendentemente difícil perceber o que você não sabe e isso tanto é verdade para as organizações quanto para as pessoas. Por exemplo, quando uma grande empresa de serviços de petróleo perdeu uma grande fatia do mercado, a razão não era óbvia.[8] O novo presidente, Buddy Parker, reconheceu que algo deveria ser feito rapidamente. Visitou cada departamento, inclusive o RH, e perguntou: "O que você acha que devemos fazer para solucionar este problema?" Na maioria das empresas, o diretor de RH responderia: "Podemos ajudar a reduzir o quadro de pessoal para acompanhar a perda de receitas". Aqui, a resposta era um enfático: "Antes de saber o que precisamos fazer no RH, precisamos entender onde erramos com nossos clientes. Precisamos fazer um grande esforço para escutar nossos clientes". Juntamente com o departamento de *marketing*, o departamento de RH ajudou a orquestrar um enorme esforço no qual um grande número de funcionários de todas as funções e níveis entrevistaram clientes em todo o mundo. Baseados nas informações coletadas aconteceram grandes realinhamentos nos tipos de pessoas que eram contratadas e promovidas, o que era avaliado e recompensado, e o que era usado como o foco do treinamento e desenvolvimento. Dentro de um ano, o desmoronamento foi interrompido, e no final do segundo ano a empresa tinha experimentado um considerável aumento na fatia de mercado.

Importar informações de mercado importantes para a empresa

Em poucas, mas importantes, empresas, os departamentos de RH estão ajudando a levar informações de mercado para dentro da empresa. Por exemplo, a Disney usou seus funcionários em esforços de pesquisa de mercado, descobrindo que quando os funcionários telefonemas para fazer a pesquisa, recebem respostas mais qualificadas. Quando os clientes percebem que estão falando com um funcionário de linha de frente, como um recepcionista do *Grand Floridian*, eles fornecem informações mais convincentes do que se estivessem falando com uma empresa de pesquisa de mercado. Quando os clientes compartilham suas experiências com os funcionários da Disney, a conversa tem um impacto direto no funcionário envolvido, nos colegas dos funcionários, nos clientes atuais, e nos clientes futuros. É uma grande situação ganha-ganha.

A *Hindustan Unilever Limited (HUL)*, uma das empresas mais conceituadas da Índia, tem outro bom exemplo. Há décadas ela está no topo da lista das melhores empresas para trabalhar. Como tal, a HUL frequentemente pode contratar alguns dos melhores alunos das melhores universidades do país. Isso significa que os *trainees* de administração da HUL geralmente vêm de famílias de alta renda. O problema é que a HUL acredita em "riqueza na base da pirâmide". Ela procura fazer um *marketing* que atinja as pessoas na parte inferior da escada socioeconômica, por isso tem uma potencial desconexão entre seus futuros líderes e os clientes que irão atender. Como a HUL vence essa lacuna? Ela manda os novos *trainees* viver com famílias pobres em aldeias remotas por até seis meses. Enquanto eles vivem com essas famílias, os *trainees* conhecem seus clientes. A experiência do cliente não entra apenas em suas cabeças, mas em seus corações.

Outras práticas pelas quais a informação do cliente pode ser trazida para a empresa são (com exemplos de clientes que as usaram efetivamente):

- Pesquisa de mercado tradicional (P&G)
- Co-criação de novos produtos e serviços (Mahindra e Mahindra)
- Visitas dos funcionários às instalações dos clientes (Ford)
- Visitas dos clientes à empresa em ocasiões festivas (Medtronic)
- Vídeos ou fitas de áudio de experiências do cliente (GE)
- Rotação dos funcionários por meio de experiências pessoais (Rubber-Maid)
- Presença dos clientes em importantes reuniões da liderança (Timken Company)

Eliminar informações de baixo valor agregado

No HRCS de 2012 descobrimos que a identificação, importação, o compartilhamento e a utilização de informações do cliente estavam estatisticamente relacionadas com o trabalho de baixo valor agregado. Quando trabalhamos com executivos, gostamos de dizer: "Quantos de vocês voltam para casa no fim do dia cheios de ânimo e entusiasmo por terem agregado valor?" Quase todos levantam as mãos. Então, perguntamos: "Quantos de vocês tiveram um dia de trabalho maçante, cheio de trabalho aborrecido que acrescentou pouco ou nada a qualquer coisa?" Mais uma vez, a maioria levanta as mãos. E nós perguntamos: "O que aconteceu naquele dia maçante?" As respostas quase sempre se concentram em reuniões irrelevantes, relatórios, aprovações, processos redundantes e burocracia. Observe que todas essas são formas diferentes de processamento de informações internas.

As empresas têm limitados espaços para meditação e elas precisam prestar muita atenção ao determinar como usar esse escasso recurso. Elas se concentram na informação burocrática interna ou na informação importante do cliente? Nossa pesquisa indica que não se pode concentrar nas duas. Você precisa decidir onde está o equilíbrio e se você quiser aumentar o fluxo da informação do cliente, deverá reduzir o fluxo de informação interna. O problema é que ao longo da história do setor, os profissionais de RH têm sido muito mais hábeis com a geração e uso da informação interna do que com a informação externa.

Muitas empresas, consciente ou intuitivamente, reconheceram esta dinâmica e trabalharam para reequilibrar seus fluxos de informação na direção de uma crescente informação de mercado. Vimos esse pressuposto no Work Out, da GE; Go Fast, da GM e Clean Out, da Unilever. Ao mesmo tempo em que os processos para execução desses programas podem ser bastante complexos, as agendas são razoavelmente objetivas.

* Quais são nossas atividades de baixo valor agregado que inibem a produtividade?
* O que fazemos para diminuir o tempo e o esforço que despendemos nessas atividades?

Divulgar informações

A informação pode fluir dentro de uma organização de quatro maneiras: de cima para baixo, de baixo para cima, nos departamentos e entre os departamentos. Ao longo dos últimos dois anos perguntamos a mais de cem grupos executivos de empresas e universidades qual destes é o menos importante e qual teria maior impacto no sucesso do negócio se fosse aperfeiçoado. A resposta praticamente unânime é o compartilhamento de informação entre os departamentos. Os fluxos de informação horizontal tendem a ser bloqueados de ambos os lados. Como nosso colega Steve Kerr afirmou: "Exceto pelo fato de que aqueles que têm a informação não querem repassá-la e aqueles que precisam dela não querem recebê-la, o compartilhamento de informações não é problema".

Tal compartilhamento pode ser uma fonte importante de vantagem competitiva. Na indústria farmacêutica, por exemplo, a P&D básica é cara e muito problemática. Uma forte tendência dessa indústria é procurar moléculas que já existem em uma parte da empresa e combiná-las com moléculas que existem em outras partes, criando novas moléculas sem construí-las do zero. Dizem que esta é uma das razões da Pfizer ter comprado a Wyeth, com sua reputação e histórico de criar valor a partir do compartilhamento de informação sinérgica.

Apesar desta dificuldade, o compartilhamento de informação em todas as direções permanece uma determinação importante. A Tabela 8.2 indica o fluxo de informação nas quatro direções e como cada uma delas pode ser facilitada.

Tabela 8.2 Práticas que facilitam a comunicação

Direção	Práticas
Entre departamentos	• Receitas de medidas e recompensas que resultam de colaboração entre unidades • Reuniões para compartilhamento de melhores práticas • Rotação de pessoal entre unidades • Reuniões de coordenação • Estrutura matriz • Grupos de funcionários com interesses especiais • Funções linchpins • *E-mail* tradicional • Palestras de convidados externos • Reuniões de integração entre departamentos • Reuniões de treinamento entre departamentos • Jive, Socialize Me e outros *software* de comunicação interna, *feedback* de 360° de outros departamentos
Nos departamentos	• Posicionamento físico das pessoas próximo daqueles com quem trabalham • *Briefings* eficientes diários do departamento (de 15 minutos) antes do início do trabalho • Salas de reunião • *Feedback* de 360°
De cima para baixo	• *Podcasts*, *websites*, vídeo conferências e teleconferências com resultados trimestrais • Palestras de executivos • Declaração de políticas • Gerenciamento pela observação • Reuniões internas da diretoria
De baixo para cima	• Reuniões *town hall* • Almoços dos executivos com funcionários • Pesquisa dos funcionários • Grupos de foco dos funcionários • Papéis dos parceiros do negócio

Alavancar informações na tomada de decisões e de ações

No ambiente de hoje, rico em informações, é necessário uma boa interpretação para agregar subsídios importantes para a tomada de decisões. Como muitas empresas em cada setor têm acesso aos mesmos dados, praticamente ao mesmo tempo, reunir fatos e observações que de outra forma seriam independentes, de maneira a fornecer uma visão única, é cada vez mais uma fonte de vantagem competitiva.

Isto é uma realidade no setor de cosméticos. Alguns anos atrás, um importante fabricante começou a identificar uma combinação de fatores: jovens mulheres passaram a frequentar faculdades que tradicionalmente eram dominadas por homens, as equipes esportivas profissionais femininas começaram a surgir e as mulheres estavam entrando com mais agressividade na arena política nacional. Ao mesmo tempo, os homens jovens podiam mostrar seu lado mais sentimental como pais que ficavam em casa e se isso se tornou mais aceitável nos Estados Unidos e na Europa; o seriado *Friends* foi o sucesso da década. De posse dessas informações, a empresa concluiu que as barreiras tradicionais de gêneros estavam caindo e que o mundo estava pronto para mais fragrâncias unissex. A partir dessa visão nasceu uma completa geração de fragrâncias, e as novas ofertas continuam no topo das vendas de perfumes nos aeroportos ao redor do mundo.

Uma vez agregada a informação, ela precisa ser aceita para ser utilizada. Em nosso mundo de muitas mudanças, a dificuldade em aceitar essa informação de quebra de paradigmas pode ser um grande obstáculo para a tomada de decisões precisa e oportuna. Infelizmente, tanto as pessoas quanto as empresas tendem a escutar o que querem em vez de escutar o que realmente está sendo dito. Todos nós conhecemos as histórias da *Enron, Lehman Brothers, Polaroid, Kodak e Bethlehem Steel*. Cada uma dessas empresas passou por muitos problemas, mas o problema comum era que elas viam o que queriam ver até que foi tarde demais para que vissem o que realmente estava acontecendo.

Não somos vítimas do mundo que vemos; somos vítimas da maneira como vemos o mundo.

—William James

Romper o principal paradigma de uma empresa geralmente exige muita reflexão e discussão.[9] Exige que nos fóruns de tomada de decisão sejam permitidas muitas vozes que tradicionalmente seriam bloqueadas a fim de evitar discussões desagradáveis e impopulares. Exige que se enfrentem males de curto prazo para salvar um futuro de longo prazo. Exige a aceitação e a compreensão de um mundo novo, desconhecido e potencialmente ameaçador. Exige a aceitação da dura realidade de que não somos vítimas do mundo que vemos; somos vítimas da maneira como vemos o mundo. Em um sentido muito real, o fluxo de informação dentro de uma organização é o que determina a capacidade da organização ver a realidade e adaptar-se enquanto há tempo.

Tendo em mãos informações únicas, oportunas e baseadas na realidade, as respostas afirmativas para as seguintes perguntas permitirão uma utilização eficiente da informação na tomada de decisões:

- As pessoas certas estão presentes na sala? Isto é, reunimos aquelas pessoas que têm a informação, as que têm ideias sobre a informação, as que têm autoridade para agir, e as que eventualmente precisarão agir?
- As decisões a serem tomadas estão devidamente enquadradas em suas implicações para a ação?
- Os prazos de ação baseados na realidade são normalmente aceitos?
- A responsabilidade para as decisões e ações finais está claramente definida?
- Há transparência sobre a missão ou visão do que estamos tentando, em conjunto, realizar?

Criação de marca externa

Depois que as mensagens são traduzidas em decisões e ações internas elas podem ser comunicadas para o exterior na forma de identidade da marca. O primeiro desafio do *branding* é criar uma substância da marca dentro da empresa; é um desastre começar a comunicar para o exterior uma promessa de marca cedo demais. Os mercados não costumam perdoar quando a realidade da marca não está de acordo com a promessa da marca. Assim, a marca Intel promete uma tecnologia rápida e de ponta, e a empresa concentra toda a agenda de capacidade organizacional em entregar a promessa da marca. E ela precisa fazer isso. Em 1990, quando um defeito mínimo apareceu no chip Pentium que, na época, era o principal produto da empresa, as críticas generalizadas levaram à promessa de substituir o processador perfeito – e um custo, antes do imposto, de $475 milhões nos lucros.

O segundo desafio é o de comunicar a marca da imagem. Por muitos anos, um dos slogans de marca mais famosos do mundo foi o da GE: "Trazemos coisas boas para a vida". Esta é uma declaração de que a GE luta ininterruptamente para alcançar, por meio da criação, a entrega de produtos e serviços focados no cliente. Para que a marca esteja sempre viva as empresas precisam contratar as pessoas certas, dar-lhes o treinamento correto, proporcionar os sistemas de medida e recompensa corretos, comunicar as mensagens internas certas e desenvolver os tipos certos de líderes".[10]

Conclusão: Profissionais de RH como proponentes de tecnologia

Os três fatores do domínio do proponente de tecnologia proporcionam poderosas agendas por meio das quais o RH pode criar uma vantagem competitiva comprovável e alto desempenho. Este será um item de agenda importante da nova geração para os profissionais de RH que querem agregar maior valor aos seus negócios.

Capítulo 9

Desenvolvendo-se como um profissional de RH

As competências definidas pelo HRCS 2012 convidam os profissionais e departamentos de RH a ir além do desempenho que marcou o sucesso do RH nos anos anteriores. Como descrevemos antes, o RH passou por quatro ondas. Essa evolução conduziu o RH de uma base histórica na administração ao desenvolvimento de *expertise* funcional em áreas como remuneração, gestão de desempenho e desenvolvimento de liderança. Na terceira onda vemos uma mudança da *expertise* funcional para o papel de parceiro estratégico do negócio.

O que chamamos de "quarta onda" ou RH de fora para dentro, enfatiza a crescente responsabilidade do RH de observador e intérprete bem informado das tendências e condições externas que podem impactar o sucesso do negócio. Seu foco parte das fases anteriores, indo além da estratégia para alinhar seu trabalho com o contexto dos negócios e com os *stakeholder*s. Agora, os profissionais de RH constroem credibilidade com base na excelência técnica e estratégica ao olhar para fora de suas organizações. Eles precisam aprender como o RH pode ajudar a melhorar a participação do cliente, a confiança do investidor, a reputação na comunidade e o desempenho financeiro em sua empresa.

As novas competências do RH desafiam os profissionais de RH a contribuir mais e de forma diferente. O RH deve continuar a proporcionar impecáveis serviços de transação e administrativos na maioria das organizações, seja diretamente ou prestando atenção à qualidade do serviço terceirizado, e suas práticas devem tanto adaptar-se quanto levar à capacitação organizacional.

A nova onda é uma mudança em contexto e competência. Os profissionais de RH precisam ter a habilidade de interpretar os acontecimentos e tendências ambientais, recriar uma agenda estratégica que informe as implicações de capital humano das estratégias e prioridades do negócio, e desempenhar um papel importante para garantir a liderança, cultura e o talento necessários para o sucesso futuro.

A aposta no desenvolvimento do líder e profissional do RH nunca foi tão alta, como muitas empresas estão vendo. Uma crise de liderança quase destruiu a Olympus japonesa em 2011. Como o grupo de análise investigativo escreveu: "a parte central da administração estava podre e isso contaminou outras partes a seu redor". Na mesma época, uma fuga de talentos ameaçou o desempenho da empresa de jogos *online* Zynga, cujo valor de mercado caiu drasticamente em relação a um IPO recente.[2] E uma década atrás, uma cultura de "desempenho a qualquer custo" derrubou a gigante de energia Enron. No início de 2004 Craig Donaldson entrevistou Steven Cooper (diretor de RH da Enron após a falência da empresa) e escreveu:

Cooper diz que a cultura da Enron desempenhou um papel em sua queda pela abordagem de negócios "inacreditavelmente agressiva" – especialmente em suas operações comerciais. "A alta administração foi inflexível na sustentação de um desempenho bom demais para ser verdade, e havia uma enorme falta de foco, clareza e responsabilidade. Eles diziam que tudo não passava de um grande engano e convenceram-se de que não poderiam perder dinheiro".[3]

O desenvolvimento profissional tem dois aspectos: O primeiro é o que os profissionais de RH podem e devem fazer para desenvolver suas habilidades como parceiros de negócio. Mas as pessoas que trabalham por conta própria só vão até certo ponto. Precisam de líderes para incentivar seus esforços e reforçar a crescente competência, criando um forte ambiente de desenvolvimento.

Desenvolvimento individual

Se você quer ir a algum lugar, é bom planejar seu destino e os passos que precisa dar para chegar lá. Baseado no objetivo de desenvolver competências nos seis domínios que identificamos, estes são os passos que devem ser dados em um planejamento eficaz:

1. Seja dono da sua carreira.
2. Aprenda sobre si mesmos: o que o estimula? O que o atrapalha?
3. Defina sua marca. Como você quer ser conhecido na organização?
4. Avalie seus pontos fortes e fracos.

5. Crie oportunidades de crescimento – de fora para dentro.
6. Realize projetos e experiências.
7. Faça um acompanhamento para criar e reforçar o conhecimento.

Passo 1: Seja dono da sua carreira

Indivíduos eficientes são donos das próprias carreiras. Tom Peters matou a charada alguns anos atrás com o artigo *"The Brand Called You"*[4] E, como observou, as pessoas de alto desempenho fazem o truque da mente de Jedi de imaginar a si mesmos como empreendedores que "alugam" uma oportunidade, em vez de se verem como empregados.

Ser dono da uma carreira exige ativismo – ativismo confiável. Como descrito no Capítulo 4, este domínio é a combinação de credibilidade e ativismo: criar confiança por meio de resultados, estabelecer relacionamentos de influência, crescer através do autoconhecimento e contribuir para a profissão de RH são atitudes fundamentais da eficiência pessoal percebida. Use todas as fontes de informação e apoio que você tem disponíveis – seu gerente, os mentores que você pode recrutar dentro e fora de sua organização, e seus colegas.

Não espere orientação. Procure-a. Vá em frente.

Passo 2: Conheça a si mesmo

Um importante fator de competência no domínio do ativista confiável é, obviamente, a melhoria pelo autoconhecimento. Conhecer-se – e ver-se como os outros vêem você – é um passo importante. E um ponto de partida útil é aplicar as fontes de riqueza individual do *Por que trabalhamos*.[5] As sete perguntas apresentadas ali irão ajudá-lo a concentrar-se:

1. *Identidade*: *Como sou conhecido*? Como você se apresenta e quem você é? Como você mostra seus pontos fortes e como utiliza seus esforços em nome da organização?
2. *Propósito e direção*: *Onde estou indo*? O que o anima e agrada? Quais são suas metas de crescimento e desenvolvimento?
3. *Relacionamentos e equipes de trabalho*: *Quem viaja comigo*? Que relacionamentos você precisa identificar, criar e manter para manter o crescimento e a contribuição?
4. *Ambiente de trabalho positivo*: Como você cria um ambiente de trabalho que ajude com o melhor que você e os outros trazem para a organização?

5. *Comprometimento e desafio: Que desafios mais me interessam e motivam? Que oportunidades são mais envolventes e emocionalmente vibrantes para você?*
6. *Resiliência e aprendizado: Como aprendo com as derrotas? Quanto você procura aprender com a experiência?*
7. *Civilidade e alegria: O que lhe agrada e como você está contribuindo para um local de trabalho respeitoso e convidativo?*

Estas perguntas são o ponto de partida para o desenvolvimento. Ao respondê-las, você vai começar a ter um ponto de vista sobre seu foco de crescimento e desafio. A Tabela 9.1 fornece uma versão de onde esse autoquestionamento pode levar.

O primeiro corte lhe dará boas ideias iniciais sobre as mudanças que você quer fazer na maneira como é visto por seus colegas de RH e parceiros de negócio. O passo seguinte é identificar as melhores áreas para procurar oportunidades concretas de crescimento que trarão valor e desenvolvimento.

Passo 3: Defina sua marca

A análise das sete perguntas-chave fornece uma base sólida para a definição de sua marca pessoal. Como você quer ser conhecido na organização? Conscientemente construída ou não, como todo empregado você já tem uma marca de algum tipo: a maneira como você é visto por aqueles com quem você trabalha. Esses são os fatores que criaram sua marca:

- Com o que você deseja trabalhar
- As pessoas e grupos que você escolhe para trabalhar
- O que você sabe e gosta de fazer
- Como você reage a situações difíceis
- Como você lida com desafios
- Como os outros conhecem você

Como você cria uma marca? O Exercício 9.1 lhe dará um bom começo.

Exercício 9.1: Avaliação da sua marca pessoal

Utilizando a lista a seguir, identifique de três a cinco palavras que você considere que representem a marca pessoal, uma espécie de assinatura que o caracteriza hoje ou que você deseja que venha a caracterizá-lo. Depois, identifique como elas serão incorporadas em seu trabalho para começar a criar a marca.

Adjetivos da sua marca pessoal

Aceitação	Curioso	Meticuloso
Acessível	Decidido	Objetivo
Adaptável	Decisivo	Organizado
Afetuoso	Dedicado	Orientação para ação
Ágil	Descuidado	Orientado a resultados
Agradável	Determinado	Orientado para o serviço
Agradável	Diplomático	Orientado para qualidade
Altruísta	Disciplinado	Orientado por valores
Amigável	Divertido	Otimista
Analítico	Divertido	Ouvinte
Animado	Educado	Pacato
Apaixonado	Educado	Paciente
Assertivo	Eficiente	Perseverante
Atencioso	Enérgico	Perspicaz
Atento	Entusiasta	Pessoal
Autoconfiante	Equilibrado	Positivo
Bem informado	Esperançoso	Pragmático
Benevolente	Experiente	Preocupado
Brilhante	Extrovertido	Preparado
Calmo	Feliz	Prestativo
Carismático	Flexível	Previdente
Colaborativo	Focado	Proativo
Competente	Gentil	Produtivo
Compreensivo	Honesto	Que confia
Comprometido	Humilde	Rápido
Comunicativo	Incansável	Realista
Confiante	Independente	Religioso
Confiável	Inflexível	Respeitoso
Confrontador	Inovador	Responsabilidade
Conscencioso	Inspirado	Responsável
Consistente	Integrador	Satisfeito
Corajoso	Inteligente	Sensível
Criativo	Inteligente	Sincero
Criativo	Íntimo	Solidário
Crível	Leal	Tolerante
Cuidadoso	Lógico	Tranquilo

Tabela 9.1 Focando no autodesenvolvimento

Pergunta	Situação atual	Oportunidade de melhoria	Plano de jogo
Identidade	Sou visto como um especialista técnico com boas habilidades em RH, mas isso não é tudo que quero.	Criar reputação de conhecedor do negócio.	Tempo e atenção disciplinados no negócio: 30 minutos por dia.
Propósito e direção	Estou começando a ter maior impacto no negócio.	Identificar principais prioridades para aumentar minha contribuição.	Falar com os generalistas de RH sobre como minha área funcional pode agregar mais valor.
Relacionamentos e trabalho em equipe	Tenho uma grande *network* de RH., mas preciso de mais relacionamentos com gestores de outras áreas e um mentor.	Criar minha *network* dentro e fora da organização.	Obter ajuda dos generalistas na formação de minha *network*.
Ambiente de trabalho positivo	Na verdade não prestei atenção a este aspecto.	Identificar os fatores que me ajudam a trabalhar melhor.	Não é uma prioridade neste momento; vou procurar fazer no próximo trimestre.
Envolvimento e desafio	Preciso desenvolver uma perspectiva global.	Trabalhar em outro país ou em um projeto que tenha impacto internacional.	Trabalhar as oportunidades com meu chefe.
Resiliência e aprendizado	Tenho a tendência de ficar na defensiva em vez de aprender com os erros.	Buscar *feedback* mais ativa e frequentemente.	Ter encontros trimestrais com meu chefe e generalistas de RH.
Civilidade e alegria	Tenho habilidade para trabalhar em equipe.	Utilizar minhas habilidades como criador de equipe para ajudar a comunidade do RH.	Ficar atento sobre oportunidades para criar e desenvolver minhas aptidões de formador de equipe.

Exemplo: Suponha que você pretenda alcançar a marca de uma pessoa responsável, colaboradora, proativa e entusiasmada. Que ações se seguem? Aqui estão algumas sugestões de como começar a demonstrar esses aspectos de sua:

- Responsável
  - Assuma a responsabilidade pelos resultados
  - Cumpra os compromissos e mantenha as promessas para que as pessoas o vejam dessa maneira.
  - Faça observações sinceras baseadas no conhecimento e não na opinião; esteja disposta a assumir riscos pessoais (razoáveis).
- Colaborativo
  - Trabalhe bem com os outros.
  - Receba convites para trabalhar em equipes de projetos importantes.
  - Certifique-se que você pode ser descrito consistentemente como um membro da equipe.
- Proativo
  - Demonstre iniciativa.
  - Faça o trabalho de casa para identificar as prioridades mais importantes, e evite procurar detalhes que lhe interessam quando eles não apoiam essas prioridades.
  - Seja voluntário para fazer trabalhos adicionais que beneficiem o negócio ou a função.
- Entusiasmado
  - Fale e aja de modo a refletir uma perspectiva otimista.
  - Pense o melhor dos colegas, sem ser ingênuo.
  - Encontre formas de reunir a equipe para levar o desempenho a um nível superior.

Passo 4: Avalie seus pontos forte e fracos

Depois de identificar o que o entusiasma e sua marca profissional, o HRCS fornece um framework para identificar os pontos fortes e fracos sob a perspectiva das competências. Você está convidado a responder a três perguntas:

1. Que mix de competências minha função atual exige?
2. Que mix será cada vez mais importante quando eu me desenvolver e avançar na organização?
3. Onde estou? Quais são minhas prioridades para melhoria e desenvolvimento?

A Tabela 9.2 fornece uma estrutura para que as pessoas avaliem as exigências de seu atual trabalho, oportunidades futuras e necessidades de melhoria. Os níveis indicados nas células ("moderado" e assim por diante) são exemplos do que uma determinada pessoa pode propor – não são recomendações para os profissionais de RH em geral.

Veja o exemplo de uma generalista de RH em uma empresa farmacêutica de médio porte na Índia. Baseada em uma orientação supervisionada e *feedback*, ela identificou seus pontos fortes e pensou nas áreas onde seria importante melhorar. O f*eedback* de 360º que ela recebeu reforça suas habilidades como ativista confiável e um nível moderado de competência como posicionadora estratégica e campeã de mudança, as duas áreas que ela precisa fortalecer para avanços futuros.

Claro que não há uma resposta geral. Mas nós incentivamos cada profissional a desenvolver uma tabela semelhante mostrando os pontos fortes atuais, necessidades e prioridades de melhorias. Observe que as prioridades não podem se concentrar apenas em melhorar áreas fracas. Também pode ser uma oportunidade de criar pontos fortes – principalmente energias que fortaleçam os colegas e parceiros de negócio.

Tabela 9.2 Definição de Prioridades

Domínio de competência	Exigência da função atual	Exigências futuras	Prioridade para melhoria
Posicionador estratégico	Moderado	Moderado	Moderado
Ativista confiável	Alto	Alto	Alto
Criador de capacitações	Moderado	Moderado	Moderado
Campeão de mudança	Moderado	Alto	Alto
Inovador e integrador de RH	Moderado	Alto	Moderado
Proponente de tecnologia	Baixo	Moderado	Baixo

Passo 5: Criar oportunidades de crescimento – de fora para dentro

As oportunidades de aumentar seu impacto e melhorar seu desenvolvimento são mais bem identificadas em uma base de fora para dentro. Aqui estão alguns exemplos do que outras empresas fizeram:

- Os profissionais de RH da GE identificaram a oportunidade de criar a empresa *GE Capital*, fornecendo suporte aos clientes em áreas de excelência do RH como desenvolvimento de liderança, comprometimento e Seis Sigma. Os convites para que os clientes enviassem pessoas para o centro de liderança *GE Welch*, em Crotonville, geraram fortes oportunidades de negócio e fidelidade do cliente – ambas particularmente importantes nos mercados emergentes.
- Os profissionais de RH da IBM identificaram a oportunidade de criar laços mais fortes para os mercados em crescimento e melhorar a retenção de jovens de alto potencial através do *IBM Corporate Service Corps*. A oportunidade de participar desse grupo tornou-se uma contribuição significativa para o desenvolvimento do negócio, a retenção e a reputação da empresa.
- Após a redução de 10% do quadro de funcionários, os profissionais de RH da *AXA Equitable* identificaram a oportunidade de acelerar o custo-benefício e o comprometimento dos funcionários utilizando o processo de demissão. Isso produziu uma significativa redução no custo-benefício e trabalho sem valor agregado, reduzindo a pressão nos demais funcionários e evitando indesejáveis saídas adicionais.
- Os profissionais de RH da *Fresenius (Índia)* identificaram uma deficiência no conhecimento do negócio e do cliente e criaram a "semana do conhecimento da empresa" – uma semana de agradáveis atividades de trocas de informação – para resolver o problema. A sessão contribuiu para a formação de equipe assim como ganhos em conhecimento do cliente e da concorrência e melhoria no serviço.
- Os profissionais do *National City Bank* forneceram aconselhamento e orientação em gestão, aprendizado e desenvolvimento a clientes de empresas de médio porte. Essa atividade reforçou e consolidou relacionamentos com clientes-chave, aumentou a geração de empréstimos e outros serviços, e reduziu o desgaste do cliente.

Estes exemplos chamam a atenção para maneiras de melhorar a identificação de oportunidades de desenvolvimento com o foco de fora para dentro. O poder do foco 'de fora para dentro' é a capacidade de identificar áreas de importantes mudanças e desenvolvimentos que podem não ter sido observadas ou terem sido negligenciadas pelos gerentes de área. É essa perspectiva que permite que os profissionais de RH trabalhem como um verdadeiro parceiro, em vez de "um par de mãos" executando as ordens de outros. Para encontrar oportunidades de desenvolvimento com os clientes, por exemplo, faça perguntas como estas:

- Quem são nossos clientes-alvo?
- Por que eles compram de nós?
- Quem são nossos concorrentes mais fortes, e por que os clientes os escolhem?
- Qual o nosso nível de atrito com os clientes?
- Por quem nossos clientes nos trocam? Quando? Por quê?

Visite clientes, ou seja um cliente, para obter as respostas. Se você estiver em um comércio varejista tente ser um cliente oculto. Passe algum tempo escutando ligações de atendimento ao cliente e veja o que seu produto, ou serviço, realmente significa para as pessoas. Se você estiver num negócio de *commodities* ou B2B, os clientes e parceiros podem ser idênticos; por exemplo, muitas organizações de varejo como *Limited Brands* trabalham internacionalmente por meio de franquias. Neste caso, os parceiros seriam equivalentes a clientes.

Estas são algumas perguntas que poderiam ser feitas aos clientes:

- Como está nossa parceria com você?
- As pessoas que estão trabalhando para nós estão fornecendo a qualidade de experiência que você espera de um parceiro?
- Que novas aptidões nosso pessoal precisa desenvolver para melhorar a qualidade de nosso trabalho?
- Existem áreas onde somos inconsistentes em nosso serviço ou na qualidade. E onde precisamos melhorar?

Para encontrar oportunidades de desenvolvimento com investidores, faça essas perguntas:

- Como ganhamos e perdemos dinheiro?
- Nosso nível de crescimento e rentabilidade está igual, acima ou abaixo de nossos pares?
- Qual de nossos concorrentes faz o melhor trabalho, por que e o que podemos aprender com eles?
- Quais são nossas principais oportunidades? Quais os fatores de risco em nosso negócio?
- De que maneira estamos administrando nossa reputação e influência?

Entenda como a comunidade de investimento encara a organização. Conheça a cadeia de valores e identifique oportunidades para que o RH tenha uma significativa contribuição do ponto de vista do investidor. Se for uma empresa de capital aberto, terá inúmeras fontes de análise por corretoras que cobrem a empresa para os investidores. Se for uma empresa de capital fechado, os investidores, assim como as empresas de capital aberto, podem oferecer perspectivas. E, em qualquer dos casos, é possível que existam comunicados de imprensa e notícias que respondam às atualizações de negócios e tendências.

Para descobrir oportunidades de desenvolvimento com os funcionários, faça perguntas como estas:

- O que está facilitando a produtividade e o comprometimento dos funcionários? O que dificulta isso?
- Qual o valor de produtividade e comprometimento crescentes?
- De que maneira o valor seria percebido?

Analise os dados de pesquisa de envolvimento para ter uma impressão geral. Depois, reúna-se informalmente com os funcionários líderes de opinião. Há uma variedade de maneiras de fazer isso. Realize reuniões informais de café com funcionários promissores que tenham um alto potencial, e reúna grupos de foco com grupos de funcionários de diferentes níveis ou de diferentes funções ou localização. Levantamentos de clima organizacional visando populações específicas geralmente são usadas, em conjunto com outros esforços da empresa. Todas essas abordagens podem proporcionar uma perspectiva de como os funcionários estão pensando ou sentindo as oportunidades de melhoria. Vincule isto com seus objetivos de desenvolvimento.

Para encontrar oportunidades de desenvolvimento com os gerentes de área faça perguntas como estas:

- Quais são os pontos fortes e os pontos fracos de nossos líderes e de nossa liderança?
- Como somos vistos externamente?
- Qual a lacuna entre nossa marca de liderança pretendida e percebida? Como isso impacta nossa capacidade de crescer?

Defina os pontos fortes e fracos dos gerentes baseado no *feedback* do desempenho e na pesquisa de envolvimento, e identifique os principais impactos e as prioridades de melhoria. Analise e defina o que aparentam ser as duas ou três principais oportunidades de melhoria da eficiência dos líderes que estão vinculados com nossas ambições de desenvolvimento.

Para encontrar oportunidades de desenvolvimento com parceiros e fornecedores, faça perguntas como estas:

- Com que eficiência a organização trabalha com os fornecedores?
- Como nossos melhores fornecedores nos veem?
- Qual é a importância de desenvolver uma parceria melhor?

Monte um levantamento, a ser preenchido pelos parceiros, que identifique os pontos fortes e fracos na forma como a organização trata seus parceiros e possíveis benefícios de uma melhoria.

Para encontrar oportunidades de desenvolvimento em sua comunidade, faça perguntas como estas:

- Qual é a reputação da organização como um cidadão corporativo?
- Que oportunidades ela cria?
- Que desafios ela impõe?
- Como nossa reputação e marca na comunidade podem impactar nossa capacidade de crescer?

Avalie o que você pode fazer para criar a reputação da sua empresa e melhorar seu lugar na comunidade. A melhor maneira de entender a reputação da organização é avaliar como ela é descrita na imprensa. Como o perfil da organização varia em relação à marca anunciada? Que contribuições do RH podem ajudar a fechar a lacuna?

Para encontrar oportunidades de desenvolvimento com as agências governamentais e outros reguladores, faça as seguintes perguntas:

- Quão eficiente é a organização para antecipar e atender as exigências regulatórias?
- Como as regulamentações mudarão ao longo do tempo?

Tente determinar as áreas de mudança prováveis e previsíveis nos interesses e nas regulamentações do governo, e que ações e aptidões serão necessárias.

Utilize essa análise para refletir sobre o seguinte:

- Quais as oportunidades mais convincentes que contribuem para o desempenho e crescimento organizacional?
- Qual fornece a melhor oportunidade para desenvolvimento – seja fazendo coisas novas ou de novas maneiras para testar e provocar o desenvolvimento profissional?
- Que novas habilidades e conhecimento eu necessito para melhorar minha rapidez e competência?
- Como começo? Que ajuda eu preciso, e de quem?

Passo 6: Conduza projetos e experiências

Todo o objetivo do desenvolvimento pessoal – melhorar a competência – é transformar o que você sabe em o que você faz. E, a não ser que você já tenha trabalhado muito, é praticamente certo que haverá uma lacuna entre os dois.

Para fechar a lacuna saber-fazer é necessária uma cuidadosa atenção à atribuição de seu trabalho, apoiada pela educação e refinada por meio de trabalho de projeto, atribuições especiais e experiências externas.

A base da competência é dominar o próprio trabalho. Pelo menos metade da oportunidade de desenvolvimento está ligada ao trabalho do dia a dia, e um bom projeto de trabalho fornece oportunidades concretas e práticas para criar competência com foco em metas mensuráveis. Como Hackman e Oldham mostraram em sua pesquisa histórica sobre a concepção do trabalho, os bons trabalhos combinam significado (metas importantes), variedade (oportunidade de crescimento e desenvolvimento), autonomia (responsabilidade), impacto (consequência) e *feedback*.[6]

Educação é a forma de as pessoas aprenderem novas habilidades e o trabalho em um projeto permite usar essas habilidades para lidar com diferentes situações. O reforço da aquisição de novas habilidades por prática e atribuição é chamada de *aplicação*. Aprendizado de ações e projetos desafiadores permitem a tradução do conhecimento teórico em ação – para fechar a lacuna saber-fazer. A aplicação funciona melhor quando é oportuna, prática e relevante para a função e o estágio atual de desenvolvimento, e tem um objetivo claro.

A experiência externa proporciona uma dimensão adicional de desenvolvimento. Por meio de iniciativas como o *IBM Community Service Corps*. as pessoas são colocadas em novas situações e desafiadas a crescer e realizar. A participação em conselhos comunitários oferece a oportunidade de desempenhar um papel de liderança estratégico e desenvolver suas habilidades de criador de capacidade e campeões de mudança. O trabalho como membro de equipe na implementação de mudança em uma organização do cliente ajuda a reforçar as habilidades de ativista confiável. Prestar consultoria para uma organização filantrópica ou beneficente proporciona experiência na inovação e integração do RH fora de seu próprio negócio, oferecendo uma nova visão diferente de sua própria carreira.

Passo 7: Faça acompanhamento para criar e reforçar a consciência

Não basta saber ou mesmo fazer; você também precisa fechar o ciclo para poder ampliar seu conhecimento e aperfeiçoar suas ações. Isso significa ser receptivo ao *feedback* e, se possível, ter um mentor.

O *feedback* aumenta o que sabemos de nós mesmos permitindo que vejamos nosso comportamento através da experiência e percepção dos outros. Faz parte da natureza humana perceber seu próprio comportamento por meio do prisma de suas intenções, não percebendo o impacto nos outros. O *feedback* fornece a visão do que os outros observam – não o que você pretende – e por isso torna possível corrigir impressões equivocadas.

A Janela de Johari (*Johari window*) (Figura 9.1) é uma ferramenta útil na coleta e avaliação de *feedback*. Trabalhando na Universidade da Califórnia nos anos 50, Joseph Luft e Harry Ingham observaram que há aspectos de nossa personalidade que são conhecidos dos outros e outros elementos que não mostramos. Ao mesmo tempo, há coisas que os outros vem em nós e que não temos conhecimento, e ainda há uma quarta área que tanto nós quanto os outros desconhecemos.

Quando você analisa um *feedback* de 360º, que obtém utilizando a pesquisa HRCS ou outra ferramenta semelhante – ou mesmo com uma simples

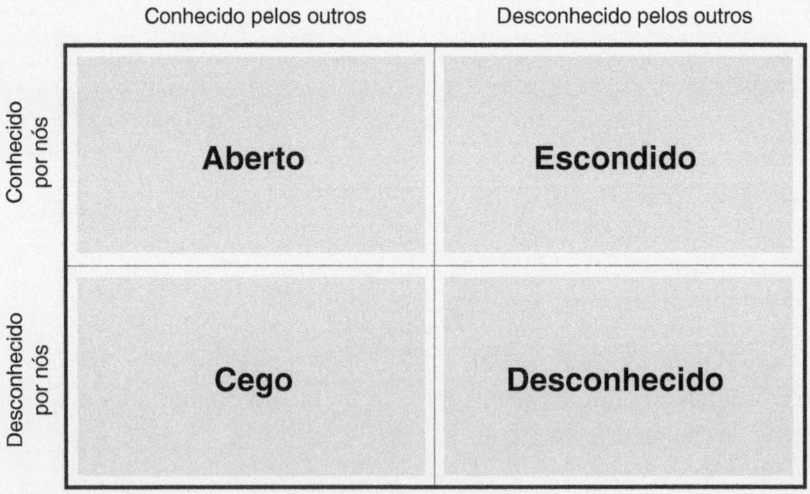

	Conhecido pelos outros	Desconhecido pelos outros
Conhecido por nós	Aberto	Escondido
Desconhecido por nós	Cego	Desconhecido

Figura 9.1 A janela de Johari.

discussão – tente preencher os espaços na janela de Johari. O que você vê que antes desconhecia? O que você pode deduzir sobre o quarto quadrado?

O melhor *feedback* que você pode obter é de um mentor. Mentores e *coachs* são apoios educacionais finais. Qualquer que seja sua função, conhecimento e nível de experiência, procure um mentor. Um bom mentor é um tradutor cultural, um professor e um sistema de aviso inicial que explica as nuances de como o trabalho é feito, os valores da organização e as regras e expectativas não declaradas da cultura. Um bom mentor oferece observações sinceras sobre as necessidades da organização, sobre seu desempenho e o que você precisa fazer mais, menos ou de forma diferente para que seja considerado um bom executivo. Um mentor é um espelho que reflete as expectativas da organização e as relaciona com situações que precisam ser incorporadas em seus planos ou prioridades.

O líder de RH: montando equipes competentes

O papel do líder de RH é criar uma cultura na qual a melhoria do desempenho e o trabalho de desenvolvimento sejam incentivados por todos no departamento. Um ambiente de desenvolvimento bem sucedido reúne as seguintes práticas:

- Padrões de desempenho são bem desenvolvidos e bem conhecidos.
- O desenvolvimento está ligado ao desempenho.
- O *feedback* apóia o desenvolvimento da equipe.
- O RH apoia o desenvolvimento profissional por meio de uma combinação de criação de habilidades e práticas de aprendizado de ações que testam e desafiam o crescimento das pessoas e das equipes.
- O departamento de RH participa de lideranças de aprendizado.
- O RH tem sua própria marca, baseada em informações de fora para dentro.

Padrões de desempenho

Os profissionais de RH devem saber o que seus gerentes esperam deles. A importância de objetivos claros deve ser evidente, mas numa era de frequentes e regulares mudanças em papeis, participação na equipe, gerentes e estruturas organizacionais, é importante definir claramente as expectativas de bom desempenho e progresso de desenvolvimento. Esta é uma área onde os líderes de RH geralmente trabalham bastante bem; menos de metade dos participantes de nossos *workshops* de parceiros de negócio de RH dizem ter dificuldade para responder à declaração: "Sei o que preciso fazer para ter sucesso". Para analisar seus próprios padrões, verifique as seguintes ações:

- Defina claramente os padrões de desempenho. Anote-os e teste-os para garantir que os padrões estejam claros e sejam bem entendidos em todos os níveis.
- Peça que profissionais de alto desempenho e de alto potencial descrevam seus padrões. Não imagine que as pessoas que têm um bom desempenho saibam invariavelmente o que se espera delas.
- Descreva como as expectativas e medidas de desempenho mudaram e como elas provavelmente continuarão a mudar ao longo do tempo.
- Utilize histórias e piadas, bem como fatos, para ajudar as pessoas a entender as exigências do desempenho.

Conexão desenvolvimento/desempenho

A maioria das organizações que eu e outros assessoramos e orientamos são globais e tratam de diferenças de culturas e maturidade econômica. Para lidar com elas, muitos de seus líderes estão usando desenvolvimento de estratégias de RH e formação de equipes como uma oportunidade de definir e desenvolver as habilidades de seus profissionais. Conectando desenvolvimento com planos e prioridades os líderes estabelecem a importâncias das habilidades que precisam para crescer. Criam um contexto e uma lógica que permite que as pessoas atinjam seu próprio desenvolvimento mais plenamente.

Combinar o planejamento com um debate explícito dos pontos fortes e fracos também cria potencial para os profissionais terem responsabilidade conjunta para o crescimento individual e geral. Da mesma forma que identificar acrobacias, os membros da equipe tornam-se mentores e treinadores uns dos outros. Shane Dempsey, o chefe da equipe de RH de *Novo Nordisk Europe*, foi mais além ao engajar sua equipe de RH na coleta de *feedback* dos pontos fortes e fracos. Pouco antes de um *workshop* de planejamento de RH de três dias, os membros da equipe executiva foram solicitados a entrevistar de três a cinco executivos. Essas conversas destacaram os desafios empresariais que a organização enfrentava com a dura concorrência.

Feedback e desenvolvimento de equipe

O conjunto de *feedback* é uma lente por meio da qual os líderes identificam os pontos fortes e fracos da competência organizacional da equipe. Por exemplo, os trabalhos sobre competência individual mostram que a grande lacuna em competência – a lacuna entre impacto no sucesso do negócio e a eficiência pessoal – é o proponente de tecnologia (média = 3,74). Uma segunda área é o inovador e integrador de RH (média = 3,90). Estas também são as áreas em que os participantes tiveram uma classificação menor. Este tipo de *feedback* pode tornar-se uma fonte de conhecimento organizacional e um impulsionador para a melhoria da equipe de diversas maneiras:

- Reúna a equipe para identificar oportunidades "imediatas" de melhoria.
- Oriente as pessoas para identificar as ações que beneficiariam toda a equipe.
- Traga um colega de outra área para um projeto ou em tempo integral para agir como um guia ou líder da equipe na mudança. No caso de um proponente de tecnologia, um jovem de TI com grande potencial pode proporcionar perspectivas úteis de como melhorar a proficiência e aplicação da tecnologia do RH.
- Utilize análises pós-ação para avaliar a eficácia da abordagem da organização às mudanças tecnológicas e desenvolvimentos no passado.
- Procure um mentor de dentro da organização capaz de ajudá-lo a ganhar *insight* sobre como usar a tecnologia para ir além da automatização do trabalho transacional do RH e conectar as pessoas e informações de novas maneiras.
- Adote um *feedback* de 720º. Tão útil quanto o *feedback* de 360º, nós agora incentivamos os líderes de RH a começar a procurar *feedback* de fora para dentro. Muitos líderes de RH estão convidando clientes, fornecedores e organizações parceiras a identificar necessidades de desenvolvimento e melhoria no RH.

A empresa de energia saudita *Saudi Aramco* foi além do que faz a maioria das organizações ao investir no desenvolvimento do RH. Começou a treinar gerentes de área para serem melhores parceiros do RH. Acreditamos que a abordagem que a *Saudi Aramco* adotou é o futuro. Se o RH é a primeira, e mais do que tudo, uma função comercial com *expertise* em capital humano e gestão de mudança, é evidente que deveríamos esperar mais movimento entre as funções.

No passado, o movimento nas carreiras tendia a ser de uma só direção: das funções de área para o RH. Isto algumas vezes reflete a intenção de produzir líderes e profissionais de base mais ampla, mas mais frequentemente o RH é um lugar para onde se transferem funcionários de longa data que são líderes apreciados, mas não muito eficientes. De outra maneira, essas transferências são oportunidades para a empresa tentar organizar um departamento de RH fraco instalando um líder eficiente. Esperamos ver um tempo em que o desenvolvimento de altos executivos exija experiência na função de RH; mas também esperamos que haja uma crença generalizada de que para ser um bom líder de RH a experiência na linha é essencial.

Academia de RH

Como outros observadores na área, muitas vezes nos confundimos e frustramos pelo que parece ser falta de confiança e coragem dos profissionais de RH. Essa fraqueza surge antes de tudo da falta de preparo; entender como funciona a empresa, seu desempenho, seus desafios, seu posicionamento em relação a clientes e concorrentes proporciona o conhecimento necessário para realizar observações mais informadas e confiantes. O processo de conversão desse conhecimento em um plano de ação levou à criação do que poderíamos chamar de *academia de RH*. Ao longo de uma ou mais sessões, os profissionais de RH aprendem como operacionalizar competências, colocá-las em prática por meio de uma combinação de trabalho em equipe e de exemplos, desenvolver um plano de desenvolvimento individual baseado no *feedback* dos pontos fortes e fracos utilizando o *feedback* HRCS, e participar de um projeto de aprendizado de desafio ou ação significativo para a organização. As melhores academias de RH têm as seguintes qualidades:

- Os participantes trabalham em problemas que a empresa julga importantes, e não nos projetos de RH.
- Os participantes trabalham em equipe. Os membros da equipe mantêm-se envolvidos, e quando se reúnem nas áreas funcionais ou unidades de negócio, eles veem o todo da organização.
- Os administradores de programa incentivam a participação dos gerentes de área. A participação dos executivos é um reforço da importância do RH juntamente com a opinião do que os executivos estavam pensando e de como eles interpretam o ambiente, avaliam a organização e definem metas.

- Os administradores dos programas também incentivam o cliente e o investidor ou analista a participar. Há poder ao pedir para os principais *stakeholders* que identifiquem maneiras para que a organização melhore os pontos fortes e a competência de seu capital humano.

De aprendizagem pela ação a soluções de aprendizagem

A aprendizagem pela ação, algumas vezes chamadas de "projetos desafiadores", começa com um conjunto de princípios e os aplica a um projeto. As soluções de aprendizagem começam com um projeto ou desafio comercial e depois usam fóruns de treinamento para progredir nesses desafios. As soluções de aprendizagem estendem as ações de aprendizagem ajudando você a fazer melhor o que precisa ser feito. Os adultos precisam melhorar o que fazem por meio de aprendizado, pois a meia-vida do conhecimento não aplicado é curta. Trazer problemas reais de negócios para os ambientes de educação reforça o desenvolvimento de habilidades e ganha benefícios de desempenho mensuráveis para a organização. Aqui estão alguns exemplos de projetos de soluções de aprendizagem: (normalmente liderados por pessoas ou equipes de alto potencial):

- Que tipo de organização de RH precisamos para apoiar nosso futuro negócio?
- Como aumentamos a rapidez e eficácia da integração de novas aquisições?
- Qual o impacto que a globalização deveria ter ou terá nas nossas práticas de RH no futuro? O objetivo aqui é apresentar um modelo para a gestão de pessoas a partir de uma verdadeira perspectiva global.
- Como fazemos uma melhor integração da maneira que avaliamos, desenvolvemos e implantamos talentos?
- Que práticas de RH são necessárias para incorporar inovação em nossa empresa profundamente?
- Que proposição de valor fará com que nossa empresa se torne um "empregador preferido"?
- De que maneira estamos vivendo nossa cultura e nossos valores?
- Como implementamos o autosserviço do RH em uma escala global?
- Como podemos criar uma cultura de alto desempenho focado no cliente?
- Como podemos proporcionar clareza estratégica para o RH e para nossos líderes de negócio sobre nosso novo ambiente de serviços compartilhados de RH?
- Como melhoramos significativamente o planejamento da força de trabalho?

Parcerias de aprendizagem

A Parceria de Aprendizagem do RH é um produto inovador dos parceiros RBL, originalmente em colaboração com a Universidade de Michigan. É uma versão da academia de RH, mas com um toque inovador; envolve equipes de líderes de RH de todas as empresas e setores. Assim, em determinado ano, os líderes de RH da GE irão aprender juntamente com colegas da Pfizer (por exemplo), da BBC, Unilever e Shell. Essa participação combinada aumenta significativamente o potencial para um desenvolvimento acelerado e transferência de inovação. Neste exemplo, a BBC é uma lendária organização criativa, enquanto que a GE é tão eficiente quanto qualquer organização do mundo Seis Sigma. Para ambas, o acesso aos colegas em outros setores, recebendo seu *feedback* e incorporando suas sugestões, pode ser inestimável. Este tipo de abordagem de consórcio é extremamente poderoso tanto para a educação dos participantes quanto para garantir que as equipes considerem uma grande variedade de opções e alternativas ao tratar de seus projetos e aprendizado de ação. O HRLP é o exemplo mais conhecido do tipo, aquele que está derrubando barreiras entre as empresas ao tratar da oportunidade estratégica para contribuição disponível para o RH.

Também gostamos muito do que a Mars chama de "semana da capacitação". Anualmente, o RH da Mars (ou o departamento do "pessoal e da organização") reúne as pessoas de muitas áreas, com base regional, não apenas o RH, para trocar ideias, iniciativas e inovações, e para aprender com ambos, executivos de área e especialistas externos. A Novartis fez uma abordagem semelhante em escala mundial. Ao longo dos últimos anos, ela usou o que chama de "produzindo líderes de RH" para criar uma organização de RH mais forte, mais hábil e mais colaborativa.

A semana da capacitação é uma versão do que chamamos de comunidades de práticas. O psicólogo Seymour Sarason definiu uma *comunidade* como uma rede de relacionamentos de apoio mútuo e interdependentes.[7] Nos locais onde as restrições de custo e tempo tornam proibitiva a interação pessoal, cada vez mais organizações estão criando oportunidades para redes de relacionamento e o uso de tecnologia no processo. A Tabela 9.3 esboça os elementos essenciais de uma comunidade de prática, quando comparado com uma rede informal com menos foco.

Tabela 9.3 Criando Comunidades de Prática

	Comunidade de prática	Rede informal
Propósito	Desenvolver as competências dos membros; criar e trocar conhecimento.	Coletar e transmitir informações.
Associação	Autosseleção na comunidade.	Amigos e conhecidos.
Conexão	Paixão pelo assunto, comprometimento com o desenvolvimento contínuo individual e da comunidade, e identificação com a experiência e interesse do grupo.	Associação e interesse mútuo.
Operação	Normalmente há uma agenda definida e divulgada antecipadamente, para a qual os membros se preparam.	Informal.
Programação	Muitas vezes envolve palestrantes externos convidados para fornecer novos *insights* e novas ferramentas e informações do processo.	Algumas vezes envolve palestrantes externos, mas mais como um divertimento do que desenvolvimento.

O *rebranding* do RH

O que os líderes de RH podem fazer para criar uma mentalidade de fora para dentro em sua equipe ou organização? Eis algumas ações úteis:

- Organize visitas aos clientes.
- Seja um "cliente oculto" em seu negócio.
- Crie situações "e se" que permitam que os colegas passem pela experiência de ser um cliente: por exemplo, alguns anos atrás, em um *workshop* de liderança, entregamos 95% das pastas pontualmente, a percentagem igual ao desempenho orgulhosamente ostentado pelo grupo. Foi uma revelação para esses gerentes – quando a sua pasta está atrasada, não importa que os outros 95% estejam na hora.
- Recrutar clientes para solicitar ajuda. Perguntar aos clientes: estamos contratando o tipo de pessoas com as quais vocês querem trabalhar? Entendemos suficientemente de seu negócio a fim de atendê-los bem?

Falamos sobre o valor dos profissionais que dão marcas a si mesmos, mas surge a pergunta de qual é a marca da equipe ou função de RH. Combinando percepções de fora para dentro com ênfase nos padrões de desempenho e contínuo desenvolvimento, os líderes de RH podem começar a identificar como querem ser vistos e a imagem que querem criar na mente da organização. Dar uma nova marca ao RH para se adequar às exigências atuais e em desenvolvimento é decisivo.

Conclusão: Desenvolver o RH

Sem surpresa, os profissionais de RH muitas vezes são como o ditado 'casa de ferreiro, espeto de pau', os últimos na lista de investimento do desenvolvimento. Os membros da equipe do RH reconhecem que seus líderes são sérios sobre a agenda do RH quando investimos no aperfeiçoamento de suas habilidades para enfrentar o desafio e conectar o que estão aprendendo com os fatos reais que o negócio enfrenta. Depois de desenvolver um marco de referência dos pontos fortes e fracos do profissional de RH, invista em seus profissionais de RH pelo treinamento, pela atribuição de trabalho e outros meios de aprendizagem. Aumentar as expectativas para o desempenho e contribuição do RH, sem dar aos profissionais de RH as ferramentas para enfrentar os desafios, só aumenta falsas esperanças.

Capítulo 10

O departamento de RH eficiente

Os capítulos anteriores trataram de duas das três perguntas que prometemos analisar:

- O que os profissionais de RH devem saber, fazer e ser para que sejam vistos como pessoalmente eficientes?
- O que os profissionais de RH devem saber, fazer e ser para melhorar o desempenho do negócio?

Agora nos dedicamos à nossa terceira pergunta da pesquisa:

- No que os departamentos de RH devem focar para melhorar o desempenho do negócio?

Neste capítulo compartilhamos exemplos de *upgrading* do departamento de RH, três descobertas decorrentes de pesquisa e quatro técnicas para criar um departamento eficiente.

Prudential PLC

A *Prudential PLC* é um grupo internacional de serviços financeiros com grandes operações na Ásia, nos Estados Unidos e no Reino Unido. Atende mais de 25 milhões de clientes gerenciando ativos no valor de £349,50 bilhões. A *Prudential* segue um modelo federativo; suas unidades de negócio operam com um alto nível de autonomia criando, dessa maneira, oportunidades e desafios para colaboração entre funções de grupo e funções locais, inclusive no RH. Em uma organização de negócio descentralizada como a Prudential, são necessárias definições claras de autoridade e responsabilidade para que funções de grupo e unidades de negócio se complementem e não entrem em choque.

Como novo líder do RH, Peter Goerke acredita no RH como uma fonte de vantagem competitiva. Ele a vê como um elemento essencial do sucesso do negócio, principalmente no contexto de uma instituição financeira global, então ele garante que os líderes da empresa falem sobre negócios e RH como um todo e não como entidades independentes. Como o RH é parte do negócio, a organização de RH deve corresponder à estrutura do negócio e ter prioridades claras.

Goerke queria redefinir como o RH poderia apoiar o desempenho do negócio em cada unidade e ainda ter uma alavancagem global. Ele começou por fazer com que todos os *stakeholders* relevantes avaliassem a função de RH, vinculando o desejo do RH e criando uma jornada para a melhoria chamada "de bom a excelente".

Por meio dessa jornada, os *stakeholders* concordaram com as prioridades para cada unidade de negócio, esclareceram os papéis e responsabilidades do grupo e as funções de RH das unidades de negócio, e criaram um mandato compartilhado do recurso e desenvolvimento (chamado de R&D), e das funções de recompensas. Estas mudanças afastaram a Prudential de sua abordagem "tamanho único" e a encaminharam para uma estrutura ampla bem definida, com adaptação da unidade de negócios.

A jornada "de bom a excelente" começou com uma detalhada compreensão do que cada unidade de negócio necessitava para ganhar e sustentar uma vantagem competitiva, localmente e para o grupo como um todo. Os participantes eram capazes de desenhar uma linha de base sobre como o RH funcionava e o que precisava para que fosse adiante com a agenda 'de bom a excelente'.

Goerke sabia que uma ideia chave para uma organização verdadeiramente global e altamente descentralizada era de que a abordagem de tamanho único é insuficiente. Com autonomia da unidade de negócio, cada unidade de negócio deve satisfazer padrões mais altos de transparência e responsabilidade ao mesmo tempo em que recebe liderança, orientação e monitoramento do progresso pelo grupo do RH.

Accenture

Accenture, uma empresa global de consultoria de gestão, serviços de tecnologia e terceirização (*outsourcing*), tem mais de 244 mil pessoas atendendo clientes em mais de cem países. À medida que seus clientes se tornam mais globais em suas operações, a força de trabalho da *Accenture* deve abranger países e culturas – e ao mesmo tempo tornar-se mais especializada em setores, tecnologias e áreas funcionais específicas.

A diretora de RH da empresa, Jill Smart, é uma veterana com 30 anos de empresa, com profunda experiência no atendimento aos clientes. Ela comanda o RH da Accenture como um negócio e acredita que a Accenture precisa estar acima da curva em termos de antecipar e adaptar-se às mudanças no mercado de trabalho e às exigências do cliente. Diz ela: "Com a aceleração do nível de mudança, a *Accenture* precisa adaptar-se mais rapidamente do que nossos clientes a fim de dar-lhes o talento que precisam, quando precisam. E o RH da *Accenture* deve ser o mais ágil de todos – o agente de mudança impulsionando a evolução contínua de nossa força de trabalho para atender as necessidades em constante mudança de nossa empresa".

Smart reorganizou o RH da *Accenture* utilizando os mesmos princípios que a empresa, como um todo, aplica ao trabalho com os clientes. Ela dividiu sua equipe em parceiros de negócio, centros de *expertise* e entrega de serviço, transformando dessa forma a organização e função do RH para melhorar sua capacidade de impulsionar e adaptar-se à mudança – e também para aumentar sua eficiência e eficácia.

Os parceiros de negócio do RH sentam à mesa da liderança nas unidades de negócio. Utilizam seu conhecimento sobre o negócio da *Accenture* como um todo e de suas respectivas unidades para desenvolver e oferecer estratégias de capital humano que atendam aos objetivos da empresa e para trabalhar com outras partes do RH a fim de traduzir essas estratégias do negócio e do capital humano em ações específicas.

Os centros de *expertise* são equipes globais virtuais especializadas em funções do RH específicas como previsão de recursos, gestão de desempenho e recompensas. Eles desenvolvem todas as dimensões de soluções de RH que atendem as necessidades da empresa identificadas pelos sócios, inclusive princípios, políticas, processos e ferramentas.

A entrega de serviços do RH é o braço de implementação do RH. Inclui recursos básicos que são a cara do RH para os funcionários, especialistas geográficos, especialistas globais e centros de serviços compartilhados. Esta estrutura ágil e escalonável pode se adaptar rapidamente, sempre que os negócios da Accenture necessitem mudar. Também permite que os profissionais de RH se especializem em um determinado processo ou função para que se posicionem melhor para conduzir qualquer mudança em suas áreas. Além disso, para antecipar as mudanças, Smart alinhou os resultados da empresa alvo desta iniciativa de transformação com o plano de longo prazo da Accenture para talentos, que por sua vez está bem alinhada com o negócio da empresa.

Os resultados foram impressionantes. No ano fiscal de 2011, quando a *Accenture* aumentou seu efetivo em 16%:

- O RH reduziu os tempos de ciclo dos processos de gestão de desempenho, melhorou a gestão da oferta e demanda de talentos globais, aprimorou a produtividade do RH, resultando em melhorias no processo, e delineou mais claramente as responsabilidades de trabalhos mais especializados.
- Em seu último ano fiscal, gastou mais de $800 milhões, ou 52 horas por pessoa, em treinamento de funcionários e desenvolvimento profissional para garantir que seu pessoal tivesse as habilidades e capacidades necessárias para atender clientes no mais alto nível e para avançar em suas próprias carreiras.
- Manteve a reputação da empresa como ótimo local para fazer carreira em praticamente todos os países em que opera – o que é reconhecido por aproximadamente 2 milhões de currículos recebidos.
- Manteve diversidade global, com mais de 80 mil mulheres na equipe da Accenture.

À medida que se adapta às nuanças culturais locais e globais, a *Accenture* está satisfazendo as necessidades do cliente ao contar com as melhores pessoas nas funções certas, na hora certa e no lugar certo.

Pesquisa do departamento de RH

Como resumido no Capítulo 2, o HRCS 2012 teve mais de 20 mil entrevistados em cerca de 600 empresas. Um foco importante de nossa pesquisa foi a definição das competências dos profissionais de RH e como isso afeta a eficácia pessoal e o desempenho do negócio. Mas nós também queríamos avaliar dois aspectos do funcionamento dos departamentos de RH e sua influência sobre o desempenho da empresa.

1. Para quem o departamento de RH deveria proporcionar valor?
2. Onde o departamento de RH deveria se concentrar?

Descoberta 1: Destinatário adequado do valor do departamento de RH

Fizemos a seguinte pergunta para determinar onde o departamento de RH oferece valor: de que maneira seu departamento de RH projeta e entrega práticas de RH que agregam valor para os seguintes *stakeholders* do negócio? Referimos-nos aos grupos de *stakeholders* relacionados na Figura 10.1 (repetição da Figura 1.1).[1] Os departamentos de RH tradicionalmente entregam valor mais dentro de suas empresas para seus funcionários (aumentando a produtividade) e gerentes de área (ajudando a entregar estratégias) do que para os *stakeholders* externos (clientes, investidores, comunidades e parceiros). Como o RH se movimenta para uma perspectiva de fora para dentro, queremos descobrir quanto os *stakeholders* externos também moldam a maneira do RH trabalhar.

Os escores médios na Tabela 10.1 mostram que, como esperado, todos os entrevistados veem o RH entregando mais valor aos funcionários e gerentes de área dentro da empresa do que aos clientes, investidores e *stakeholders* da comunidade fora. É interessante observar que os associados não RH classificam o RH como entregando menos valor a todos os *stakeholders* do que fazem os participantes do RH ou associados do RH. O RH não fez um trabalho viável de comunicar o valor criado pelo RH aos observadores não RH.

Valor de mercado
- Desempenho financeiro
- Intangíveis
- Risco

Valor da reputação
- Responsabilidade social
- Supervisão regulatória
- Consciência cultural

Participação do Cliente
- Clientes-alvo
- Intimidade com o cliente

Valor colaborativo
- Parcerias
- Terceirização

Valor do funcionário devido à produtividade
- Competência
- Compromisso
- Contribuição

Valor estratégico
- Moldando a estratégia
- Criando tração organizacional

Figura 10.1 *Stakeholders* do RH.

A Tabela 10.1 também mostra que o valor criado para cada um dos grupos de *stakeholders* é praticamente igual à capacidade do grupo de prever o desempenho do negócio. Esta é uma descoberta notável. Mostra que para projetar e entregar trabalhos do RH, os profissionais de RH precisam conhecer tão bem os *stakeholders* externos quanto os internos. E ainda assim, como mostra a Tabela 10.1, os profissionais de RH são consideravelmente menos capazes de definir e entregar valor aos clientes, investidores e *stakeholders* da comunidade.

Como propusemos na perspectiva de fora para dentro, é possível fazer como que os clientes, investidores e comunidades ajudem a definir o que constitui o RH eficaz. Um diretor de RH poderia usar estas perguntas como modelo:

- O que sabemos sobre os clientes, investidores e comunidades-alvo – quem são e o que esperam de nós?
- Nas reuniões de diretoria, quanto tempo gastamos discutindo as expectativas do cliente, investidor e da comunidade?
- Quando projetamos práticas de RH que se referem a pessoas, desempenho, informação e trabalho, quanto consideramos as expectativas do cliente, investidor e comunidade?

As respostas a estas perguntas irão reforçar um emergente papel do RH para reconhecimento e atendimento dos *stakeholders* de RH tanto dentro quanto fora da organização. Na Prudential, por exemplo, Goerke percebe que para que sua empresa cresça na Ásia ele precisa criar um banco de talentos locais de atuários e agentes. Ele passa grande parte de seu tempo avaliando as condições dos mercados asiáticos.

Descoberta 2: O foco do departamento de RH

Todos os departamentos de RH têm mais solicitações de serviço do que recursos para atendê-las. Em nossa análise das práticas de liderança do departamento de RH, identificamos 12 áreas nas quais um departamento poderia concentrar sua atenção[2]. Por meio dos escores médios e das pontuações ponderadas de regressão, a Tabela 10.2 relata o foco e o relativo impacto dessas ações no desempenho do negócio, com alguns resultados interessantes.

A Figura 10.2 representa essas descobertas em uma grade da pontuação média dessas 12 práticas (de baixa para alta eficácia) e seu impacto no desempenho da empresa. A Figura 10.2 e a Tabela 10.2 oferecem notáveis *insights* sobre onde os departamentos de RH deveriam concentrar-se.

Tabela 10.1 Valor do *stakeholder*

Pergunta: Até que ponto seu departamento de RH consegue projetar e entregar práticas de RH que agregam valor a cada um dos seguintes *stakeholders* em sua empresa?

	Escores médios para diferentes grupos participantes				Impacto do negócio	
Stakeholder	Todos os entrevistados	Participante	Associados ao RH	Não associados ao RH	Pontuação ponderada de desempenho (0 a 100%)	
Cliente externo	3,38	3,38	3,46	3,27	20%	
Investidores ou proprietários	3,54	3,50	3,60	3,49	20%	
Comunidade onde você atua	3,53	3,50	3,58	3,49	18%	
Gerentes de área de sua organização	3,77	3,81	3,87	3,64	21%	
Empregados	3,78	3,81	3,88	3,66	21%	

Tabela 10.2 O foco do departamento de RH

Pergunta: Até que ponto isto acontece em seu departamento de RH?

Características do departamento	Média	Ponderação relativa
Interage eficientemente com a diretoria	3,67	7,7%
Tem papéis e responsabilidades claras para cada um dos grupos dentro do RH (centros de atendimento, centros de *expertise*, RH incorporado)	3,65	7,6%
Equipara as estruturas do departamento de RH com a maneira como o RH é organizado	3,64	7,8%
Garante que as iniciativas do RH permitam que o negócio atinja prioridades estratégicas	3,62	9,7%
Desenvolve uma estratégia de RH que une claramente as práticas de RH com a estratégia do negócio	3,61	9,2%
Garante que os diferentes grupos no RH trabalhem uns com os outros eficientemente para proporcionar soluções integradas de RH	3,50	8,2%
Administra eficientemente os fornecedores externos de atividades terceirizadas de RH	3,49	8,3%
Investe em treinamento e desenvolvimento dos profissionais de RH	3,46	7,3%
Garante que o RH seja um modelo cultural para o resto da organização	3,42	8,4%
Responsabiliza os gerentes de área pelo RH	3,38	8,2%
Vincula as atividades de RH com as expectativas dos *stakeholders* externos (clientes, investidores e assim por diante)	3,25	8,9%
Acompanha e mede o impacto do RH	3,22	8,8%
Regressão múltipla R^2		**0,32**

Primeiro, o impacto geral dessas 12 práticas no desempenho da empresa é de 32% (R^2 acumulativo na Tabela 10.2). No Capítulo 2 observamos que o R^2 dos domínios de competência do RH para prever o desempenho da empresa é de 8%. Esta descoberta sugere que a qualidade do departamento de RH é cerca de quatro vezes tão importante quanto a qualidade dos profissionais de RH na previsão do desempenho do negócio. Ao mesmo tempo em que os

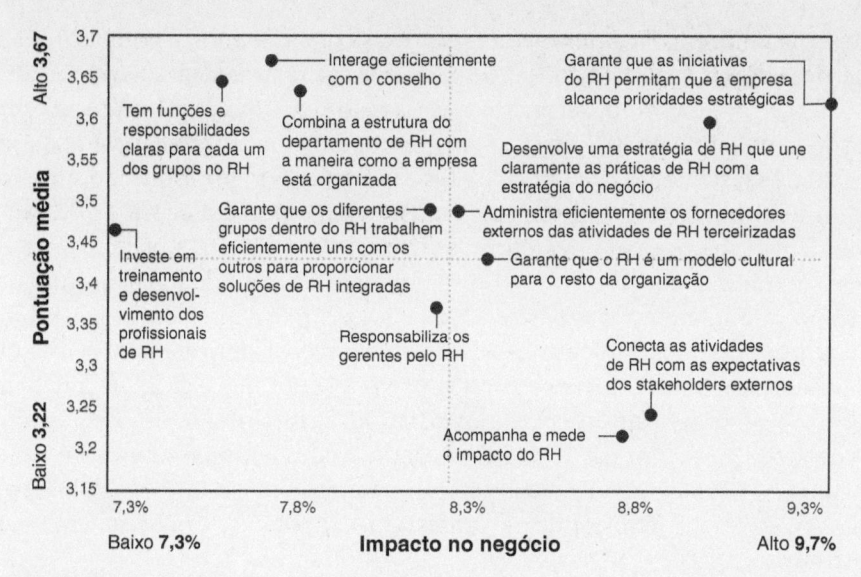

Figura 10.2 Priorizando o desempenho e impacto atual do RH no desempenho da empresa.

gerentes de área podem gostar do profissional de RH com quem trabalham, seu negócio é mais afetado pela qualidade geral do departamento de RH. Esta descoberta apoia e conduz nosso pensamento de que as organizações tem mais impacto no desempenho do negócio do que os talentos individuais.

O mesmo fenômeno aparece em outros contextos. Nos esportes, por exemplo, o principal artilheiro em um esporte como futebol, basquete ou hóquei participa da equipe vencedora apenas 20% do tempo (mais ou menos a mesma proporção 1:4 de 8 para 32%). E Boris Groysberg descobriu que em finanças as estrelas individuais são menos importantes que a organização.[3]

Como a cultura e a capacidade organizacional são mais importantes para os resultados da empresa do que o talento e a habilidade individual, o trabalho do RH é claramente criar um local de trabalho, não somente uma força de trabalho. Os diretores de RH precisam criar e gerir departamentos de RH importantes, garantindo que todas as pessoas que fazem parte dele combinem suas habilidades com os objetivos gerais do departamento e da empresa.

Segundo, há uma variedade de pontuações de eficácia na entrega atual dos 12 itens. Surpreendemos-nos ao ver que a prática de RH com mais alta classificação foi "interage eficientemente com a diretoria" (3,67). Evidentemente os 20 mil entrevistados perceberam que a trabalho do RH é feito nos níveis superiores da empresa. Ficamos menos surpresos com as menores pontuações das métricas de RH (3,22) e a conexão do RH com os *stakeholders* externos (3,25).

Terceiro, quando observamos a interação de como as 12 práticas estão sendo bem feitas com seu impacto no desempenho da empresa, vemos alguns resultados fascinantes (Figura 10.2). Os itens no quadrante esquerdo superior (bem feito hoje, mas sem impacto na empresa) sugerem ações do RH que não devem merecer muita atenção adicional. Dois dos três principais itens neste quadrante envolvem a estrutura do departamento de RH (tem funções e responsabilidades claras para cada um dos grupos dentro do RH, combina a estrutura do departamento de RH com a maneira como a empresa está organizada). Os últimos 15 anos assistiram a uma contínua e dramática disputa sobre como organizar o departamento de RH, com grande discussão sobre onde fazer as melhorias. Talvez esses dados indiquem que muitos departamentos de RH são organizados, e continuar a procurar e ajustar novas estruturas de RH trará retornos decrescentes. O maior desafio é fazer funcionar as estruturas de RH existentes.

O quadrante superior direito identificou coisas que estão funcionando bastante bem e necessitam de investimento contínuo (garante que as iniciativas do RH permitam que a empresa alcance prioridades estratégicas, desenvolva uma estratégia de RH que una claramente as práticas de RH com a estratégia do negócio), os diretores de RH precisam continuar a manter a linha de visão dos investimentos de RH para resultados financeiros, estratégicos e de *stakeholders* (ver a análise sobre o posicionador estratégico no Capítulo 3).

O quadrante inferior esquerdo inclui práticas de RH que não são tão bem feitas quanto outras, mas que têm grande impacto no negócio, tornado-os candidatos para um tratamento prioritário nos departamentos de RH que tenham restrição de recursos. Essas são interessantes áreas de ênfase. Ao seguir a lógica de fora para dentro deste livro o RH pode "conectar as atividades de RH com as expectativas dos *stakeholders* externos". O RH também pode alavancar seu valor "acompanhando e medindo o impacto do RH". Isto apareceu no fator de análise da força de trabalho do inovador e integrador de RH e talvez seja uma prioridade importante para os investimentos do RH. Talvez não seja surpreendente que os dados incentivem os gerentes de área a se responsabilizarem pelo RH. Sugerimos que os gerentes de área sejam os donos do RH e que os profissionais de RH sejam os arquitetos. Mas também vale a pena salientar que o departamento de RH deveria ser um modelo para o resto da organização. Os dados confirmam o valor do investimento do RH em si mesmo – fazendo RH para RH – apesar de não termos certeza do que fazer do baixo impacto de investir no treinamento profissional do RH no desempenho da empresa.

Essas descobertas podem oferecer alguma orientação sobre onde os diretores de RH e as equipes de liderança de RH poderiam concentrar seus escassos recursos. Estamos mais curiosos pela descoberta de que pode estar na hora de parar a busca incessante por outra reestruturação do RH e aprender a fazer funcionar a estrutura atual.

Como criar um departamento de RH eficaz

Após a análise desses dados do HRCS e de nossas experiências trabalhando em muitas transformações de RH, gostaríamos de sugerir quatro prioridades para a criação de um departamento de RH eficiente:

1. Crie um plano de negócios do RH.
2. Conclua a organização de seu departamento de RH.
3. Forneça boas análises de RH.
4. Faça RH do RH – seja um modelo.

Crie um plano de negócios do RH

Para dirigir um departamento de RH, o diretor precisa de um plano de negócios claro, algo que determine como o departamento irá funcionar. Sugerimos sete passos para a criação de um plano de negócios do RH, esboçados na Tabela 10.3. Coerente com nossa lógica de fora para dentro, começamos com o contexto do negócio, estabelecendo uma visão de RH e entregas de RH, e após isso investir nas práticas, controle e competências de RH para realizar as entregas. Essencialmente, sugerimos administrar um departamento de RH como um negócio dentro de uma empresa.

Aqui estão algumas sugestões e ações para cada passo:

Passo 1: Definir o contexto do negócio

- Provoque, leia livros e artigos sobre o assunto, ou aprenda com futurólogos do setor ou do país que podem antecipar o que poderia acontecer.
- Priorize as tendências ambientais em termos de sua probabilidade de ocorrência e impacto potencial.
- Reconheça as expectativas de seu departamento de RH que se desenvolvem a partir das expectativas corporativas, dos clientes e das estratégias de negócios.

Tabela 10.3 Plano de negócios dos Recursos Humanos

Passos	Atividades	Resultados
1. Definir o contexto o negócio	• Definir os ambientes do negócio. • Reconhecer e definir as expectativas dos *stakeholders*. • Dominar a estratégia do negócio.	Reconhecer os desafios que a empresa enfrenta, as expectativas dos *stakeholders* e as estratégias adequadas do negócio.
2. Expor a visão do RH	• Quem somos (parceiro, guia, diretor, líder, arquiteto, etc.) • O que fazemos (criar capacidades individuais e organizacionais, etc.) • Por que fazemos isso (concorrência, etc.)	Definir uma visão da função do RH que possa ser compartilhada dentro das funções (para provocar os profissionais de RH) e fora da função (para envolver clientes).
3. Especificar as entregas e os resultados	• Definir as entregas, resultados ou garantias de fazer um bom trabalho de RH. Estes deveriam ser mensuráveis e específicos.	Definir de três a cinco entregas do que a função de RH pode garantir para a organização. Essas entregas geralmente são aptidões que a organização exige para competir. Precisam ser específicas e mensuráveis.
4. Fazer investimentos em recursos humanos	• Criar uma tipologia ou menu de práticas de RH que podem ajudar a alcançar os resultados. • Gerar práticas de RH alternativas. • Priorizar importantes práticas de RH. • Fazer escolhas de investimento nas práticas importantes (análise do custo-benefício).	Priorizar as práticas de RH que precisam ser implementadas a fim de realizar as entregas.
5. Criar controle e estrutura do RH	• Identificar quem pode fazer o trabalho (RH, gerentes de área, fornecedores estratégicos, gerentes de pessoal). • Criar uma grade de responsabilidade sobre quem deve realizar o trabalho.	Definir dependências e responsabilidades para que o trabalho do RH seja feito.

(continua)

Tabela 10.3 Plano de negócios dos Recursos Humanos *(continuação)*

Passos	Atividades	Resultados
6. Preparar planos de ação	• Preparar um plano de ação específico (quem, o que, quando, onde) para realizar as prioridades do RH.	Preparar um detalhado plano de ação com tarefas, responsabilidades, recursos necessários, prazos e assim por diante.
7. Garantir as competências do RH	• Identificar as competências importantes necessárias para satisfazer o plano. • Avaliar o atual estado das competências. • Preparar planos de melhoria.	Garantir que os profissionais de RH são capazes de realizar o plano de negócios.

Passo 2: Exponha a visão do RH

- Crie uma visão de RH que defina as vontades do departamento. A missão provavelmente irá incluir as seguintes declarações:
    - Quem somos (parceiros, facilitadores, defensores, *players*, contribuintes, etc.)
    - O que fazemos (entregamos ou garantimos capacidades individuais, capacidade organizacional, talento, capital humano, cultura, liderança, etc.)
    - Por que fazemos isso (para garantir o sucesso da empresa, resultados financeiros, participação do cliente, valor de mercado, etc.)
- Compartilhe esta visão de RH com aqueles dentro e fora do departamento e peça a eles que identifiquem comportamentos compatíveis com essa visão.

Passo 3: Especificar entregas ou resultados do RH

- Faça uma auditoria da organização para definir as capacidades necessárias para que sua empresa tenha sucesso. Essas capacidades tornam-se os resultados e metas para o departamento de RH.
- Crie expressões e medidas comportamentais para essas principais capacidades.

Passo 4: Faça investimentos no RH

- Projete e implemente práticas de RH em seu departamento:
  - Pessoal: Quem entra no RH.
  - Treinamento: Como desenvolvemos profissionais de RH.
  - Gestão de desempenho: Como criamos padrões e recompensas do RH.
- Dê forma às práticas de RH mais inovadoras e integradas nas operações internas do departamento.

Passo 5: Crie controle e estrutura do RH

- Alinhe sua organização de RH com a organização da empresa.
- Se você for uma empresa diversificada, coligada ou matriz, administre sua organização de RH como uma empresa de serviços profissionais.
- Crie um contrato sobre a maneira que as diversas funções do RH irão atuar (centros de *expertise*, RH incorporado, corporativo)

Passo 6: Prepare planos de ação

- Prepare um plano de transformação do RH com ações específicas de como fazer o departamento progredir. Atribua responsabilidades claras e prazos para o plano de transformação.
- Crie responsabilidades claras com prazos e consequências para as iniciativas de RH priorizadas.

Passo 7: Garanta as competências do RH

- Defina padrões claros do que se espera dos profissionais de RH utilizando o modelo de competência do RH que apresentamos aqui, ou algum outro que atenda suas necessidades.
- Avalie os profissionais de RH para que eles saibam o que precisam fazer para melhorar o desempenho.
- Invista nos profissionais de RH a fim de que possam melhorar.

Tanto a Prudential quanto a Accenture têm planos de negócios de RH que estabelecem suas prioridades de como se conectam com as metas da empresa. Quando os diretores de RH criam um plano de negócios do RH, definem uma agenda clara e um plano de ação para o departamento de RH.

Conclua a organização de seu departamento de RH

Um departamento de RH eficiente precisa implementar seu plano estratégico e de negócios através de sua estrutura. Como observado anteriormente, os líderes de RH passaram muitos anos em busca da organização certa com as funções, responsabilidades e regras de operação mais claras. De acordo com as informações da Figura 10.1, sugerimos que uma contínua revisão da estrutura de RH atual não deveria ser uma prioridade principal para os líderes de RH. Entretanto, se você tomar as seguintes ações, a estrutura do RH pode ser projetada para entregar valor:

- Defina as opções básicas de planejamento da organização.
- Alinhe a organização do RH com a organização da empresa.
- Organize para transformar o conhecimento do RH em produtividade do cliente.
- Esclareça as responsabilidades para cada função do RH.
- Crie um contrato de compromisso sobre a maneira como as funções do RH irão trabalhar juntas.

Defina as opções básicas de planejamento da organização

Nos últimos 50 anos, organizações de todos os tipos foram concebidas em duas dimensões que recebem diversos nomes (esboçada na Tabela 10.4).

Estas duas dimensões levam a quatro opções básicas de planejamento da organização:

1. *Centralizada*: um escritório corporativo forte com decisões tomadas por um órgão central e compartilhadas por toda a organização.
2. *Descentralizada*: Unidades de negócio independentes (por linha de produto ou geografia) que funcionam independentes umas das outras.

Tabela 10.4 Duas dimensões iniciais de planejamento de organização

Centralizado	Descentralizado
Padronizado	Customizado
Eficiente	Eficaz
Integrado	Diferenciado
Firme	Solto

3. *Matriz*: Unidades que compartilham recursos, mas funcionam independentes.
4. *Terceirizada*: Uma unidade corporativa com uma equipe muito pequena onde trabalham principalmente corretores e redes de relacionamento.

A Figura 10.3 explica essas opções. Todas as opções de planejamento da organização para toda a empresa ou para qualquer função podem ser definidas como alguma variação dessas quatro opções de planejamento.

Seguindo o mesmo padrão, os departamentos de RH podem ser organizados em um dos quatro modelos básicos de planejamento:

- *RH Centralizado*: As organizações com operações de RH centralizadas têm um chefe de RH apoiado por especialistas em contratação, treinamento, benefícios, remuneração, projetos de organização e assim por diante. Essas áreas funcionais têm a responsabilidade de planejar e implementar as políticas do RH por toda a organização.
- *RH Descentralizado*: Com o RH descentralizado, cada unidade de negócio independente tem seu próprio departamento de RH composto de um chefe e dedicados especialistas funcionais. A Virgin, no Reino Unido, a Tata, na Índia, ou Bershire Hathaway, nos Estados Unidos são essencialmente empresas *holding*, nas quais cada negócio tem uma equipe dedicada de RH, com muito pouca supervisão da empresa.

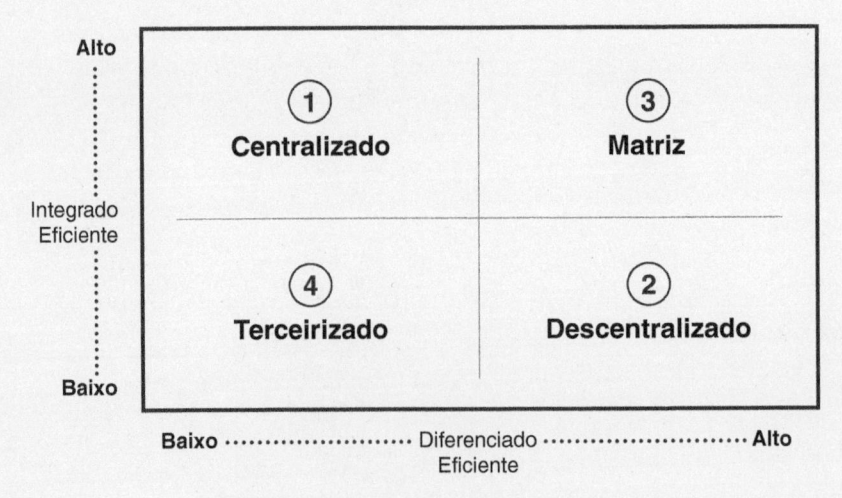

Figura 10.3 Opções básicas de planejamento da organização.

- *Matriz RH*: Na matriz ou nos serviços compartilhados do RH, a organização tenta obter os benefícios da centralização e da descentralização. Um departamento de RH matriz provavelmente terá as seguintes funções:
  - *Centros de serviço*: Utilizando a tecnologia, os centros de serviço do RH prestam serviços rotineiros, administrativos e padronizados. Os centros de serviço encontram maneiras de prestar o serviço do pessoal a custo baixo, ao mesmo tempo em que mantêm a equivalência entre a qualidade e o serviço. Um exemplo seria desenvolver sistemas administrativos comuns ou colocar os benefícios do RH *online* para que os funcionários possam ser autossuficientes.
  - *Centros de expertise*: Os centros de *expertise* consistem de especialistas que tem percepções únicas e um grande conhecimento sobre as pessoas (como contratação e treinamento), desempenho (recompensas), comunicação e organização (desenvolvimento organizacional, relações de trabalho). Suas detalhadas responsabilidades são diferentes de uma organização para outra, mas elas podem criar e controlar um menu de opções, fornecer conhecimentos especializados em determinados problemas, quer procurando ajudar com desafios em toda a empresa ou sendo atraídos para a empresa para fornecer conhecimentos especializados em determinados problemas (ou ambos), compartilhar conhecimento de uma empresa para outra, e fazer contato com importantes líderes externos.
  - *RH incorporado*: O RH incorporado proporciona parceiros de negócio que trabalham na equipe de gestão da unidade de negócios e participam de discussões de negócio. Eles fazem diagnóstico do talento e da organização para alinhar e dirigir a estratégia, agem como arquitetos estratégicos na elaboração da estratégia, treinam o líder empresarial e outros membros da equipe, ajudam a fazer com que a estratégia e a mudança aconteçam, e medem e monitoram a qualidade do trabalho do RH na empresa.
  - *RH corporativo*: O RH corporativo supervisiona a função global do RH, fornecendo assessoria aos executivos sênior, administrando as carreiras de RH e moldando a direção corporativa.
  - *RH terceirizado*: Nas organizações que terceirizaram a maioria dos processos de RH para fornecedores externos, o departamento interno de RH é simplesmente um corretor e negociador de contratos para talento e organização.

Alinhe a organização do RH com a organização da empresa

Para escolher uma das quatro opções de planejamento que um departamento de RH deve seguir, comece com a pergunta simples: Como a empresa está organizada? A estrutura do departamento de RH deve estar de acordo com a estrutura da empresa. A estrutura comercial da empresa *holding* também levaria a uma organização de RH descentralizada e disseminada. Uma empresa integrada única teria um departamento de RH organizado por funções (contratação, treinamento, remuneração, organização, projeto, e assim por diante). Como as maiores organizações são diversificadas e trabalham com uma estrutura de múltiplas empresas, a grande maioria dos departamentos de RH são geridos por estruturas organizacionais mais complexas. Veja a Figura 10.4 para capturar o alinhamento entre a organização empresarial e o departamento de RH. A organização de RH da Accenture, por exemplo, reflete a organização empresarial no qual Smart trabalhou para equiparar recursos de RH às exigências da empresa.

Organize para transformar o conhecimento do RH em produtividade do cliente

Hoje em dia a grande maioria das grandes organizações segue uma estrutura matricial, e seus departamentos de RH deveriam ser organizados em torno de um modelo de serviços compartilhado. Calculamos que 65/75% das gran-

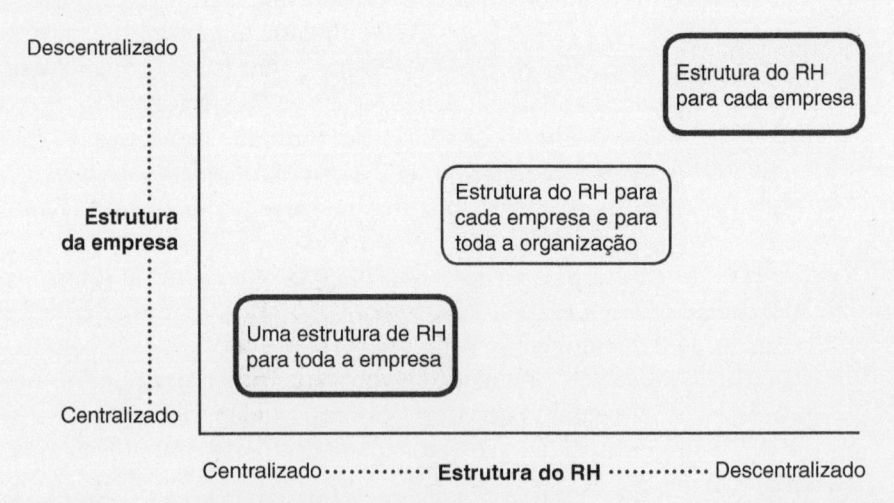

Figura 10.4 Alinhando o negócio e as estruturas do RH.

des empresas utilizam um modelo matriz de serviços compartilhados. Como analisado anteriormente, o RH tem quatro funções que podem ser desenvolvidas em um modelo de serviços compartilhados:

1. Centros de serviços para realizar o trabalho administrativo com eficiência.
2. Centros de *expertise* para garantir inovação e profundo conhecimento especializado nas principais áreas do RH.
3. RH incorporado para diagnosticar as necessidades do cliente e criar soluções de RH integradas.
4. RH corporativo para atender as iniciativas gerais de toda a empresa, mostrando uma face comum aos clientes, investidores, ou a comunidade, e tratando com os diretores corporativos.

Esclareça as responsabilidades para cada função

Todas as quatro funções do RH podem inovar para tornar eficaz o modelo de serviços compartilhados. Os centros de serviço focam no uso da tecnologia como uma fonte de informação (permitindo que os funcionários descubram seus programas de benefício) ou como um meio de impulsionar a eficiência (substituindo o esforço da equipe de RH pelo autosserviço). Especialistas em centro de *expertise* oferecem importantes *insights* para a equipe, os quais podem ser adaptados à solução de problemas. Os profissionais de RH incorporado têm o desafio de diagnosticar os gerentes de área e os assuntos comerciais, e oferecer soluções integradas e inovadoras. Os profissionais de RH corporativo criam uma face empresarial consistente e identidade cultural.

Crie um compromisso sobre como as funções do RH irão trabalhar juntas

Em cada uma das quatro funções (centro de serviço, centros de *expertise*, RH incorporado e RH corporativo), os profissionais de RH não agem independentemente. Como vemos nos nossos dados, quando o departamento de RH funciona eficientemente como uma unidade, tem um importante impacto no desempenho da empresa. Isso significa criar uma mentalidade compartilhada entre os profissionais de RH baseado em um contrato compartilhado de como as funções independentes irão funcionar juntas, com foco em um objetivo comum. Quando Goerke criou sua organização de RH na Prudential, por exemplo, ele realizou uma série de reuniões externas onde os líderes de RH na empresa e nos centros de *expertise* podiam chegar a um acordo sobre a maneira de trabalhar juntos. Essas sessões de formação de equipe foram importantes para os relacionamentos entre a equipe de RH.

Atualmente, muitos diretores de RH estão buscando novas organizações de RH. Se eles seguissem estes cinco princípios de planejamento, poderiam garantir que sua organização de RH está adequada para seu objetivo real.

O que é medido é feito.

Forneça boas análises de RH

Não há dúvida que o que é medido é feito. Sem as métricas do RH, as decisões são baseadas em impressões e instinto, não em fatos. Ao criar métricas de RH, sugerimos trocar as avaliações das atividades de RH (tais como número de dias de treinamento) para avaliações de resultados do RH (o impacto do treinamento na criação das principais capacidades de organização); de um *scorecard* ou painel de RH estático para análises proféticas que mostrem como os investimentos do RH levam a resultados, e do foco nos dados para ênfase na tomada de decisões. Para criar análises proféticas, os líderes de RH começam sendo claros sobre os resultados que sua organização quer. Esses resultados muitas vezes são capacidades essenciais ao sucesso, e elas precisam ser definidas e medidas. Então, o RH pode identificar decisões ou escolhas que irão ajudar a obter esses resultados. Vincular as decisões do RH com os resultados se torna a chave do sucesso. Goerke, na Prudential e Smart, na *Accenture*, concentram-se menos nos resultados estáticos e mais nos indicadores preditivos sobre como os investimentos do RH irão levar a resultados de negócios.

Faça RH do RH

Os dados na Figura 10.2 também sugerem que o RH precisa ser um modelo cultural para o resto da organização. Muitas vezes vemos profissionais de RH como 'casa de ferreiro, espeto de pau', não demonstrando sinais de beneficiarem-se das práticas de trabalho que recomendam e, dessa forma, fornecendo pouco incentivo para que outros grupos os experimentem. Nos seminários com profissionais de RH, muitas vezes perguntamos quantos deles chegaram ao trabalho atual através de uma avaliação 'função/pessoa' cuidadosa, quantos conversaram sobre a carreira com seu chefe, quantos receberam uma avaliação de desempenho, e quantos podiam expressar a visão da função de RH. Poucos levantam as mãos – resulta que os profissionais de RH raramente fazem o que pedem que os outros façam. Essa hipocrisia do RH cria uma falsidade não apenas entre os profissionais de RH, mas por toda a organização.

Para ser um modelo cultural, convidamos profissionais de RH a aplicar os seis domínios de competências ao seu próprio departamento, considerando as seguintes questões:

- Posicionador estratégico:
  - Trazemos percepções dos clientes, dos investidores e da comunidade para nossas discussões do RH?
  - Fazemos parceria com gerentes de área e funcionários para adaptar nossa agenda de RH?
  - Temos um processo eficaz para a criação de nosso plano de negócios do RH?
- Ativista confiável:
  - Criamos relacionamentos de confiança entre os membros da equipe do RH?
  - Nossos profissionais, de diferentes funções, respeitam e trabalham bem uns com os outros?
  - Nossos profissionais desafiam e aprendem adequadamente uns com os outros?
- Criador de capacitações:
  - A capacitação dentro de nosso departamento de RH está adequada à principal capacitação corporativa? (Por exemplo, se a empresa quer ser conhecida pela inovação, esta capacitação também reflete a identidade do departamento de RH?)
  - Nossos profissionais de RH têm uma linha de visão entre seu trabalho diário e as metas de seu departamento?
  - Temos um ambiente de trabalho positivo e significativo dentro do departamento de RH?
- Campeão de mudança:
  - Começamos mudanças dentro de nosso departamento de RH?
  - Nosso departamento de RH tem a reputação de implementar o que pedimos que os outros façam?
- Inovador e integrador de RH:
  - Procuramos consistentemente inovar dentro de nosso departamento de RH em cada uma das áreas de prática?
  - Somos precursores de nossas ideias inovadoras em talento, desempenho, comunicação e trabalho?
  - As práticas de RH em nosso departamento reforçam-se mutuamente?

- Proponente de tecnologia:
    - Nossos profissionais de RH sabem usar as últimas tecnologias?
    - Pesquisamos e aplicamos as informações corretas para tomar decisões?
    - Usamos tecnologia para melhorar a maneira como fazemos nosso trabalho de RH?

Quando os profissionais de RH levam suas competências para dentro do departamento de RH, tornam-se exemplos para os outros. Quando treinamos os profissionais de RH, muitas vezes descobrimos que eles estão um pouco nervosos com a crescente expectativa de facilitar a estratégia, criar capacidades, defender mudanças, e assim por diante. Nós concordamos com essa ansiedade e geralmente dizemos que nas primeiras vezes que tentarem novidades provavelmente não farão tudo muito bem. Por isso dizemos que é uma boa ideia praticar dentro do departamento de RH, onde estarão relativamente seguros e serão capazes de aprender com seus testes piloto antes de divulgar a ideia para uma audiência maior. Imaginamos a função como uma baliza de um grande trabalho. Goerke e Smart são líderes exemplares de RH, pois assessoram aqueles na equipe de RH e também os líderes da empresa. Têm orgulho de seu profissionalismo e adotam no RH o que querem para o resto de suas organizações.

Conclusão: Um departamento de RH que vale a pena

Muitos gerentes de área nos disseram: "Gosto da pessoa do meu RH, mas não gosto do RH". Isto é um problema, pois o departamento de RH tem mais potencial para impacto empresarial do que qualquer profissional de RH. Quando os diretores de RH são tão criteriosos e rigorosos sobre a criação de seu departamento de RH quanto são sobre o desenvolvimento de profissionais de RH, irão criar mais sucesso sustentável.

Capítulo 11

O que é isso?
E então?
E agora?

Neste livro falamos sobre os dados do Estudo de Competência do RH de 2012 que estabelece uma base para enquadrar qual o futuro da profissão de RH. Como relatamos, este estudo de 25 anos representa uma parceria de associações dos melhores profissionais de RH, oferece uma perspectiva global sobre as competências para os profissionais de RH, relata descobertas e dá sugestões para seis domínios de competência do RH, recomenda como desenvolver profissionais de RH e propõe a melhor maneira de liderar um departamento de RH. Todas essas descobertas e recomendações se desenvolveram a partir da evolução do RH para uma perspectiva de fora para dentro, onde as condições externas da empresa moldam as ações da organização e influenciam os comportamentos individuais.

Também sabemos que essas descobertas são complexas. Para finalizar e simplificá-las, concluiremos tratando dessas três questões:

1. O que é isso? Nossos principais *insights* dessa pesquisa.
2. E então? Implicações para os profissionais de RH e departamentos de RH.
3. E agora? O que esses *insights* oferecem para o futuro do RH.

O que é isso? As descobertas mais interessantes desta pesquisa

Iniciamos esta rodada de pesquisa assim que terminamos o estudo de 2007. Enquanto interagíamos com profissionais de RH em conferências, *workshops*, seminários e trabalhos de consultoria, pensávamos constantemente sobre as competências para os profissionais de RH e as exigências para os departamentos de RH. Também nos atualizamos sobre as mais recentes opiniões e pesquisas sobre as funções, departamentos e tendências do RH. Iniciamos formalmente esta sexta rodada em janeiro de 2011 pedindo aos nossos parceiros globais que identificassem o negócio e os desafios do RH em suas regiões. Os parceiros realizaram entrevistas e grupos de análise entre seus clientes para determinar o que os profissionais de RH deveriam ser, saber e fazer para serem eficientes. Para elaborar um exame das atuais exigências do negócio trabalhamos com parceiros e outros conselheiros, tanto pessoal quanto virtualmente. Surpreendemo-nos ao receber mais de 20 mil respostas para analisar. Ao longo do último ano vivemos e trabalhamos com os dados e tentamos resumir o que aprendemos em uma série de 10 *insights* ou principais descobertas que merecem atenção:

1. *Reconhecer a evolução da demografia no RH*. A profissão continua a contar com e, cada vez mais, ser liderada por mulheres altamente educadas (de 23% em 1987 a 62% em 2012), e por pessoas que são especialistas em talento e áreas afins, em vez de generalistas (os generalistas diminuíram de 61% em 1987 para 40% em 2012). A mudança no perfil demográfico do RH tem implicações interessantes para o status da profissão e pode ser coerente com mudanças demográficas e de função em outras funções de apoio tais como o *marketing*, TI e finanças. A feminização da profissão pode levar a estereótipos que precisam ser enfrentados e superados. A divisão de gêneros (em nosso exemplo a maioria dos gerentes de áreas são homens) representa um desafio tanto para os gerentes de RH quanto os gerentes de área. Além disso, uma crescente especialização pode fornecer *insights* mais rigorosos e científicos, mas também fragmentar o campo a não ser que especialistas possam reunir seus *insights* únicos em soluções comuns.
2. *Aceitar modelos e padrões globais comuns*. Surpreendemo-nos com semelhanças globais e funcionais sobre a maneira que os 20 mil participantes e entrevistados desta pesquisa descreveram e classificaram a competência do RH (o impacto das competências do RH sobre a eficácia pessoal e o sucesso do negócio é praticamente o mesmo em todas as regiões do mundo). Esses dados sugerem que o RH tornou-se verdadeiramente uma profissão global. Apesar de existirem algumas diferenças entre os profissionais de RH e os associados não RH (gerentes de área), em organizações menores e maiores e entre regiões diferentes, as semelhanças

superam em muito as diferenças. A mensagem para os profissionais de RH, líderes e associações deve ser clara: existem padrões globais para as competências do RH. Os esforços das associações de RH para desenvolver exclusivamente soluções nacionais, em vez de trabalhar juntos por uma causa comum, provavelmente serão ineficientes e mal orientados. Acreditamos haver identificado o código do RH – as exigências fundamentais para os profissionais de RH eficientes, não importa onde estejam. Claro que experiências pessoais, empresas diferentes, culturas geográficas e expectativas de função podem exigir competências diferentes dos profissionais de RH, mas os dados mostram um claro padrão global.

3. *Pense e aja de fora para dentro.* Os profissionais de RH devem ir além do entendimento do negócio de dentro para fora. Para que sejam eficientes parceiros de negócio e consultores de RH, eles precisam ir além de finanças, além de estratégias e além de *stakeholders* específicos (clientes e investidores) para tendências e condições externas – como descrevemos, nossa recomendação se concentrou em fatores-chave de mudança e desenvolvimento do setor: social, tecnológica, econômica, política, ambiental e demográfica. A contribuição estratégica do RH começa com o pensamento e a ação de fora para dentro, baseada nesses impulsionadores, fazendo o papel de posicionadores estratégicos: interpretando condições externas, reconhecendo potenciais oportunidades e ameaças, e recriando uma resposta estratégica que crie as capacidades que justifiquem a estratégia. Já não é mais suficiente conhecer a linguagem e o fluxo do negócio, saber como a organização ganha e perde dinheiro, e até mesmo o que os clientes esperam e como eles vivenciam a organização.

4. *Dedicar-se ao departamento de RH bem como ao desenvolvimento individual dos membros da equipe do RH.* Enquanto a competência profissional do RH explica 8% do desempenho da empresa, a eficácia do departamento de RH explica quatro vezes mais (32%). Os dados sugerem que os profissionais de RH são importantes para o resultado do negócio, mas o departamento de RH é ainda mais importante. Os departamentos de RH têm impacto no sucesso da empresa quando atendem igualmente os *stakeholders* tanto dentro da organização (funcionários, gerentes de área) quanto fora (clientes, investidores, comunidades). Em um nível mais geral, esses dados confirmam que o RH não deveria limitar-se a um estreito foco no talento, ou no capital humano, mas deveria prestar atenção tanto ao talento quanto à organização. O sucesso empresarial não é somente talento, mas a combinação de talento e cultura oferecidos por uma eficiente organização de RH.

5. *Seguir adiante, indo além dos pequenos retornos da reorganização do departamento de RH.* A transformação do RH nos últimos 15 anos tendia a se concentrar nas funções, na estrutura e automação das funções transacionais do RH. Esses dados reforçam a necessidade de um foco mais amplo sobre como o RH vincula suas prioridades e investimentos à experiência do cliente, análise do RH, moldagem da cultura e a inclusão de gerentes de área no planejamento e avaliação do RH. Para organizar um departamento de RH é importante atender certas necessidades estratégicas, ter funções e responsabilidades claras e orientar as tomadas de decisão do RH com clareza. Mas, uma vez alinhado o departamento de RH com a organização da empresa, é hora de seguir adiante para outras atividades, além da estrutura de RH.
6. *Alavancar os benefícios e reconhecer os limites de ser um ativista confiável.* Uma competência forte, como um ativista confiável, é fundamental para a eficácia pessoal dos profissionais de RH, mas também para o impacto do RH na empresa ou no sucesso da empresa. No passado, os profissionais de RH confundiram a consideração positiva dos gerentes de área para o desempenho produtivo. A profissão de RH trabalhou durante décadas para conseguir "um lugar à mesa". Os dados do HRCS de 2012 mostram que vencemos a batalha e temos acesso a expectativas dos líderes. Agora o RH precisa se concentrar na inovação e integração das áreas que estimulam o sucesso da empresa. A confiança é muito importante como porta de entrada, mas agora que estamos à mesa, precisamos contribuir com algo significativo para a discussão.
7. *Prestar atenção à constante mudança.* Na pesquisa de 2007 a mudança e a capacitação estavam unidas (administrador de cultura e mudança), mas, na pesquisa atual, estão separados como diferentes domínios de competência extremamente importantes. Não é de admirar que as habilidades relacionadas a mudanças tenham voltado como uma competência única e importante. As organizações estão tratando dos impactos da grande recessão de 2008, a globalização, acelerada tecnologia, crescente concorrência por talento, maior carga regulatória e outros fatores. Os profissionais de RH são um pouco melhores na iniciação do que na manutenção das mudanças, mas manter a mudança tem maior impacto no sucesso do negócio. Algumas vezes o RH é acusado de uma moda passageira e estamos acostumados com descrições irônicas como *"bola da vez"*. Esses comentários ressaltam a necessidade do RH fazer um trabalho mais eficiente de manutenção da mudança. Não podemos reduzir o

ritmo de mudança, mas podemos ser mais habilidosos na maneira como trabalhamos para fazer com que a mudança permaneça. Talvez seja melhor ter menos iniciativas e mantê-las, do que ter muitas que não duram.
8. *Tornar-se atualizado em tecnologia e informação.* As competências do proponente de tecnologia estão entre as mais fascinantes e potencialmente poderosas descobertas deste estudo. A eficácia neste domínio talvez não tenha o mesmo impacto na eficácia pessoal como no domínio do ativista confiável, mas tem um impacto consideravelmente maior no desempenho do negócio –, na verdade, tanto impacto quanto em qualquer outra área de envolvimento do RH. Porém, a tecnologia está mudando o modo de fazer o trabalho de maneira dramática e inesperada, e é essencial que o RH tenha o conhecimento e a *expertise* no entendimento dos efeitos da nova tecnologia analítica e da mídia social. O novo HRCS sugere que a automatização do trabalho administrativo e transacional seja a ponta do iceberg do RH. O RH precisa ir além utilizando a tecnologia para fazer o trabalho do RH com mais eficiência e usando a tecnologia para impulsionar conhecimento e relacionamentos dentro e fora da empresa. Por exemplo, os profissionais de RH precisam ser mais competentes no contato com as pessoas e no trabalho através da tecnologia. O trabalho de hoje não é apenas definido por limites geográficos ou funcionais, mas também é definido por interesses comuns.
9. *Tirar proveito das capacidades.* O RH integrado surge quando práticas isoladas concentram-se em um conjunto definitivo de capacitações organizacionais. Os profissionais de RH deveriam realizar auditorias na organização para determinar as capacidades certas para o futuro. A capacitação de criar significado é subjacente e se destaca porque quando criamos qualquer capacitação (inovação, serviço, colaboração ou qualquer outra), precisamos garantir que as necessidades pessoais dos indivíduos sejam atendidas e que o trabalho não seja apenas de desempenhar atividades, mas de entender o sentido dessas atividades.
10. *Criar organização.* As competências de RH focadas na organização (criador de capacitações, campeão de mudanças, inovador e integrador de RH, proponente de tecnologia) devem receber considerável atenção do desenvolvimento do RH. Esses domínios de competência ligam as pessoas com as condições ambientais externas. Elas sustentam eventos isolados. É muito fácil para o RH recorrer a soluções de talento quando o sucesso sustentável surge de soluções organizacionais.

Claro que outros podem tirar conclusões diferentes destes dados. Mas estas são nossos principais *insights,* que acreditamos ter enormes implicações para os profissionais de RH.

E então? As implicações para o RH

Em trabalho anterior sugerimos que os profissionais de RH devem oferecer as competências necessárias dominando as ações de *coach*, arquiteto, projetista e facilitador. Os *coaches* trabalham diretamente com os líderes (e com outros) para ajudá-los a melhorar o comportamento individual. Os arquitetos criam organizações para transformar estratégia em resultados. Os projetistas criam e implementam práticas de RH alinhadas, inovadoras e integradas. Os facilitadores ajudam as organizações a administrar processos e mudar a fim de garantir que as metas desejadas sejam alcançadas. Acreditamos que essas quatro ações continuem a ser viáveis para os profissionais de RH.

Mas, baseados no trabalho deste livro, sugerimos algumas ações adicionais que os profissionais de RH devem dominar:

- *Observador*: Como observadores, os profissionais de RH deveriam aprender a interpretar as condições externas do negócio, relacionar-se com os principais *stakeholders,* esclarecer estratégias e ajudar a empresa a faturar. Como observadores, passam a conhecer as tendências e transformá-las em ações.
- *Diagnosticador*: Os profissionais de RH deveriam tornar-se peritos em diagnosticar comportamentos individuais, de liderança e organizacionais. O diagnóstico pode vir por meio de observação, entrevistas, grupos de análise e pesquisas. Através do diagnóstico, os profissionais de RH podem prever os efeitos das demandas, estabelecer prioridades e rastrear resultados.
- *Líder de pensamento*: Os profissionais de RH deveriam fazer mais do que reagir às condições; deveriam criá-las. Como líderes de pensamento, eles não apenas conhecem teorias e pesquisas relevantes, mas trazem i*nsights* únicos para seus trabalhos. Esses *insights transpõem* os paradoxos que descrevemos no Capítulo 1.
- *Executante*: Basicamente, os profissionais de RH agem no que veem, diagnosticam e aprendem. Como executantes, fazem as coisas certas acontecer e garantem que suas organizações reajam tão rapidamente quanto o ambiente necessita.

Quando os profissionais de RH dominam essas novas ações, oferecem as competências identificadas nesta pesquisa. Estas quatro ações podem se aplicar a cada um dos seis domínios de competências quando os profissionais de RH adaptam e aplicam as ideias que apresentamos nos capítulos anteriores.

E agora? Para onde vai o RH?

Nossos *insights* e as ações propostas proporcionam o *insight* mais moderno, global e empírico de onde está o RH do ponto de vista de competência. Mas para onde vai o RH? Não podemos fornecer o mesmo nível de *insight*s detalhados sobre o futuro do RH como podemos fazer com o presente, mas há alguns sinais que mostram para onde vai o RH.

1. *Uma função maior para o RH.* Não é surpresa que o RH deve desempenhar um papel maior na maioria das organizações, especialmente nas organizações grandes, complexas e globais. É difícil encontrar um relatório de consultoria ou acadêmico que não reforce o grau no qual o talento, a cultura e a liderança estejam entre os principais itens na agenda do CEO. McKinsey relata que 52% dos CEOs de um estudo recente disseram que a produtividade da mão de obra e a gestão de talento teriam significativo impacto em seus desempenhos,[1] e o The Hay Group identifica que a obtenção de sucesso através de pessoas e a colocação de alto valor no talento e liderança são indicadores importantes de organizações de alto desempenho.[2] E a PricewaterhouseCoopers declara que os CEOs pretendem aumentar seus investimentos em talento e liderança.[3] Algumas das áreas específicas nas quais as organizações e seus líderes dedicam mais atenção incluem:
   - Desenvolver talentos locais nos mercados emergentes
   - Aumentar a participação das mulheres em funções sênior e diretorias
   - Implementar sistemas de gestão de desempenho mais exigentes
   - Tratar dos desafios da remuneração dos executivos
   - Administrar e envolver a Geração Y
   - Formar, dissolver e voltar a formar equipes altamente produtivas entre zonas geográficas e de tempo.
   - Criar organizações mais eficazes e eficientes
2. *Maior integração com outras funções.* A importância da competência do posicionador estratégico revela uma tendência na interação do RH e na parceria com outras funções de apoio estratégicas, notadamente finanças

e TI, mas também com manufatura enxuta, a cadeia de fornecedores e outras áreas de especialização funcional. A Mars já descreve seus generalistas de RH como "co-pilotos" que apoiam conjuntamente um gerente geral com o CFO (diretor financeiro). Cada vez mais as organizações de RH descrevem seus generalistas como "parceiros de negócio de RH", o que reflete um esforço de fortalecer a qualidade da integração com a empresa. E relatos de que mais parceria entre o RH e a função financeira estão crescendo significativamente em diversas organizações, como a *Dow Chemical*, *U.S. Government Accountability Office* e o *First Tennessee Bank*.4

3. *Mudança na responsabilidade administrativa.* As responsabilidades estão se deslocando no mundo empresarial. Acontecem divisões entre vendas e *marketing*, entre a contabilidade tradicional e finanças estratégicas, e *help services* de TI e arquitetura. Cada uma dessas áreas funcionais reconheceu a diferença entre suas atividades administrativas e o trabalho mais estratégico que realiza, e cada uma delas dividiu a função adequadamente. Vemos fortes sinais de que isto também está acontecendo no RH. Não seria surpresa ver que alguns dos trabalhos administrativos tradicionais do RH não consideram o RH como uma casa funcional. Não há um argumento convincente para o RH assumir a administração da folha de pagamento ou benefícios, aposentadoria ou mobilidade (administração de transferências), particularmente quando administrado com base em um contrato de terceirização.

Por outro lado, vemos um número cada vez maior de departamentos de RH incorporando a comunicação com o funcionário como reconhecimento pelo importante papel que o RH desempenha na formação da mensagem para o grupo de funcionários e para os principais *stakeholders*. E estamos vendo mais envolvimento do RH no trabalho estratégico, na consultoria enxuta e em outras áreas que tradicionalmente não são do RH, mas que fazem sentido no contexto de uma função do RH mais estratégica e mais atenta ao mundo externo. Por exemplo, a contribuição integrada de comunicação e RH têm sido mencionadas como sendo um apoio mais efetivo a trabalhos de fusões e aquisições.[5]

4. *Inovação global.* O centro da inovação do RH não está mais na América do Norte e na Europa. Já está amplamente disseminado e essa tendência vai continuar. Empresas globais como Kraft, IBM, GE, P&G e outras são "alimentadoras de líderes de RH", levando inovações de RH para os países do BRIC (Brasil, Rússia, Índia e China) e para as nações do N11 (o *"next eleven"*): Bangladesh, Egito, Indonésia, Irã, Coréia do Sul, Mé-

xico, Nigéria, Paquistão, Filipinas, Turquia e Vietnã) Tecnologia da comunicação e reuniões de associações de RH têm tornado mais acessível o RH contemporâneo. As empresas da Ásia e América Latina criaram suas próprias inovações do RH com base na cultura e desafios empresariais exclusivos de seus mercados.

Da mesma forma, Cingapura, desprovida de recursos naturais, ambiciona tornar-se um centro de liderança comercial e de inovação para a nova Ásia; fundou uma organização potencialmente poderosa e criativa para liderar esse esforço chamado de Human Capital Leadership Institute. Noruega e Cingapura estão colaborando na transformação do RH do setor público. O departamento governamental da Dinamarca trouxe uma considerável liderança no desenvolvimento da educação e nas práticas de gestão de talento para os municípios dinamarqueses. Os dados de competência mostram os graus de semelhança entre as regiões na maneira como as competências de RH são percebidas, uma boa base para uma contínua inovação global nas práticas de RH.

5. *Mais impacto da tecnologia.* Como o Capítulo 8 destaca, ao longo do tempo o RH irá se tornar uma função muito mais influente, sofisticada com o uso da tecnologia em diversas áreas:
   - A gestão eficaz e eficiente dos serviços transacionais.
   - Grande análise de dados
   - Desempenhar um papel muito mais importante como arquiteto e implementador de estratégias de informação e comunicação
   - Envolver a tecnologia de redes sociais e as novas mídias como meios de vincular pessoas e equipes e de conectar a organização com os clientes e outros *stakeholders*

   A análise de dados é um ponto particularmente importante. Irá se expandir para além de conjuntos particulares de dados, como pesquisas e banco de dados de engajamento que podem ser relacionados para *insights* sobre relações específicas, como aqueles entre fidelidade do cliente e comportamento do funcionário ou, em um nível mais específico, entre as compras do cliente e o comprometimento do funcionário.[6] A tecnologia e a análise evoluíram muito. Por exemplo, análises preditiva tornaram possível que o Comcast identificasse um relacionamento forte e positivo entre a satisfação do funcionário, a retenção do funcionário e a satisfação do cliente.[7]

6. *Uma mistura organizacional diferente e demográfica.* Os dados apontam para um cenário diferente em muitas, talvez na maioria, das organizações de RH. Aprendemos com nossos 20 mil participantes que a demografia e

os papéis desempenhados no RH mudaram e continuam mudando. Por exemplo:
- *Mais mulheres em funções importantes.* Aproximadamente dois terços dos profissionais de RH eram mulheres, uma continuação da mudança de gênero que temos visto ao longo do tempo. Espera-se que continue a haver uma presença majoritária de mulheres em todos os níveis.
- *Administrar a lacuna de diversidade será uma jornada desafiadora.* A mudança para mais mulheres no departamento e em papéis importantes está em contraste com o perfil dos chefes de RH de hoje, em geral, e com os gerentes de área que são parceiros de negócio do RH. De acordo com um recente relatório da PwC:

  > O chefe de recursos humanos nas empresas *Fortune 100* é, em geral, um homem de 53 anos de idade, com grau de bacharel, que passou 15 anos em seu emprego atual e cerca de metade de sua vida profissional em funções de RH. Seu título é SVP (Senior Vice President), e acabou de ser um VP (Vice Presidente). A experiência mais comum de RH é o tempo na função de desenvolvimento da força de trabalho. Um em cada cinco teve uma experiência em uma missão no exterior, e quase um terço teve empregos que poderiam ser descritos com diretamente envolvidos em operações internacionais. Pouco menos de um terço veio de outras empresas e foram contratados para altos cargos.[8]

- *Maior valorização para o negócio dentro do RH e para o negócio pelo RH.* Em nossos dados, ao longo do tempo um número cada vez menor de participantes tem 10 anos ou mais de experiência no RH. Os entrevistados são pessoas com mais jovens e com menos experiência no setor, ou vieram de outras funções diferentes do RH. Mais profissionais de RH estão buscando experiência e oportunidades em outras funções, o que aumenta a abrangência do RH e a valorização da empresa pela contribuição do RH.

7. *Maiores expectativas e recompensas.* Como resultado da crescente prioridade e desafio na gestão de talento, cultura e liderança, as expectativas de desempenho do RH continuarão a aumentar. Erros operacionais e má gestão de projetos de grande porte não serão aceitos do RH. O RH será visto como um negócio dentro do negócio. Por essa razão ele também terá a responsabilidade de trabalhar tão eficientemente quanto qualquer outro departamento. Como resultado, os líderes de RH com mais alto desempenho serão amplamente recompensados. Atualmente o RH está logo atrás das funções do gerente geral e diretor de finanças nas médias de remuneração por áreas funcionais, e acreditamos que desde que os

líderes e profissionais de RH entreguem o alto padrão de competência identificado em nossa pesquisa, eles serão altamente recompensados.
8. *Funções e estruturas continuarão a desenvolver*-se. Em nossos dados, uma crescente proporção de entrevistados ao longo do tempo são contribuintes individuais. Os departamentos de RH, como outras funções, estão reduzindo os níveis hierárquicos. Há menos funções gerenciais verdadeiras e mais gerentes que trabalham com equipes menores; e esforços estão sendo feitos para que haja uma consolidação de funções sempre que possível. O impacto da terceirização e da tecnologia foi uma redução no pessoal. Temos visto algumas grandes organizações globais reduzindo pela metade seus níveis de pessoal de RH de tempo integral. Contratantes e consultores de projetos desempenham um papel cada vez maior no grupo de pessoas de tempo integral no RH. E estamos vendo um novo mix de funções. Na época do HRCS identificamos uma evolução da ênfase na remuneração, estratégia, desenvolvimento da organização, recrutamento e treinamento; e um afastamento nos benefícios, relações de trabalho e trabalho generalista no RH.

Estes dados oferecem uma janela na composição emergente dos departamentos de RH. A nova estrutura apresenta um afastamento da administração tradicional e das relações dos funcionários e também do foco nas relações e contratos com os sindicatos. É uma mudança na direção de impulsionadores no desenvolvimento de capacidade e cultura no sucesso do negócio, desenvolvimento de liderança, talento e inicio e manutenção de mudanças.

Essas tendências têm implicações atraentes para o RH.

Conclusão: Continuando a criar o RH

Narramos o desenvolvimento do RH nos últimos 25 anos. O HRCS propiciou uma visão única da evolução da função do RH. Ao longo do período vimos muitas mudanças no RH, mas também maravilhosos sinais de seu amadurecimento como negócio importante e função organizacional. Como mostra cada uma das rodadas do HRCS, nossa visão do RH se tornou mais matizada e granular. Quando o RH desempenha um papel maior e trata de questões mais desafiadoras, vemos o trabalho do RH em mais detalhes e nitidez.

O *feedback* dessa rodada do HRCS é inconfundível e emocionante; espera-se que o RH opere de fora para dentro. Exatamente como Wayne Gretzky, no hóquei, ou Magic Johnson, no basquete, eram capazes de prever onde a ação iria acontecer na quadra, o RH precisa antecipar onde a ação vai acontecer na sua área. Assim como profissionais de RH, precisamos fornecer uma capacidade interpretativa para ver a conexão entre o que está acontecendo do lado de fora e as oportunidades ou ameaças que estão previstas para nossa organização. E esse *insight* deve possibilitar que os gerentes de área de todos os níveis convertam as visões em ação – e ação em resultados que beneficiem o cliente e *stakeholders* de nossas organizações. Esses papéis do posicionador estratégico, juntamente com o relacionamento e as habilidades de influência do ativista confiável, permitem então que o RH crie capacidades através de práticas do RH e inove e integre na criação de um sistema de RH que atraia talento, desenvolva líderes e crie equipes e organizações bem alinhadas e de alto desempenho, conectadas pela tecnologia de comunicação que reforce o trabalho de equipe e a colaboração.

Somos excepcionalmente otimistas sobre o futuro do RH. Pelos nossos cálculos, há quase 1 milhão de profissionais de RH em todo o mundo. Um crescente número de programas de graduação se concentra no RH. O RH tem uma atraente concentração nos programas de MBA e nós vemos o Google, Zappo, Baidu e outras organizações redefinindo e reinventando a maneira como o RH é feito. E em nosso programa no RBL – com clientes em mais de 50 países – e em nosso trabalho com executivos de RH na Ross School of Business, Universidade de Michigan, estamos inclinados a acreditar que estamos chegando à era de ouro do RH.

Apêndice A

Como os profissionais de RH podem desenvolver suas competências

Guia de desenvolvimento do HRCS

Seguem exemplos (Figuras A.1 a A.20) para o desenvolvimento de cada um dos 20 fatores nos seis domínios de competência (ver o "Guia de Desenvolvimento HRCS" com a lista completa).

Posicionador estratégico

Saber e fazer:
- Identificar as exigências e implicações globais do negócio para sua organização.
- Compreender o ambiente político externo.
- Ser capaz de esclarecer questões sociais que possam impactar seu setor e sua empresa.

Ideias de desenvolvimento:
- Prepare um memorando de três páginas sobre o contexto do setor e a cultura nos quais sua empresa atua. Leve em consideração todos os stakeholders: investidores, clientes, comunidades, reguladores, parceiros, funcionários e gerentes de área.
- Prepare uma apresentação sobre as tendências demográficas que irão afetar a maneira como seu departamento de RH implanta as práticas de RH em sua empresa.
- Entreviste um analista de investimentos que seja especialista no setor em que sua empresa atua sobre os fatores que constituem criação de valor na área.

Figura A.1 Interpretação do contexto global do negócio.

Saber e fazer:

- Divida os clientes em grupos-alvo.
- Conheça as exigências e expectativas dos principais clientes.
- Facilite a disseminação de informações do cliente.

Ideias de desenvolvimento:

- Realize um estudo que inclua uma análise da cadeia de valor de seus maiores clientes. Inclua uma explicação de quem são os clientes. Qual seu critério para comprar? De quem eles costumam comprar? Onde estão seus pontos fortes e fracos em comparação com seus principais concorrentes?
- Trabalhe em uma equipe multifuncional cuja tarefa seja identificar os hábitos de compra dos clientes e recomendar medidas para aumentar sua participação de mercado.
- Passe algum tempo com os clientes e com os clientes dos clientes. Se isso não for possível, passe algum tempo com a equipe de marketing e vendas, analise o feedback do cliente e participe de chamadas do call center para desenvolver uma visão esclarecida do que os clientes pensam e com o que se preocupam.

Figura A.2 Decodificando as expectativas do cliente.

Saber e fazer:

- Saiba como sua empresa cria riqueza.
- Defina as principais posições de criação de riqueza dentro da empresa.
- Ajude a estabelecer a estratégia do negócio.

Ideias de desenvolvimento:

- Conduza uma discussão transversal com pessoas de sua empresa que conheçam as principais atividades de criação de riqueza. Determine que percentual de seus funcionários cria 90% da riqueza e o que eles fazem.
- Conduza uma análise do setor que inclua um plano detalhado para aumentar o desempenho de sua empresa em relação à concorrência.
- Trabalhe em uma equipe de criação de um cenário futuro cuja tarefa seja desenvolver uma visão do futuro de sua empresa e do setor no qual você compete.

Figura A.3 Montando uma agenda estratégica.

Ativista confiável

Saber e fazer:

- Defina metas e expectativas claras.
- Concentre-se em cumprir compromissos pré-negociados e preestabelecidos.
- Esforce-se para não errar.

Ideias de desenvolvimento:

- Administre seus compromissos com cuidado. Seu desejo de ser prestativo pode levar a uma incapacidade de dizer "não", o que resulta em assumir mais do que você pode fazer, o que, por sua vez, transmite a ideia de que você não chega ao fim de seus compromissos.
- Admita erros e assuma responsabilidades pessoais.
- Crie medidas de RH que acompanhem tanto a produção do RH quanto os meios de gerar a produção. Crie medidas previsíveis que mostrem a relação causa/efeito.

Figura A.4 Ganhando confiança por meio de resultados.

Saber e fazer:

- Assuma riscos apropriados, tanto pessoalmente quanto para a organização.
- Faça observações sinceras, especialmente com dados.
- Pratique "RH com atitude" assumindo posições, antecipando problemas e propondo soluções.

Ideias de desenvolvimento:

- Avalie com honestidade sua vontade de expressar opiniões e ideias nas reuniões de pessoal e em outros fóruns. Caso você tenha a tendência de ficar quieto ou indeciso nessas reuniões, trace uma meta para solucionar esse problema. Comprometa-se a fazer pelo menos um comentário relacionado ao negócio em cada reunião.
- Encontre alguma coisa que possa corrigir, e corrija. Não deixe suas ações, ou a falta delas, serem sujeitas à aprovação dos colegas.
- Crie relacionamentos pessoais e profissionais com pessoas de fora do RH.

Figura A.5 Influenciando e relacionando-se com os outros.

Saber e fazer:
- Conheça seus pontos fortes e fracos.
- Conheça suas predisposições e experimente novos comportamentos.
- Use seus pontos fortes para fortalecer outros.

Ideias de desenvolvimento:
- Obtenha *feedback* de seus colegas sobre suas habilidades interpessoais. Aja sobre o *feedback*. Não fique na defensiva. Traduza o *feedback* em ações simples e focadas.
- Evite usar a palavra "eu" durante um dia inteiro.
- Prática a empatia sem qualquer tipo de juízo com membros da família e amigos próximos.

Figura A.6 Melhorando por meio do autoconhecimento.

Saber e fazer:
- Participe de associações de RH locais, regionais e/ou nacionais.
- Conheça os padrões de certificação em seu setor.
- Torne-se tecnicamente competente em sua área de *expertise*.

Ideias de desenvolvimento:
- Esteja disposto a questionar a forma padrão de fazer as coisas no RH. Imagine maneiras com as quais você pode criar mudanças positivas em sua organização. Assista a palestras do TED sobre criatividade na inspiração: http://www.ted.com/talks/ken_robinson_says_schools_kill_creativity_html.
- Seja voluntário para colaborar em fóruns ou comunidades de melhores práticas.
- Prepare uma apresentação para uma platéia de profissionais de RH.

Figura A.7 Moldando a profissão de RH.

Criador de capacitações

Saber e fazer:
- Defina as capacitações de sua organização.
- Faça um balanço das capacitações de sua organização ou departamento por meio de entrevistas e/ou pesquisas.
- Priorize e meça capacitações específicas.

Ideias de desenvolvimento:
- Prepare um relatório sobre as capacitações organizacionais de diferentes concorrentes de seu setor.
- Faça uma análise do conteúdo das conversas de seus líderes para identificar como eles falam sobre as capacitações organizacionais.
- Trabalhe com aqueles que preparam o relatório anual para misturar as capacitações organizacionais nos textos.

Figura A.8 Tirando proveito da capacitação organizacional.

Saber e fazer:
- Defina cultura de fora para dentro (a identidade da empresa na opinião dos principais *stakeholders*).
- Faça um balanço da cultura de sua organização e certifique-se que ela se enquadra com sua estratégia e a dos *stakeholders*.
- Faça um balanço e alinhe as práticas e gestão para impulsionar e manter a cultura de sua organização.

Ideias de desenvolvimento:
- Reúna histórias de comportamento que deem forma à cultura desejada. Compartilhe essas histórias em conversas, apresentações, boletins informativos, etc.
- Faça um balanço das principais práticas de gestão (administração orçamentária, gestão de desempenho, comunicação, reuniões, etc.) para um alinhamento com a cultura. Algumas práticas enviam mensagens simbólicas erradas sobre o que você valoriza em uma empresa?
- Faça um balanço cultural, sozinho ou com uma equipe de gestão. Identifique as características culturais que seu negócio deve ter para satisfazer as necessidades dos *stakeholders* e avançar em sua estratégia empresarial. Identifique as lacunas entre o que é e o que deveria ser.

Figura A.9 Alinhando a estratégia, capacitações e comportamento do funcionário.

Saber e fazer:

- Ajude a identificar o que proporciona significado e objetivo aos funcionários de sua organização.
- Vá além de pesquisas de comprometimento para investigar significado e objetivo.
- Ajude a moldar uma proposição de valor do funcionário que destaque como os funcionários podem ser motivados por aquilo que lhes interessa.

Ideias de desenvolvimento:

- Treine os líderes a se tornarem criadores de sentido ajudando-os a ver o impacto do significado na produtividade do funcionário.
- Identifique os elementos negativos do seu ambiente de trabalho e fale sobre eles em uma reunião de equipe.
- Nas interações individuais com os colegas, ajude-os a ver o motivo e significado de seu trabalho.

Figura A.10 Criando um ambiente de trabalho com significado.

Campeão de mudança

Saber e fazer:
- Ajude as pessoas a definir e criar um processo de mudança.
- Crie um processo disciplinado sobre a transformação do que você sabe em o que você faz.
- Entenda como fazer as coisas acontecerem.

Ideias de desenvolvimento:
- Defina um processo de mudança que levará a uma importante alteração na cultura de sua organização e que irá se enquadrar melhor com as expectativas dos clientes externos.
- Avalie seus processos de trabalho e práticas de RH, e reconheça os sinais que eles mandam sobre a experiência que você está tentando criar para os principais clientes.
- Colete informações de fontes internas e/ou externas com respeito ao futuro de sua empresa.

Figura A.11 Começando a mudança.

Saber e fazer:
- Aprenda a envolver os outros no processo de mudança.
- Separe grandes mudanças em simples primeiros passos.
- Certifique-se de que as mudanças desejadas apareçam nos comportamentos, nos processos e nas métricas de RH.

Ideias de desenvolvimento:
- Veja em sua empresa as iniciativas de mudança que não permaneceram. Descubra a razão. Prepare um relatório resumido para as equipes de RH e de liderança.
- Entreviste ex-funcionários sobre as barreiras que eles encontraram para uma mudança sustentável.
- Realize um "detector de vírus" em sua organização ou unidade de trabalho.

Figura A.12 Mantendo a mudança.

Inovador e integrador do RH

Saber e fazer:

- Defina as competências técnicas e sociais necessárias para nossa força de trabalho do futuro.
- Crie uma proposição de valor do funcionário que os comprometa e envolva.
- Crie um sentido de colaboração para os funcionários.

Ideias de desenvolvimento:

- Pratique a transformação de atributos culturais gerais em comportamentos específicos. Por exemplo, se alguém fosse flexível, atento aos custos, focado na equipe, criativo ou disciplinado, que comportamentos específicos e perceptíveis ele ou ela exibiria?
- Envolva-se com recrutamento em faculdades, com uma equipe de experientes recrutadores. Comece com uma declaração de que habilidades técnicas e culturais você espera.
- Trabalhe como voluntário em uma associação que exija que você avalie membros para promoção.

Figura A.13 Otimizando o capital humano pelo planejamento e pela análise da força de trabalho.

Saber e fazer:

- Identifique futuras habilidades necessárias para o sucesso dos funcionários.
- Crie planos individuais de desenvolvimento para que os funcionários saibam quais incluem educação, experiência de trabalho, *coaching* e experiência de vida.
- Crie um sistema de desenvolvimento do funcionário que una análise de desempenho, desenvolvimento e plano de carreira.

Ideias de desenvolvimento:

- Crie inventários dos principais empregos e experiências de desenvolvimento, identifique o que os encarregados aprendem com essas experiências, e como o aprendizado os prepara para maior contribuição e liderança.
- Trabalhe com os gerentes para criar listas realistas de potenciais sucessores para funções e trabalhos importantes.
- Preste atenção ao desenvolvimento de técnicos, não apenas dos futuros executivos.

Figura A.14 Desenvolvendo talentos.

Saber e fazer:

- Ajude a definir e esclarecer os papéis, responsabilidades e regras da organização bem sucedida.
- Identifique e melhore os processos de trabalho.
- Crie políticas de força de trabalho que ajudem a manter a organização.

Ideias de desenvolvimento:

- Trabalhe com um departamento para criar um processo de trabalho mais eficiente.
- Auxilie um gerente no projeto e na entrega de uma apresentação-chave. Ensine técnicas básicas, críticas e ofereça *feedback*. Seja voluntário no desenvolvimento de uma estratégia de comunicação para a próxima mudança organizacional, como a implementação de uma nova política, sistema ou processo.
- Envolva sua equipe de trabalho na identificação e na redução de trabalho de baixo valor.

Figura A.15 Moldando práticas organizacionais e de comunicação.

Saber e fazer:

- Articule a estratégia em termos claros e que possam ser medidos.
- Projete um sistema de avaliações que inclua medidas em nível individual e organizacional, e que esteja focado tanto em comportamentos quando em resultados.
- Alinhe medidas para as estratégias desejadas.

Ideias de desenvolvimento:

- Trabalhe com uma equipe da administração para identificar comportamentos críticos para o desempenho de sua unidade. Expresse esses comportamentos em um processo de avaliação.
- Identifique o percentual de funcionários que criam 90% da riqueza. Entreviste-os sobre o que eles desejam em termos de recompensas financeiras e não financeiras. Projete recompensas personalizadas para eles.
- Determine o que poderia ser feito para vincular mais intimamente seu sistema de recompensas com o desempenho.

Figura A.16 Estimulando o desempenho.

Saber e fazer:

- Crie um exemplo explicando porque, em sua organização, a liderança é importante para chegar a resultados bem sucedidos.
- Explique a teoria de liderança de sua organização com padrões e expectativas explícitas.
- Avalie os líderes em relação aos padrões.

Ideias de desenvolvimento:

- Observe os líderes bem sucedidos em sua empresa e em sua comunidade. Descubra as coisas que todos eles fazem e descubra o que cada um deles faz que é único.
- Veja cinco modelos de competência de liderança na literatura, em outras empresas e sua própria empresa. Resuma os requisitos básicos compartilhados de um bom líder.
- Examine a campanha impressa, da televisão, rádio ou Internet da mídia de sua organização. Quais as mensagens que você está compartilhando com os clientes? Estas mensagens estão aparecendo em seu modelo de competência?

Figura A.17 Criando a marca da liderança.

Proponente de tecnologia

Saber e fazer:
- Descubra a principal informação que sua empresa precisa compartilhar para tomar decisões melhores.
- Identifique onde há oportunidades de melhorar o custo/benefício por meio de tecnologia no RH sem afetar a relação de serviços de RH.
- Entenda as últimas tendências tecnológicas no RH.

Ideias de desenvolvimento:
- Desenhe uma representação gráfica do fluxo de informações importantes em seu departamento de RH e identifique os pontos nos quais a tecnologia do RH pode ser usada com mais eficiência.
- Identifique como alavancar um *feedback* de 360° através de *follow-up online* com mais eficiência.
- Determine quais competências críticas no RH podem ser ensinadas com o uso de tecnologias *online*, quais podem ser ensinadas no trabalho, e quais podem ser ensinadas em um ambiente escolar.

Figura A.18 Melhorando a utilidade das operações de RH.

Saber e fazer:
- Avalie as ferramentas de mídia social (por exemplo, LinkedIn, Facebook) para descobrir e conectar os funcionários.
- Examine a marca de sua organização no espaço da mídia social.
- Designe pessoas para rastrear os vestígios da mídia social de sua organização.

Ideias de desenvolvimento:
- Entenda e administre a marca de funcionário de sua organização através do monitoramento de discussões no Facebook, *sites* de emprego, etc., de como é trabalhar em sua organização.
- Explore o uso de videogames ou mundos virtuais (*Second Life*, etc.) para treinamento.
- Faça um balanço do uso da mídia social em sua organização – quem na organização está usando quais *sites* e com que objetivo – e identifique maneiras de coordenar e melhorar os vestígios da mídia social de sua organização.

Figura A.19 Alavancando as ferramentas de mídia social.

Saber e fazer:

- Encontre maneiras de criar comunidades de aprendizado dentro e fora de sua empresa.
- Crie sistemas de informação na *web* que permitam que os funcionários conectem-se uns com os outros.
- Forme processos de compartilhamento de informações de baixo para cima, para que os líderes possam saber rapidamente como estão trabalhando.

Ideias de desenvolvimento:

- Forme na internet uma comunidade social de pessoas de fora de sua empresa com posições semelhantes.
- Faça um balanço dos sistemas de informação internos e identifique o uso atual, necessidades dos usuários e oportunidades de melhoria.
- Identifique maneiras de criar uma minicomunidade *online* dentro da organização (blogs para treinamento de grupos, listas para áreas técnicas, etc.).

Figura A.20 Conectando as pessoas por meio de tecnologia.

Apêndice B

Autoavaliação de competência do HRCS

Instruções: Os itens seguintes (Figuras B.1 a B.6) fornecem uma breve versão de autoavaliação do exame de *feedback* criada pelos autores, baseada nos resultados da pesquisa de competência do RH de 2012. Uma versão completa do exame de *feedback* do HRCS é oferecida pelo RBL Group, como autoavaliação, como exame de *feedback* de 180° (do gerente e da própria pessoa), ou um exame de *feedback* de 360° (do gerente, da própria pessoa, de colegas, de relatórios do RH, colegas da gestão de área ou outros *stakeholders*).

Você é convidado a fazer duas classificações. A primeira é a avaliação de sua competência atual nesse fator. A segunda é a importância da melhoria de sua competência. Lembre-se de responder com a maior sinceridade possível. Ambas classificações são de 1 a 5, onde 1 = baixo e 5 = alto.

Apêndice B

	Minha competência atual ⬇	Valor da competência melhorada para o negócio ⬇
Ganhando confiança pelos resultados		
Tem histórico dos resultados	①②③④⑤	①②③④⑤
Demonstra integridade e ética pessoal	①②③④⑤	①②③④⑤
Influenciando e relacionando-se com os outros		
Trabalha bem com sua equipe de gestão	①②③④⑤	①②③④⑤
Comunica-se com eficiência	①②③④⑤	①②③④⑤
Melhora por meio de autoconhecimento		
Corre riscos adequados	①②③④⑤	①②③④⑤
Procura aprender com os sucessos e os fracassos	①②③④⑤	①②③④⑤
Moldando sua profissão		
Desempenha papéis ativos nas associações profissionais	①②③④⑤	①②③④⑤
Investe no desenvolvimento da função de RH	①②③④⑤	①②③④⑤

Figura B.1 Ativista confiável.

	Minha competência atual ⬇	A importância de melhorar minha competência ⬇
Tirando proveito da capacitação organizacional		
Garante que a organização explique as capacitações organizacionais necessárias para o sucesso do negócio	① ② ③ ④ ⑤	① ② ③ ④ ⑤
Audita a eficácia da capacitação	① ② ③ ④ ⑤	① ② ③ ④ ⑤
Alinhando a estratégia, capacitação e comportamento do funcionário		
Mede o impacto da cultura para alcançar desempenho sustentável do negócio	① ② ③ ④ ⑤	① ② ③ ④ ⑤
Projeta e entrega práticas de RH integradas (por exemplo, contratação, treinamento, recompensas e reconhecimento, gestão de desempenho, etc.) que criam e mantêm a cultura desejada.	① ② ③ ④ ⑤	① ② ③ ④ ⑤
Criando um ambiente de trabalho positivo e com significado		
Introduz uma cultura que incentiva o equilíbrio trabalho/vida	① ② ③ ④ ⑤	① ② ③ ④ ⑤
Introduz uma cultura que ajuda os funcionários a encontrar sentido e significado em seu trabalho	① ② ③ ④ ⑤	① ② ③ ④ ⑤
Moldando sua profissão		
Desempenha um papel ativo nas classes profissionais	① ② ③ ④ ⑤	① ② ③ ④ ⑤
Investe no desenvolvimento da função de RH	① ② ③ ④ ⑤	① ② ③ ④ ⑤

Figura B.2 Construtor de capacitações.

	Minha competência atual	A importância de melhorar minha competência
Melhorando a eficiência dos sistemas de RH por meio da tecnologia	⬇	⬇
Alavanca a tecnologia para os processos de RH (HRISI)	① ② ③ ④ ⑤	① ② ③ ④ ⑤
Exclui o trabalho de baixo valor agregado ou burocrático	① ② ③ ④ ⑤	① ② ③ ④ ⑤
Conectando-se uns com os outros por meio da tecnologia		
Expressa uma ampla estratégia de comunicação	① ② ③ ④ ⑤	① ② ③ ④ ⑤
Fornece políticas alternativas/flexíveis para motivar diferentes gerações de funcionários	① ② ③ ④ ⑤	① ② ③ ④ ⑤
Alavancando as mídias sociais para a empresa		
Alavanca as mídias sociais por motivos comerciais	① ② ③ ④ ⑤	① ② ③ ④ ⑤
Utiliza a tecnologia para facilitar a força de trabalho remota e móvel	① ② ③ ④ ⑤	① ② ③ ④ ⑤
Moldando sua profissão		
Desempenha um papel ativo nas classes profissionais	① ② ③ ④ ⑤	① ② ③ ④ ⑤
Investe no desenvolvimento da função de RH	① ② ③ ④ ⑤	① ② ③ ④ ⑤

Figura B.3 Proponente de tecnologia.

	Minha competência atual	A importância de melhorar minha competência
Interpretando o contexto do negócio	⬇	⬇
Entende as dinâmicas do setor e as forças concorrentes	① ② ③ ④ ⑤	① ② ③ ④ ⑤
Entende as expectativas dos investidores (por exemplo, avaliação, intangíveis).	① ② ③ ④ ⑤	① ② ③ ④ ⑤
Interpretando as expectativas do cliente		
Entende as expectativas dos clientes externos	① ② ③ ④ ⑤	① ② ③ ④ ⑤
Ajuda a expressar uma proposição de valor do cliente que orienta as ações internas da organização	① ② ③ ④ ⑤	① ② ③ ④ ⑤
Recriando uma resposta estratégica		
Identifica oportunidades e obstáculos para o sucesso do negócio	① ② ③ ④ ⑤	① ② ③ ④ ⑤
Traduz a estratégia do negócio em um conjunto de iniciativas de talento (força de trabalho) e cultura (local de trabalho)	① ② ③ ④ ⑤	① ② ③ ④ ⑤
Moldando sua profissão		
Desempenha um papel ativo nas classes profissionais	① ② ③ ④ ⑤	① ② ③ ④ ⑤
Investe no desenvolvimento da função de RH	① ② ③ ④ ⑤	① ② ③ ④ ⑤

Figura B.4 Posicionamento estratégico.

	Minha competência atual ⬇	A importância de melhorar minha competência ⬇
Garantindo o talento de hoje e de amanhã		
Estabelece padrões ou competências para o talento exigido	① ② ③ ④ ⑤	① ② ③ ④ ⑤
Avalia talentos-chave	① ② ③ ④ ⑤	① ② ③ ④ ⑤
Desenvolvendo talentos		
Projeta significativas experiências de desenvolvimento	① ② ③ ④ ⑤	① ② ③ ④ ⑤
Desenvolve talento local para mercados locais	① ② ③ ④ ⑤	① ② ③ ④ ⑤
Moldando o trabalho e a organização		
Sabe como formar e alavancar uma equipe	① ② ③ ④ ⑤	① ② ③ ④ ⑤
Realiza diagnósticos e balanços organizacionais	① ② ③ ④ ⑤	① ② ③ ④ ⑤
Entregando gestão de desempenho		
Garante que os padrões de desempenho se adaptem às exigências estratégicas de mudança	① ② ③ ④ ⑤	① ② ③ ④ ⑤
Trata do mau desempenho de maneira justa e oportuna	① ② ③ ④ ⑤	① ② ③ ④ ⑤
Criando a marca de liderança		
Investe em futuros líderes	① ② ③ ④ ⑤	① ② ③ ④ ⑤
Mede ou acompanha a eficácia da liderança	① ② ③ ④ ⑤	① ② ③ ④ ⑤

Figura B.5 Inovador e integrador de RH.

	Minha competência atual ↓	A importância de melhorar minha competência ↓
Começando a mudança		
Ajuda as pessoas a entender porque a mudança é importante (isto é, cria um sentido de urgência)	① ② ③ ④ ⑤	① ② ③ ④ ⑤
Identifica e supera as fontes de resistência às mudanças	① ② ③ ④ ⑤	① ② ③ ④ ⑤
Expressa as principais decisões e ações que devem acontecer para haver progresso	① ② ③ ④ ⑤	① ② ③ ④ ⑤
Mantendo a mudança		
Garante a disponibilidade de recursos para persistir na mudança (por exemplo, dinheiro, informação, tecnologia, pessoas)	① ② ③ ④ ⑤	① ② ③ ④ ⑤
Monitora e comunica o progresso dos processos de mudança	① ② ③ ④ ⑤	① ② ③ ④ ⑤

Figura B.6 Campeão de mudança.

1. Analise os fatores/itens de competência onde você identificou grande benefício em caso de melhoria.
2. Escolha um ou dois itens para trabalhar. Quando você decidir, considere a melhoria do impacto de desempenho e seu ânimo ou interesse em trabalhar com essa competência.
3. Seja o mais específico possível sobre sua meta – por exemplo "Farei .... para que ...)
4. Que ajuda você precisa? De quem?
5. O que você fará nos próximos 30 dias para começar?
6. Como você irá medir a melhoria nessas competências?

Apêndice C

Apoio ao desenvolvimento: Opções de estudo de RH

A seguir vemos algumas opções que julgamos úteis para a criação de habilidades, desempenho e autoconhecimento na competência do RH (Tabela C.1). Os *workshops* descritos abaixo incluem aqueles que são melhores para todos os membros da organização e as opções mais apropriadas para a alta liderança e os profissionais de RH. As alternativas variam de pouco a muito exigente em termos de tempo e orçamento, mas, como é de se esperar, elas também variam do menor para o maior impacto.

Tabela C

Investimento em desenvolvimento: opções	Exigência	Considerações
Visão geral do HRCS	Meio turno ou turno integral. Abaixo está uma agenda típica de um dia inteiro: **Manhã:** • Boas vindas, visão geral • Valor de um RH mais forte e mais estratégico • Principais desafios e prioridades do negócio: implicações para a competência do RH **Tarde:** • Análise da pesquisa de competência do HRCS: como mudaram as expectativas do RH • As novas competências do HRCS • Os pontos fortes e prioridades de desenvolvimento do nosso departamento de RH • Plano de melhoria	• O facilitador deve ser alguém com profundo conhecimento da pesquisa de competência do HRCS; o *RBL Group* irá facilitar, treinar o pessoal interno, ou aconselhar. • É importante planejar o *workshop* para que seja altamente participativo e comprometido • O tamanho do grupo é arbitrário; os grupos são tão pequenos quanto uma equipe e tão grandes quanto 100 pessoas

(continua)

Tabela C *(continuação)*

Investimento em desenvolvimento: opções	Exigência	Considerações
Visão geral e *feedback* da pesquisa do HRCS	Meio turno ou turno integral com uma agenda semelhante, mas inclui *feedback* do HRCS (seja autoavaliação ou *feedback* de 180/360°) e permite que os participantes tenham tempo para analisar seu *feedback*, vejam a visão geral da classificação dos grupos e criem planos específicos de desenvolvimento individual.	• Altamente participativo e comprometido • Exige um pré-planejamento para a autoavaliação do HRCS ou *feedback* de 180/360° (administre as solicitações de *feedback* para evitar excesso de *feedback*; permita 3-4 semanas para coleta de *feedback* utilizando o sistema de *feedback* de pesquisa do RBL • Pode ser parte de uma sessão personalizada de definição de estratégia de executivos de RH • Realizados por professores do RBL Group ou professores formados pelo RBL Group • Realizados no local da organização
Impacto: Criando habilidades de consultoria do RH	*Workshop* de 2-3 dias para criar as habilidades do ativista confiável e campeão de mudanças e que inclui: *Feedback* da pesquisa IMPACT • Criação de habilidade nos domínios do campeão de mudanças e ativista confiável • Estudo de caso e simulação • Trabalho em equipe • Aprendizado em ação: planejamento para aplicações na empresa onde trabalha de um projeto que entrega valor mensurável do negócio	• Foco no *feedback*, desenvolvimento de habilidades e aplicações práticas na volta à empresa • Voltada para a contribuição independente com 5-10 anos de experiência • Adequado para generalistas e especialistas funcionais ou pessoas que acabaram de entrar na área de RH vindos de outra função • Realizados pelos professores do RBL Group ou professores internos treinados pelo RBL Group • Realizados no local da organização

(continua)

Tabela C *(continuação)*

Investimento em desenvolvimento: opções	Exigência	Considerações
Foco da competência do RH: posicionador estratégico, etc.	*Workshops* de 1-2 dias concentrados em cada uma das competências do HRCS: • Utiliza vários métodos de aprendizado inclusive: Avaliações, exemplos, vídeos, simulações, etc. • Ensina a teoria, mas se concentra na aplicação através de ferramentas e prática	• Pode ser personalizado para as necessidades específicas da organização • Adequado para generalistas e especialistas funcionais, ou pessoas que acabaram de entrar na área de RH vindos de outra função • Realizados pelos professores do RBL Group ou professores internos treinados pelo RBL Group • Realizados no local da organização
Workshop de parceiros de negócio do RH	Um *workshops* de 3-5 dias que trate das principais ações e comportamentos que alimentam a competência do profissional de RH e do líder. Inclui: • *Feedback* do HRCS • Desenvolvimento de habilidades em todos os domínios de competência • Estudo de caso ou simulação • Treinamento • Conteúdos adicionais nas principais áreas de competência baseado no *feedback* ou liderança de RH • Aprendizado de ação: planejamento para aplicações na empresa onde trabalha de um projeto que entrega valor mensurável do negócio • *Follow-up*	• Fornece uma ampla visão das competências do HRCS • Versões disponíveis adequadas para diversos níveis de audiência: contribuintes independentes, generalistas de RH e especialistas funcionais, pessoas que acabaram de entrar na área de RH vindos de outra função, e líderes e gerentes de RH • O aprendizado em ação tem o potencial de oferecer resultados mensuráveis significativos • Realizado pelos professores do RBL Group • Realizado na sede da organização

(continua)

Tabela C *(continuação)*

Investimento em desenvolvimento: opções	Exigência	Considerações
Academia de RH	*Workshops* múltiplos (2 ou 3) de 3 dias entregues em 8-9 meses que fornecem um profundo desenvolvimento de habilidades, mudanças comportamentais duradouras, e desenvolvimento de comunidades de RH baseada nas novas competências do RH. Inclui: • Participação da administração do RH e gerentes de área: por que o RH necessita continuar a melhorar a eficácia • Entrevistas antecipadas: como o RH precisa criar valor no futuro • *Feedback* da avaliação do HRCS e plano de desenvolvimento • Desenvolvimento de habilidades ao longo dos domínios de competência • Estudo de caso e simulação • Treinamento e apoio ao desenvolvimento • Conteúdos adicionais nas principais áreas de competência baseado no *feedback* ou liderança de RH • Aprendizado de ação: um projeto que entrega valor comercial mensurável • *Follow-up* e medição	• Fornece uma ampla visão das competências do HRCS e profundo desenvolvimento de habilidades e apoio ao desenvolvimento • Versões disponíveis adequadas para diversos níveis de audiência: contribuintes independentes, generalistas de RH e especialistas funcionais, pessoas que acabaram de entrar na área de RH vindos de outra função, e líderes e gerentes de RH • O aprendizado de ação tem o potencial de oferecer resultados mensuráveis significativos • Mais impactante quando inclui a participação ativa tanto dos líderes sênior do RH quanto dos gerentes de área • Inclui projetos de aprendizado de ação baseados na equipe • Realizados pelos professores do RBL Group • Realizados no local da organização

(continua)

Tabela C *(continuação)*

Investimento em desenvolvimento: opções	Exigência	Considerações
Programa executivo do RH (HREP) e programa executivo avançado do RH (AHREP)	• Programa de duas semanas destinado a executivos do RH. O *workshop* reúne: • Conhecimento e habilidades para transformar a estratégia do negócio em prioridades do RH • As mais recentes ideias sobre estratégia, criação de valor do RH, RH estratégico e análise do RH • Conhecimento e habilidades em áreas de talento específicas do RH, planejamento da força de trabalho, projeto de organização, liderança, mudança, recompensa, gestão de desempenho e comunicação • Ideias sobre a criação do departamento de RH correto e sobre o aumento das competências do RH para os profissionais de RH • Criar a agenda para o realinhamento estratégico e reformulação das práticas de RH de sua organização	• Patrocinado pela Ross School of Business, Universidade de Michigan • Destinado a executivos de RH, tanto generalistas quanto especialistas • Programa público de duas semanas com participantes de todo o mundo • Realizados pelo RBL Group e professores da Universidade de Michigan, juntamente com especialistas de determinadas áreas • Realizado na Ross School of Business, Universidade de Michigan

(continua)

Tabela C *(continuação)*

Investimento em desenvolvimento: opções	Exigência	Considerações
Parceria de aprendizado do RH (HRLP)	O HRLP é um consórcio de duas semanas que reúne equipes de liderança do RH. O *workshop* está organizado em torno de *livro de insights* em: • Estratégia • Proposição de valor do RH • Capacidades organizacionais de colaboração, atendimento ao cliente, inovação e mudança • Análise do RH • Liderança • Talento • O RH para o RH • Recompensas dos executivos • Treinamento	• Destinado a equipes de cinco executivos do RH de uma mesma empresa, a partir de uma gama de diferentes organizações e setores. • Um programa de dez dias nas instalações do RBL Group • Desenvolvimento de habilidades organizado em torno de equipes que investem tempo em um projeto significativo para adaptar e aplicar o conhecimento • Cada participante recebe um treinamento personalizado de professores, apoio para autoavaliação na orientação de decisões de desenvolvimento para orientar escolhas de carreira • Realizado por professores do RBL Group e outros competentes líderes selecionados • Realizado no local em um local do RBL

Para mais informações por favor envie um e-mail para rblmai@rbl.net ou visite nosso site www.rbl.nr

Notas

Capítulo 1

1. http://www.guardian.co.uk/world/interactive/2011/mar/22/middle-east-protest-interactive-timeline.
2. See Treacy, M., and F. Wiersema (1997), *Discipline of Market Leaders*, New York: Basic Books; and Porter, M. (1998), *Competitive Advantage*, New York: Free Press.
3. The standard typology for risk management has been prepared by the Committee on Supervising Organizations (commonly known as COSO) of the Treadway Commission.
4. Chappuis, B., A. Kim, and P. Roche (2008), "Starting Up as CFO," *McKinsey Quarterly*.
5. Keeling, D., and U. Schrader (2012), "Operations for the Executive Suite," *McKinsey Report*.
6. Mark, D., and E. Monnoyer (2004), "Next Generation CIOs," *McKinsey Quarterly*.
7. Court, D. (2007), "The Evolving Role of the CMO," *McKinsey Quarterly*.
8. "HR Transformation in EMEA" (2010), Mercer Report.

Capítulo 2

1. McClelland, D. (1973), "Testing for Competence Rather Than Intelligence," *American Psychologist* 28 (1), pp. 1–14.
2. Ibid.
3. McClelland, D. (1976), *A Guide to Job Competency Assessment*, Boston: McBer.
4. Spencer, L., and S. Spencer (1993), *Competence at Work*, New York: Wiley.
5. Kolb, D. (1984), *Experiential Learning*, Englewood Cliffs, NJ: Prentice-Hall.
6. Intagliata, J., D. Ulrich, and N. Smallwood (2000), "Leveraging Leadership Competencies to Produce Leadership Brand," *Human Resource Planning*, pp. 12–22; Christensen, R. (2005), *Roadmap to Strategic HR*, New York: Amacom.

7. Ibid.
8. Kochanski, J., and D. Ruse (1996), "Designing a Competency-Based Human Resources Organization," *Human Resource Management* 35 (1), pp. 19–33.
9. Ibid.
10. Ulrich, D. (1987), "Organizational Capability as a Competitive Advantage: Human Resource Professionals as Strategic Partners," *Human Resource Planning* 10 (4), 169–184; Nadler, L., and Z. Nadler (1989), *Developing Human Resources*, San Francisco: Jossey-Bass; Schuler, R. (1990), "Repositioning the Human Resource Function: Transformation or Demise?" *Academy of Management Executives* 4 (3), pp. 49–59; Morris, D. (1996), "Using Competency Development Tools as a Strategy for Change in the Human Resources Function," *Human Resource Management* 35 (1), pp. 35–51; Ulrich, D. (1997), *Human Resource Champions*, Boston: Harvard Business School Press; Losey, M. (1999), "Mastering the Competencies of HR Management," *Human Resource Management* 38 (2), pp. 99–102; Mehan, N. (1999), "HR Competencies in Malaysia," *The New Straits Times*, p. 2; Schoonover, S., and D. Nemerov (1999), "Competency-Based HR: Early Results of the 1999 HR Applications Survey" (2002), available at www.andersen.com.
11. Hogan, M. (2007), *Four Skills of Cultural Diversity Competence*, Pacific Grove, CA: Belmont Brooks/Cole.
12. Kierstead, J. (1998), "Competencies and KSAOs," Public Service Commission of Canada. Reprinted in 2002. Available at http://www.psc.cfp.gc.ca/research/personnelcomp_ksao_e.htm.
13. Taylor, F. (1911), *The Principles of Scientific Management*, New York: Harper.
14. Christie, M., and R. Young (1995), *Critical Incidents in Vocational Teaching*, Darwin, Australia: Northern Territory University Press.
15. McClelland, D. (1973), "Testing for Compentence Rather Than Intelligence."
16. Townley, B. (1999), "Nietzsche, Competencies, and Übermensch: Reflections on Human and Inhuman Resource Management," *Organization* 6 (2), pp. 285–305; Kierstead, J. (1998). "Competencies and KSAOs" (2002). Available online.
17. Kamoche, K. (1999), "Strategic Human Resource Management within a Resource-Capability View of the Firm," in Schuler, R., and S. Jackson, *Strategic Human Resource Management*, London: Blackwell; Catano, V.

(2001), "Empirically Supported Interventions and HR Practice," *HRM Research Quarterly* 5 (1).
18. Boyatzis, R. (1982), *The Competent Manager*, New York: Wiley.
19. Greatrex, J. (1989), "Oiling the Wheels of Competence," *Personnel Management*, pp. 36–39; Jackson, L. (October 1989), "Turning Airport Managers into High Fliers," *Personnel Management*, pp. 80–85; Glaze, T. (1989), "Cadbury's Dictionary of Competency," *Personnel Management*, pp. 44–48; Morgan, G. (1988), *Riding the Waves of Change*, San Francisco: Jossey-Bass.
20. Kenny, J. (1982). "Competency Analysis for Trainers: A Model for Professionalization," *Training and Development Journal* 36 (5), pp. 142–148.
21. Lippitt, G. and L. Nadler (1967), "Emerging Roles of the Training Director," *Training and Development Journal* 21 (8), pp. 2–10; McCullough, M., and P. McLagan (1983), "Keeping the Competency Study Alive," *Training and Development Journal* 37 (6), pp. 24–28.
22. McLagan, P., and D. Bedrick (1983), "Models for Excellence: The Results of the ASTD Training and Development Study," *Training and Development Journal* 37 (6), pp. 10–20.
23. McLagan, P., and D. Suhadolnik (1989), *Models for HRD Practice: The Research Report*, Alexandria: ASTD.
24. Ulrich, D. (1987), "Organizational Capability as a Competitive Advantage: Human Resource Professionals as Strategic Partners," *Human Resource Planning* 10 (4), pp. 169–184.
25. Brockbank, W., D. Ulrich, and R. Beatty (1999), "HR Professional Development: Creating the Future Creators at the University of Michigan Business School," *Human Resource Management* 38 (2), pp. 111–118.
26. Yeung, A., P. Woolcock, and J. Sullivan (1996), "Identifying and Developing HR Competencies for the Future," *Human Resource Planning* 19 (4), pp. 48–58.
27. Wright, P., M. Stewart, and M. Ozias (2011), *The 2011 CHRO Challenge: Building Organizational, Functional, and Personal Talent,* Ithaca, NY: Cornell Center for Advanced Human Resource Studies (CAHRS).
28. *Creating People Advantage 2009 and 2011.* Boston Consulting Group report.
29. See the Center for Effective Organizations (CEO) website. Also, Lawler, E., and J. Boudreau (2009), *Achieving Excellence in Human Resources*

Management: An Assessment of Human Resource Functions, Stanford, CA: Stanford University Press.
30. Lawler, E. (2012), *Effective Human Resource Management: A Global Analysis*, Stanford, CA: Stanford University Press.
31. Boudreau, J., and I. Ziskin (2012), "The Future of HR and Effective Organizations," *Organization Dynamics*, in press.
32. Deloitte (2011), *Business Driven HR: Unlock the Value of HR Business Partners*. Available at http://www.deloitte.com/assets/DcomCanada/Local%20Assets/Documents/Consulting/ca_en_con_Unlockingthe ValueofHRBusinessPartners_030812.pdf.
33. Hewitt (2009),. *Managing HR on a Global Scale*. Available at http://www.aon.com/attachments/thought-leadership/Global_HR_Survey_Highlights_2009.pdf.
34. Griffin, E, and L. Finney (2009), *Maximizing the Value of HR Business Partnering*, London: Roffey Park.
35. Lawson, T. (1990), *The Competency Initiative: Standards of Excellence for Human Resource Executives*, Alexandria: SHRM.
36. Wooten, K., and M. Elden (2001), "Cogenerating a Competency-Based HRM Degree: A Model and Some Lessons from Experience," *Journal of Management Education* 25 (2), pp. 231–257.
37. The CIPD professional map can be found on their website: http://www.cipd.co.uk/cipd-hr-profession/hr-profession-map/professional-areas/.

Capítulo 3

1. Information on MOL comes from Varjasi G‡bor, head of human resources for MOL.
2. M. Wong (2011), "Estimating the Impact of the Ethnic Housing Quotas in Singapore," University of Pennsylvania working paper.
3. Interview with Vikramaditya Bajpai, head HR, Group Emerging Markets.
4. Ulrich D., and W. Brockbank (2005), *HR Value Proposition*, Boston: Harvard Business Press.
5. Ulrich, D., N. Smallwood, and M. Ulrich (2012), "The Leadership Gap," *CFA Magazine*, 23 (1), pp. 3–6.
6. Lev, B. (2001), *Intangibles*, Washington, D.C.: Brookings Institution; Ulrich, D., and N. Smallwood (2003), *Why the Bottom Line Isn't*, New York: Wiley.
7. Ulrich et al. (2012).

8. We call this "architecture for intangibles" and offer a disciplined process for defining intangible value (see www.rbl.net).
9. See work on the future of work in Gratton, L. (2011), *Shift: The Future of Work Is Already Here*, London: Collins.; Malone, T. (2004), *The Future of Work*, Boston: Harvard Business Press; Meister, J., and K. Willyerd (2010), *The 2020 Workplace: How Innovative Companies Attract, Develop, and Keep Tomorrow's Employees Today*, New York: Harper; website: http://thefutureofwork.net/.
10. Bourne, V. (2011), "The Link Between Strategic Alignment and Staff Productivity: A Survey of Decision-Makers in Enterprise Organisations"; http://www.successfactors.co.uk/resources/resource-item/the-link-between-strategic-alignment-and-staff-productivity/.
11. See a discussion of stories by B. Hall (2012), *Once Upon a Time*, Chief Learning Officer, p. 16.

Capítulo 4

1. Maister, D., C. Green, and R. Galford (2001), *The Trusted Advisor*, Boston: Touchstone.
2. "Blame It on the Brain: The Latest Neuroscience Research Suggests Spreading Resolutions Out over Time Is the Best Approach," *Wall Street Journal*, December 26, 2009. Available at http://online.wsj.com/article/SB10001424052748703478704574612052322122442.htm.
3. Shepard, H, "Rules of Thumb for Change Agents." Undated and unpublished document. See http://www.uthscsa.edu/gme/documents/chiefres/ Change%20Leadership/Rules%20of%20Thumb%20for%20Change% 20Agents.pdf.
4. "Top Companies for Leaders Survey," *Fortune*, November 10, 2009; see also http://money.cnn.com/2009/11/19/news/companies/top_leadership_companies.fortune/.
5. Groysberg, B. (2009), *Chasing Stars*, Boston: Harvard Business Press.
6. Milgram, S, "The Small World Effect," Cited in http://en.wikipedia.org/wiki/Small_world_experiment.

Capítulo 5

1. Chandler, A. (1977), *The Visible Hand*, Boston: Harvard University Press.

2. The study of organization culture has been synthesized in Schein, E. (1992), *Organizational Culture and Leadership: A Dynamic View,* San Francisco: Jossey-Bass; Deal, T., and A. Kennedy (1982), *Corporate Cultures,* Harmondsworth: Penguin Books; Kotter, J. (1992), *Corporate Culture and Performance,* New York: Free Press; Cameron, K., and R. Quinn (2005), *Diagnosing and Changing Organizational Culture,* San Francisco: Jossey-Bass; Corporate Leadership Council (2003), *Defining Corporate Culture,* Washington D.C. Corporate Executive Board.
3. The process approach may be seen in the balanced scorecard work: Norton, D. (1992), "The Balanced Scorecard: Measures That Drive Performance," *Harvard Business Review,* Jan–Feb.
4. Kaplan, G., and D. Norton (2000), *The Strategy-Focused Organization: How Balanced Scorecard Companies Thrive in the New Business Environment,* Boston: Harvard Business School Press.
5. Kaplan, G., and D. Norton (2004), *Strategy Maps: Converting Intangible Assets into Tangible Outcomes,* Boston: Harvard Business School Press; Smith, H., and P. Fingar, *Business Process Management: The Third Wave,* available at http://www.fairdene.com/; Kohlbacher, M. (2010), "The Effects of Process Orientation: A Literature Review," *Business Process Management Journal* 16 (1): 135–152.
6. Prahalad, C. K., and G. Hamel (1996), *Competing for the Future,* Boston: Harvard Business School Press.
7. The resource-based view of organizations is discussed in: Barney, J. (1991), "Firm Resources and Sustained Competitive Advantage," *Journal of Management* 17 (1), pp. 99–120; Makadok, R. (2001), "Toward a Synthesis of the Resource-Based View and Dynamic-Capability Views of Rent Creation," *Strategic Management Journal* 22 (5), pp. 387–401; Sirmon, D., M. Hitt, and R. Ireland (2007), "Managing Firm Resources in Dynamic Environments to Create Value: Looking Inside the Black Box," *The Academy of Management Review* 32 (1), 273–292; Barney, J. (2001), "Is the Resource-Based Theory a Useful Perspective for Strategic Management Research? Yes," *Academy of Management Review* 26 (1), pp. 41–56; Wernerfelt, B. (1984), "The Resource-Based View of the Firm," *Strategic Management Journal* 5 (2), pp. 171–180.
8. The concept of organization as capabilities was briefly introduced by Igor Ansoff, then advanced in 1990 in work by Dave Ulrich and Dale Lake, followed by many who worked to identify the key capabilities of an organization: Ulrich, D., and D. Lake (1990), *Organizational*

Capability: Competing from the Inside/Out, New York: Wiley; Stalk, G., and T. Hout (1990), *Competing Against Time*, New York: Free Press; Collins, J. (1994), "Research Note: How Valuable Are Organizational Capabilities?" *Strategic Management Journal*, Winter 1994, pp. 143–152; Ruyle, K., R. Eichinger, and D. Ulrich (2007), *FYI for Strategic Effectiveness*, New York: Korn Ferry.

9. "Learning and Development, 2011: A Focus on the Future." Duke Client Study, Duke Corporate Education reports.
10. This focus on capabilities represented a key change in the role of L&D in organizations. Many L&D organizations (and their colleagues in human resources) have traditionally focused on developing individuals by building the competencies required by each individual's current role and expected for advancement in the company. A focus on capabilities implies something different. Over the past eight years or so, our client work has profited from our paying attention to capability building rather than focusing exclusively on the matter of competencies.
11. Stalk, G., P. Evans, and M. Shulman (1992), "Competing on Capabilities," *Harvard Business Review*, March–April.
12. Ruyle, K., R. Eichinger, and D. Ulrich (2007), *FYI for Strategic Effectiveness*, New York: Korn Ferry.
13. Ulrich, D., "Integrating Practice and Theory: Towards a More Unified View of HR." In Wright, P., L. Dyer, J. Boudreau, and G. Milkovich (1998), *Research in Personnel and Human Resources Management*, Greenwich, CT: JAI Press; Ulrich, D., and N. Smallwood (2004), "Capitalizing on Capabilities," *Harvard Business Review*, June–July; Ulrich, D., and N. Smallwood, "Organization Is Not Structure," in Hesselbein, F., and M. Goldsmith (2009), *Organization of the Future*, New York: Wiley.

Capítulo 6

1. We are very grateful for Dale Lake's unique input on the ideas in this chapter.
2. We have had the privilege of personally learning from and working with some of the thought leaders in the change profession. We take the liberty of culling and synthesizing their insights into our "top 10" list. It is difficult to give credit to one person since we have tried to integrate their unique contributions. Our personal thought partners include: Chris Argyris, Ron Ashkenas, Dick Beatty, Mike Beer, Warren

Bennis, Bill Bridges, Warner Burke, Kim Cameron, Ram Charan, Clayton Christensen, Bill Dyer, Bob Eichinger, Malcolm Gladwell, Marshall Goldsmith, Lynda Gratton, Gary Hamel, Dave Hanna, Gareth Jones, Todd Jick, Bill Joyce, Steve Kerr, Jon Katzenbach, John Kotter, Dale Lake, Ed Lawler, Joe Miraglia, Bill Ouchi, Richard Pascale, C. K. Prahalad, Jeff Pfeffer, Bob Quinn, Bonner Ritchie, Ed Schein, Len Schlesinger, Herb Shepard, Norm Smallwood, Bob Sutton, Paul Thompson, Noel Tichy, and Terry Warner.

3. Vicki Swisher, *Becoming an Agile Leader*, Los Angeles: Korn Ferry, 2012.
4. O'Reilly, C., D. Caldwell, J. Chatman, M. Lapiz, and W. Self. (2010), "How Leadership Matters," *Leadership Quarterly* 21, pp. 104–113.
5. Foster, R. N., and S. Kaplan. (2001), *Creative Destruction: Why Companies That Are Built to Last Outperform the Market—and How to Successfully Transform Them*, New York: Prentice-Hall.
6. Joyce, W., N. Nohria, and B. Roberson (2003), *What Really Works: The 4+2 Formula for Sustained Business Success*, New York: HarperCollins.
7. Sutton, R., and J. Pfeffer (2001), *The Knowing-Doing Gap: How Smart Companies Turn Knowledge into Action*, Boston: Harvard Business Press.
8. Correspondence with Dale Lake, who is one of our change thought leaders.
9. Many were involved with the GE Change Acceleration Process. Dave Ulrich was one of the team members in creating this process.
10. Personal correspondence with Bob Eichinger and part of a presentation he has prepared called "10 Essential Principles of Change Management for Executive Dummies" copyrighted by Bob Eichinger.
11. Ulrich, D., and N. Smallwood, *Leadership Sustainability*, Unpublished manuscript.
12. Shepard, ibid.
13. Cantrell, S. and D. Smith (2010), *Workforce of One: Revolutionizing Talent Management Through Customization*, Boston: Harvard Business Press, 2010.

Capítulo 7

1. AXA Equitable internal evaluation of the Work-Out initiative, 2011; personal correspondence, EVP Rino Piazolla.
2. IBM's Corporate Service Corps. Internal IBM document, 2011.
3. http://www.ibm.com/ibm/responsibility/corporateservicecorps/press/2009_05.html.

4. "The NFL Bounty System: Mama Said Knock You Out," *Workforce Magazine*, March 5, 2012.
5. http://www.nola.com/saints/index.ssf/2012/03/new_orleans_saints_were_out_of.html.
6. Becker, B., M. Huselid, and R. Beatty (2009), *The Differentiated Workforce*, Boston: Harvard Business School Press.
7. Younger, J., N. Smallwood, and D. Ulrich (2008), "Developing a Brand as a Talent Developer," *HR Planning Journal* 30 (2), pp. 21–29.
8. http://www.towerswatson.com/services/Talent-Management-and-Organization-Alignment?gclid=CM-gscup_a4CFYuK4Aod4hwD4Q.
9. Aberdeen Group (2010), *Strategic Workforce Planning: Winning Scenarios for Uncertain Times*, Boston: Aberdeen Group.
10. Personal correspondence with Dave Hanna.
11. Ulrich, D., and W. Ulrich (2010), *The Why of Work*, New York: McGraw-Hill.
12. Katzenbach, J., and D. Smith (2003), *Wisdom of Teams*, New York: HarperCollins.
13. See Hargie, O., and D. Tourish (2000), *Handbook of Communication Audits for Organizations,* London: Routledge.
14. Ulrich, D., and N. Smallwood (2006), *Leadership Brand,* Boston: Harvard Business Press.
15. Ulrich, D., N. Smallwood, and K. Sweetman (2007), *The Leadership Code*, Boston: Harvard Business Press.
16. Bryant, A. "Google's Quest to Build a Better Boss, *New York Times*, March 12, 2011.

Capítulo 8

1. Prahalad, C., and M. Krishnan (2008), *New Age of Innovation*, New York: McGraw-Hill.
2. Krishnan, M., and C. Prahalad (Undated), "Customer Service at American Express: A Relationship, Not a Transaction." Case study. Ross School of Business, University of Michigan.
3. Plummer, D., and P. Middleton (2012), "Predicts 2012: Four Forces Combine to Transform the IT Landscape." In Gartner Research, http://www.gartner.com/technology/research/predicts.
4. Grochowski, J., and K. Lawrence (2012), "Social Media and HR Implications." RBL Miniforum white paper. Available at RBL.net.

5. Boudreau, J., "IBM's Global Talent Management Strategy: The Vision of the Globally Integrated Enterprise" (2010), SHRM Case Study Part-B, SHRM.
6. Carr, D., "IBM: From Networked Business to Social Media," *InformationWeek*, June 6, 2011.
7. Prahalad, C., and M. Krishnan (2008), *New Age of Innovation*, New York: McGraw-Hill.
8. Ulrich, D., and W. Brockbank (1990), "Avoiding SPOTS: Implementing Strategy through Organizational Unity. In Glass, H. (ed.), *Handbook of Business Strategy*, New York: Gorham and Lambert.
9. Prahalad, C. K., and R. Bettis. (1986), "The Dominant Logic: A New Linkage Between Diversity and Performance," *Strategic Management Journal*, 7, 485–501.
10. Smith, S. (2004), "Brand Experience." In Clifton, R., and J. Simmons (ed), *Brands and Branding*, Princeton: Bloomberg Press.

Capítulo 9

1. "Panel Slams Olympus in Accounting Scandal," *Wall Street Journal*, December 6, 2011.
2. "Zygna's Tough Culture Risks a Talent Drain," *New York Times*, November 27, 2011.
3. Donaldson, C., HR Crisis Management: An Enron Case Study," *HC Online*, May 2, 2004; available at www.hcamag.com/news/profiles/hr-crisis-management-an-enron-case-study/110573/.
4. Peters, T., "The Brand Called You," *Fast Company*, August 31, 1997. See also http://www.fastcompany.com/magazine/10/brandyou.html.
5. Ulrich, D., and W. Ulrich (2011), *The Why of Work*, New York: McGraw-Hill.
6. Hackman, J., and G. Oldham (1976), "Motivation Through the Design of Work: Test of a Theory," *Organizational Behavior and Human Performance*, 16, 250–279.
7. Sarason, S. (1982), *Culture of the School and the Problem of Change*, New York: Allyn & Bacon.

Capítulo 10

1. Em nossa pesquisa examinamos cinco desses seis *stakeholders*. Baseados em nossa experiência recente, acrescentamos "parceiros" como o sexto *stakeholder*, embora isso não esteja incluído neste levantamento.

2. Chegamos a essas 12 práticas com o auxílio de colegas pensadores e a partir de nossa experiência em empresas. Baseamo-nos no trabalho de:
   - John Boudreau
     Boudreau, J. (2010). *Retooling HR: Using Proven Business Tools to Make Better Decisions about Talent.* Boston: Harvard Business Review Press.
     Boudreau, J., and W. Cascio (2008). *Investing in People: Financial Impact of Human Resource Initiatives.* New Jersey: FT Press, 2008.
     Boudreau, J., and P. Ranstad (2007). *Beyond HR: The New Science of Human Capital.* Boston: Harvard Business School Press.
   - Chris Brewster
     Brewster, C., et al (2008). "Similarity, Isomorphism or Duality? Recent Survey Evidence on the Human Resource Management Policies of Multinational Corporations." *British Journal of Management,* 19 (4), 320–342.
     Makela, K., and C. Brewster. (2009). "Interunit Interaction Contexts, Interpersonal Social Capital and the Differing Levels of Knowledge Sharing." *Human Resource Management,* 48 (4), 591–613.
     Mayrhofer, W., et al. (2011). "Hearing a Different Drummer? Convergence of Human Resource Management in Europe: A Longitudinal Analysis." *Human Resource Management Review,* 21 (1), 50–67. Haslberger, A. and C. Brewster, (2009). "Capital Gains: Expatriate Adjustment and the Psychological Contract in International Careers." *Human Resource Management,* 48 (3), 379–397.
   - Peter Capelli
     Capelli, Peter, ed. (2008). *Employment Relationships: New Models of White Collar Work.* Cambridge: Cambridge University Press.
     Capelli, Peter (2008). *Talent on Demand: Managing Talent in an Age of Uncertainty.* Boston: Harvard Business School Press.
   - Tamara J. Erickson
     Erickson, T. (2008). *Retire Retirement: Career Strategies for the Boomer Generation.* Boston: Harvard Business School Press.
     Erickson, T. (2009). *What's Next, Gen-X?: Keeping Up, Moving Ahead, and Getting the Career You Want.* Boston: Harvard Business Review Press.

Dychtwald, K., T. Erickson, and R. Morison (2006). *Workforce Crisis: How to Beat the Coming Shortage of Skills and Talent*. Boston: Harvard Business Review Press.

- Jac Fitz-enz

   Fitz-enz, J. (2010). *The New HR Analytics: Predicting the Economic Value of Your Company's Human Capital Investments*. New York: AMACOM.

   Fitz-enz, J. (2009). *The ROI of Human Capital: Measuring the Economic Value of Employee Performance*. New York: AMACOM.

- Lynda Gratton

   Gratton, L. (2009). *Glow: How You Can Radiate Energy, Innovation, and Success*. San Francisco: Berrett-Koehler Publishers.

   Gratton, L. (2007). *Hot Spots: Why Some Teams, Workplaces, and Organizations Buzz with Energy—and Others Don't*. San Francisco: Berrett-Koehler Publishers.

   Gratton, L. (2000). *Living Strategy: Putting People at the Heart of Corporate Purpose*. London, U.K.: Financial Times/Prentice Hall, 2000.

- Charles Handy

   Handy, Charles (1995). *The Age of Paradox*. Boston: Harvard Business Review Press.

   Handy, Charles (1991). *The Age of Unreason*. Boston: Harvard Business Review Press.

- Mark Huselid

   Huselid, M., B. Becker, and R. Beatty (2009). *The Differentiated Workforce: Transforming Talent into Strategic Impact*. Boston: Harvard Business Press.

   Ulrich, D., M. Huselid, and B. Becker (2001). *The HR Scorecard: Linking People, Strategy, and Performance*. Boston: Harvard Business Review Press.

- Steve Kerr

   Kerr, S., and Rifkin, G. (2008). *Reward Systems: Does Yours Measure Up?* Boston: Harvard Business School Press.

- Edward Lawler

   Lawler, E. (2003) *Treat People Right!: How Organizations and Employees Can Create a Win/Win Relationship to Achieve High Performance at All Levels*. New Jersey: Jossey-Bass.

Lawler, E., and J. Boudreau (2009).*Achieving Excellence in Human Resources Management: An Assessment of Human Resource Functions*. Stanford, Calif.: Stanford Business Books.

Lawler, E., and S. Mohrman (2003). *Creating a Strategic Human Resources Organization: An Assessment of Trends and New Directions*. Stanford, Calif.: Stanford Business Books.

- Jeffrey Pfeffer

Pfeffer, J. (1998). *The Human Equation: Building Profits by Putting People First*. Boston: Harvard Business Review Press, 1998.

Pfeffer, J., and Sutton, R. (2000). *The Knowing-Doing Gap: How Smart Companies Turn Knowledge into Action*. Boston: Harvard Business School Press.

- Libby Sartain

Sartain, L., and M. Schumann (2006). *Brand from the Inside: Eight Essentials to Emotionally Connect Your Employees to Your Business*. New Jersey: Jossey-Bass.

Schumann, M., and Sartain, L. (2009). *Brand for Talent: Eight Essentials to Make Your Talent as Famous as Your Brand*. New Jersey: Jossey-Bass.

- Patrick Wright

(ed.) "Strategic Human Resource Management in the 21st Century." Special issue of *Research in Personnel and Human Resources Management*.

(ed.) "Research in Strategic HRM for the 21st Century." Special issue of *Human Resource Management Review*.

Wright, P., M. Stewart, and O. Moore. (2011). *The 2011 CHRO Challenge: Building Organizational, Functional, and Personal Talent*. Ithaca, NY: Cornell University Press.

3. Groysberg, B. (2011). *Chasing Stars: The Myth of Talent and the Portability of Performance*. Boston: Havard Business Press.

Capítulo 11

1. Dye, R., and E. Stephenson (2010), "Five Forces Reshaping the Global Economy," *McKinsey Quarterly*, May 2010.
2. See www//haygroup.com.
3. "13th Annual Global CEO Survey" (2010). Price Waterhouse Coopers.

4. Bates, S. (2012), "Business Partners: HR and Finance Are Learning to Team Up Effectively to Develop Strategy and Resolve Operational Problems," *HR Magazine*, March 22, 2012.
5. http://www.ileraonline.org/15thworldcongress/files/papers/Track_1/Poster/CS1W_13_BHASKAR.pdf.
6. Rucci, Anthony J., Kirn, Steven P., and Quinn, Richard T., "The Customer-Service-Profit Chain at Sears," *Harvard Business School Working Knowledge for Business Leaders*, October 12, 1999. Available at http://hbswk.hbs.edu/archive/801.html.
7. Carrig, K., "Leveraging Human Capital Analytics." Conference board presentation, October 2010.
8. Capelli, P., and Y. Yang (2010). "Who Gets the Top HR Job?" Price Waterhouse Coopers. See also: http://www.pwc.com/en_US/us/people-management/assets/hr-leader-attributes.pdf.

Índice

Observação: Os números em negrito indicam tabelas e figuras.

A.P.Moller-Maersk. 170
A Mão Visível (Chandler), 104
A natureza global do RH, 238-239
Abercrombie & Fitch, 170
Abordagem das competências, 29-37
   aplicação de RH de, Ontario Society for Training and Development, 32-33
   competências importantes identificadas por, 33-35
   conceitos básicos de, 30-31
   conjuntos de habilidades para RH e, 34-35
   crescimento de, (1960s-1970s), 31-32
   desafios identificados por, 33-36
   desenvolvimento de, 29-31
   Human Resource Competency Study (HRCS) em, 32-33
   mapa da profissão de RH e, 35-36
   modelos baseados em, 31-34
   primeiras aplicações de, Ontario Society for Training and Development, 32-33
   primeiras aplicações de, U. S. Army Air Corps, 31-32
   recomendações para RH e, 33-36
   tendências identificadas por, 34-36
Abordagem do Estudo de competência de Recursos Humanos (*Human Resource Competency Study – HRCS*), 27-58
Abordagens dos melhores sistemas, 151-153
Academia de RH, 209-211, **269-275**
Accenture, 216-218, 229, 232
Adaptação. *Ver* Gestão de mudança
África, 18-19, 42, 104
África do Sul, 38-39

Agências governamentais, 204-205
   como receptoras de valor do departamento de RH, 219-221
Agéntes de mudança versus campeões da mudança, 136-138
Agricore United, 127
AHRI, 38-39
Al Jazeera, 71
Alavancando informações, 13-14
Alcance global do HRCS, 38-39
Alinhamento do RH com a organização empresarial, 113-118, **114-116, 232, 232**
Alunos de RH, 2
Ambiente, 11, 114-115
   trabalho, significado. Ver Ambiente de trabalho com significado
Ambiente de trabalho significativo, 118-123, **119**, 254
   criando, 118-123
   desempenho e, 166
   difusão do sentido em, 118
   direcionadores de, 119
   mudança individual e, 140-142
   mudança institucional e, 143-148
   organizações abundantes em, 120-123
   otimização do capital humano e, 157-160
Ambientes de trabalho, significativos, criação de, 118-123, **119**, 254
América Central, 61-62
América do Norte, 38-39, 42
America Latina, 38-39, 42, 244-245
American Electronics Association, 173
American Express, 177-179

American Society of Training and Development, 32-33
Análise, 234
Análise de dados, 245-246
Análise pós-ação (*After-action reviews* – AARs), 98-100, 209-210
Antiguidade vs. risco, 157-158
Aplicação, 204-205
Apple, 158-159, 169
Aprendizado em ação e projetos desafiadores, 210-212
Arábia Saudita, 125, 209-210
Arquétipos, 106, **107**
Arquiteto, estratégia, 65-66
Arquiteto estratégico, 65-66
Arquitetos da organização, 2
As implicações no RH, do HRCS, 241-243
ASHRM, 38-39
Ásia, 42, 61-62, 215, 244-245
Assessores de RH, 2
Associação, práticas organizacionais e, 163-164
Ativistas verossímeis, 3, 49-50, **50-51**, 54-55, 81-101, 239-240
   atividades de, 52-54
   autoconhecimento de, 96-100, 252
   competências essenciais a, 83-86
   credibilidade e ativismo combinados em, 83-84
   criação de confiança por, 86-91, 251
   definição de, 83-86
   domínios de, 83-84
   eficácia e impacto nos negócios por, 56
   elementos de, 85-86
   evolução e desenvolvimento de, 83-86
   exemplo de Humana, 81-82
   exemplo de Olsson Associates, 82-83
   fatores essenciais a, 86-101
   impacto de, 86-88
   influenciando outros em, 90-181, 251
   modelo de, 234-235
   moldando a profissão de RH em 98-101, 252. Ver também Desenvolvimento profissional
   relacionando com outros em, 90-96, 251
   teste para autoavaliação para, 262
Auditorias, **28**-30, **29-30**
   autoavaliação da competência do RH, 261-268, 262-267
   capacidade organizacional e, 109-112
   coleta de dados para, níveis de, 110
   comunicação, 164, 165
   desempenho do RH, **24, 25**
   exemplo dos Sistemas BAE, 28-30
   intangíveis, 70-71
Austrália/Nova Zelândia, 38-39, 42, 103
Autoavaliação
   auditoria das competências do RH, 261-268, 262-267
   desenvolvimento profissional e, 195-196, 198
Autoconhecimento
   ativistas verossímeis e, 96-100, 252
   celebrando pequenas vitórias no, 96-97
   definição de objetivos e, 96-97
   ferramentas para, 97-98
   melhorando, 96-100
   pedindo ajuda no, 96-97
   risco e, 96
Avaliação de pontos fortes/fracos, no desenvolvimento profissional, 199-201
Avaliações SWOT, 142-144, 158-159
Avaliando talento nas pessoas e organizações, 160-161
AXA Equitable, 149, 150, 201-202

Baidu, 248
Bangladesh, 244-245
BBC, 67-68, 211-212
BCG, 158-159
Beatty, Dick, 157-158
Becker, Brian, 157-158
Berkshire Hathaway, 231
Berlow, David, 31-32
Bethlehem Steel, 190
Bônus, *Ver* Recompensas/bônus
Boston Consulting Group, 33-34
Boyatzis, Richard, 31-32
BP. *Ver* British Petroleum
BPS, uso tecnológico no, 178-181
"Brande Called You, The" (Peters), 195

Branding, uma nova marca para o RH e, 212-214
Brasil, 13-14, 244-245
British Aerospace, 28-29. *Ver também* Sistemas BAE
British Petroleum (BP), 31-32, 166
Brockbank, Wayne, 32-33, 173

Cadbury, 31-32
Cadeias de valor, 151-153
California Strategic Human Resource Partnership (Parceria Estratégica de Recursos Humanos da Califórnia), 33-34
Campeões da mudança, 3-4, **50-51**, 51-52, 57, 125-148. *Ver também* Gestão da mudança 128-129
   ação no domínio da, 140-148
   agentes de mudança versus, 136-138
   começando a mudar e, 136-138, 255
   definindo, 127-133
   eficácia e impacto nos negócios por, 56, 56
   empurrar vs puxar vs conceito de mudança e, 132-133
   exemplo da Viterra, 127-128
   fatores essenciais para, 133-137
   fracasso na mudança e, gerenciamento do, 130-131
   Hilton Worldwide, 125-127
   implicações de percepções de mudança e, 128-130
   importância da mudança em 131-132
   impulsionadores de mudança em 132-133
   "Lacuna saber-fazer" e, 132-205
   modelos de, 234-235
   mudança bem sucedida e, condições necessárias para, 143-146
   mudança de iniciativa e, 142-146
   mudança individual e, 140-142
   mudança institucional e, 143-148
   níveis de mudança e. 133
   processo comum de mudança e, 133
   processo STARTME e, 138-140 (Simplicity/Time/Accountability/Resources/Tracking/Melioration/Emotion)
   propiciando a natureza da mudança e, 131-132
   reação à mudança por, 130-131
   ritmo de mudança e, 128-130
   sustentando a mudança e, 138-140, 255
   teste de autoavaliação para, 267
   "viroses" que impedem a mudança e, 143-148
Canadá, 76-77, 127-128
Capacidade organizacional, 47-49, 104-114, 240-253. *Ver também* Capitalizando a capacidade da organização
   analisando dados em, 110-112
   atividades vs., 113-114
   auditorias para, 109-112
   comparando com outros, 112-114
   identificação e criação da "organização "certa, 104-108
   intangíveis em, 113-114
   investimentos em, 113-114
   lições aprendidas com as auditorias de, 112-114
   listas de, 107-108
   mudança de iniciativa e, 142-146
   planos de aços desenvolvidos de, 110-112
Características dos participantes do HRCS, 39, **40-41**
Career Journal, 100-101
Caribenho, 61-62
Categorias de competências, 28
Center for Effective Organizations, 34-35
Centros de *expertise,* 231, 233
Centros de serviço, 231
Chandler, Alfred, 104
Chartered Institute of Professional Development (CIPD), **35-36**
Chastain, Tracy, 90-91-92. *Ver também* McKesson
China, 11, 13-14, 38-39, 42, 45-46, 125, 244-245
CIBC, 76-77
Ciclos virtuosos, 112-113
Cingapura, 60-61, 65-66, 244-245
Círculos de qualidade, 142-144
Cisco, 158-159, 177-178

Clientes, 12, 47-49, 65-66, 69-70, 201-203
  como receptores de valor do
    departamento de RH, 219-221
  entendendo as expectativas, 72-75, 72-73,
    250
  informação do cliente e, 186
Coach/mentor, 2, 98-100, 205-207, 209-210
Código de liderança, 168-169, **169**
Colaboração, 13-14
Coleta de dados e *feedback* de 720 graus,
  110, 160-161, 209-210
Coleta de dados/*feedback* de 360 graus, 38-
  39, 98-100, 110, 166, 205-206, 209-210
Coleta de dados/*feedback* de 90 graus, 110,
  Comcast, 88-89
Começando a mudança, 136-138, 255
Community Service Corps (CSC, IBM), 154-
  155, 204-206
Competência para RH, 3, 28
  conceitos básicos de, 30-31
  definição, 31-32
Competências de sucesso, 28
Competências essenciais, 33-34
Competências essenciais identificadas para
  o RH, 33-35
Completude, 151-152
Comprar vs construir vs ambos, 158-159
Compromisso de tempo, na gestão de
  mudança, 139
Compromissos, 88-89
Comunicação, 9, 19-20, 151-153, 161-164,
  240-241, 257
  auditando, 164, 165
  criando marca externa e, 190-191
  divulgando informação em, 187-188
  eliminando informação de baixo valor
    em, 186-187
  o papel da tecnologia em, 183-191, 260
Comunidades, 12-13, 69-70, 153-154, 204,
  212-213
  como receptores do valor do
    departamento de RH, 219-221
  envolvimento em, na criação de
    profissionalismo, 100-101
Comunidades de prática, 97-98, 212-213,
  213-214

Conceitos do RH de fora para dentro, 7-8,
  19-22, 62-63, 93, 239
Conectando as pessoas por meio de
  tecnologia, 183-191, **184-185**, 260
  a informação de mercado identificada em,
    184-186
  a tomada de decisões e, alavancando
    informações para, 190-190
  criando marca externa e, 190-191
  divulgando informação em, 187-188
  eliminando informação de baixo valor
    em, 186-187
  o papel da comunicação no, 183-185
Conectando práticas de RH individuais e
  integradas, 19-20
Conhecimento empresarial, 47-67
  alinhando elementos no, 114-115
  posicionadores estratégicos e, 62-67
  questões de educação empresarial e, 62-64
Conhecimentos técnicos, 2
Conjunto de habilidades para o RH, 2, 34-35
Conselho de administração, 150-151
Construção de relacionamentos, 90-96, 251.
  Ver também Mídias sociais
  comunicação e, 161-164
  feedback em, 94
  mapeando os principais *stakeholders*, 94-
    96
  moldando a organização por meio de,
    161-164
  natureza de duas vias, 95
  networking e, 95-96
  o papel da tecnologia em, 183-191, 260
  planejando para, 94-96
Consultoria, 33-34
Contexto do negócio, 10-12, 28, 225-227
  dominando, 70-72, 249
  posicionadores estratégicos e
    interpretação de, 67-72
  questões diagnósticas para determinar, 71
Contratos de compromisso, 233-234
Contribuinte estratégico, 46-47, 65-66
Cooper, Steven, 194
Cooperação, 93
Cooptação, 137-138
Coréia do Sul, 244-245

Cornell Advanced HR Studies (CAHRS),
33-34
Corporate Leadership Council, 150-151
Corporate Service Corps (IBM), 200-202
Court, David, 15-16
Credibilidade, criação de confiança e, 90-91,
90-91
Crescimento da abordagem de
competências, 31-32
Criação da marca, liderança, 167-172, 258.
Ver também Liderança
Criação da organização, 241-242
Criação de marca externa e, 190-191
Criação/gestão de departamento, 3-4
Criadores de capacitações, 3-4, 50-52, **50-51**,
54-55, 103-123
 alinhamento de estratégia, capacidade e
 funcionários, 113-118, 253
 ambientes de trabalho com significado
 criados por, 118-123, 254
 arquétipos e, 106, 107
 capacitações organizacionais relacionadas
 por, 107-108
 capitalizando sobre a capacidade de
 organização por, 104-114, 240-253
 culturas e, 103-104, 106, 107
 definindo, 104-108
 eficiência e o impacto empresarial por, 56
 fatores essenciais a, 108-123
 identificação e criação da "organização
 certa", 104-108
 importância de, exemplos de, 103-104
 organizações abundantes e, 120-123
 papel da administração, 104
 papel do modelo de, 234-235
 síntese das capacidades organizacionais
 por 106
 teste para autoavaliação, 263
Criando competências, opções para a
Academia RH, **269-275**
Criando confiança, 86, 90-91, **90-91**
 ativistas verossímeis e, 251
 auto-interesse em, 90-91
 compromissos e, 88-89
 confiança em, 90-91
 credibilidade em, 90-91

 criando relacionamento e, 92-96
 elementos essenciais para, 90-91
 expectativas claras em, 88-89
 fórmula da confiança, 90-91
 integridade e ética em, 88-90
 intimidade com, 90-91
Criando um departamento de RH eficiente,
224-236
Criando um RH eficiente, 247-248
Crises econômicas, 19-20
Criticidade, 157-159
Croácia, 59
Crotonville, NY, 18-19, 153-154, 200-201
Cultura, 9, 21-22, 45-49, 77-79
 arquétipos e, 106, 107
 criadores de capacidades e, 103-104, 106,
 107
 "modelo" de RH, 234-236
 montando equipes e, 206-214
 mudança institucional e, 143-148
Cultura étnica, 61
Custo da tecnologia, 174, 175
Customer relationship management (CRM),
175

Damco, 170
Dashboards, 234
Deficiências dos estudos de RH, 35-37
Definição de metas, 88-89, 96-97, 151-153
 processo SMART, 96-97
Definição de posicionamento,
 posicionadores estratégicos e, 63-65
Definindo prioridades, no desenvolvimento
 profissional, 199-201, **200-201**
Definindo sua marca, desenvolvimento
 profissional e, 195-200
Delco-Remy, 31-32
Dell, 180-181
Deloitte, 34-35
Demografia do RH, 11, 238, 245-247
Dempsey, Shane, 208-209
Departamento de Estado dos Estados
 Unidos, 31-32
Departamento de RH centralizados, **229-230**
Departamento de RH descentralizado, 229-
 231, **229-230**

Departamento de RH eficientes, 215-236, 239-240
  Accenture como exemplo de, 216-218
  alinhamento como uma organização comercial, 232, 232
  análise de desempenho para, *scorecards, dashboards*, 234
  centralizado, 229-230
  contratos de compromisso e, 233-234
  criando, 224-236
  descentralizado, 229-231
  desenvolvimento de um plano de negócios para, 224-229
  estrutura organizacional de, 229-234
  exemplo da Prudential PLC, 215-216
  foco do departamento em, 220-225
  matriz de projeto para, 229-231
  o impacto das práticas do RH no negócio e, 223-225
  o papel do diretor de RH (CRHOs) no, 223-225
  o RH para o RH, 234-236
  opções de design definidos para, 229-231
  pesquisa de, 218-225
  produtividade aumentada para, 232-233
  projeto terceirizado para, 229-231
  receptor do valor do departamento de RH, 219-221
  responsabilidades e papéis em, 233
Departamentos de RH terceirizados, **229-230**, 231
Desafios identificados para o RH, 33-36
Descobertas do *Human Resource Competency Study (HRCS)*,
  pesquisa relacionada, 27-58, 237-242
Desempenho, 18-19, 30-32, 37-38, 151-152
  alterando exigências estratégicas e, 167
  analisando, 234
  conexão desenvolvimento-desempenho, 207-209
  definindo objetivos claros para, 88-89
  direcionadores de, 164-167, 257
  equipes de alto desempenho, 162-163
  feedback em, 166, 205-207
  inadimplência e, lidando com, 167
  inovador/integrador como direcionador para, 157-158, 164-167, 257
  janela de Johart, 205-207
  medidas e métricas para, 114-116, 166
  padrões para, 28, 165-167, 207-208
  processo de avaliação para, 166
  recompensa, 166
  resultados das pesquisas do HRCS em, 52-54
  treinamento/educação e, 166-167
Desenvolvedores do capital humano, 169
Desenvolvendo competências, 57-58, 249-260
  guia para, 249-260
Desenvolvimento de agenda estratégica, posicionadores estratégicos e, 74-80, 250
Desenvolvimento de talento, 159-162, 256
  avaliação para, 160-161
  definição padrão para, 159-161
  follow-up e rastreamento de, 161-162
  investimento em, 160-162
Desenvolvimento individual, 97-98, 194-207. *Ver também* Desenvolvimento profissional
Desenvolvimento profissional, 98-101, 193-214, 252
  ariando sua marca própria, 195-200
  autoavaliação em, 195-196, 198
  avaliação dos pontos fortes/fracos em, 199-201
  colegas e, melhorando as capacidades de, 100-101
  conexão desenvolvimento-desempenho, 207-209
  definição de prioridade em, 199-201
  desenvolvimento de talento e, 159-162
  desenvolvimento individual e, 194-207
  envolvimento da comunidade e, 100-101
  exceder, seminários e, 100-101
  feedback e, 205-207
  formação de equipe e, 206-214
  graus do conceito de separação e, 101
  identificação do poder da assinatura, 196-200
  "lacuna saber-fazer" e, 204-205
  liderando projetos e experiências em, 204-206

mídia e, 100-101
mídias sociais e, 101
"modelo" de RH, 234-236
mudança individual e, 140-142
o papel da tecnologia em, 183-191, 260
oportunidades de crescimento de fora
 para dentro e, 200-205
organizações para, 99-101
otimização do capital humano e, 157-160
papéis emergentes para, 241-243
participações em, 194
planejamento da carreira e, 195
publicações focadas em, 100-101
redes de relacionamento para, 100-101
Deutsche Bank, 180-181
Diferenciadores de liderança, 169-172
Dinamarca, 244-245
Direcionadores de negócio estratégicos, 114-116
Diretor de RH (CHROs), 33-34, 223-225, 234
Diretor de tecnologia da informação, 184-185
Disney, 184-185
Diversidade, 13-14, 61, 238
Diversidade da força de trabalho, 13-14. *Ver também* Diversidade
Diversidade étnica, 61
Divulgando informação, 187-188, **188**
Domínios da competência de RH, 3, 49-54, **50-51**
Donaldson, Craig, 194
Dow Chemical, 243-244
Dow Corning, 153-154

Eastern Europe, 59
Economia, ciclos econômicos, 11
Economias globais, 10, 13-14, 18-20, 45-46, 67-68, 239-241, 244-245
Economic value added (EVA), 113-114
Economist, 71
Educação. *Ver* Treinamento/Educação
Educação empresarial, 62-64, 67-69
Eficácia, 154-155
Eficiência dos profissionais de RH, 53-55, **56**
Egito, 13-14, 125, 244-245

Eichinger, Bob, 137-138
El-Alarian, Mohamed, 71
Emoção, na gestão de mudanças, 140
Empregados, 12-13, 203-204
 proporção de funcionários para os
  profissionais de RH, 43
 receptores do valor do departamento de
  RH, 219-221
Empurrar vs. puxar vs conceitos de
 mudança, 132-133
Enron, 190, 194
Enterprise Resource Planning (ERP), 175
Entregas de RH, 227-228
Entrepeneur's Organization (EO), 100-101
Equidade, 151-152, 166
Equilíbrio, 21-23
Equipes de alto desempenho, 162-163, **162-163**
Escolha de projetos para departamento de
 RH, 229-231, **229-230**
Eslováquia, 59
Estados Unidos, 215, 231
Estratégia de alinhamento, capacitação e
 funcionários, 113-118, **114-116**, 253
Estratégia empresarial. *Ver* estratégia para
 negócios
Estratégia para o negócio, 10, 12-15
Estrutura organizacional dos departamentos
 de RH, 229-234, 245-246
Estudo de Gartner, no uso da mídia social,
 180-181
Estudos de RH, 33-37
Ética, 88-90
Europa, 18-19, 38-39, 42
*European Association of People Management
 Association*, 33-34
Evolução da tecnologia no RH, 176-177, **176**
Evolução do RH, 17-23, **18-19**, 28, 45-49, **45-50**, 193, 246-248
Executive Service Corps, 153-155
Expansão do papel do RH, 242-244
Expectativas, definindo objetivos claros e, 88-89
Expectativas para o RH, 246-247
Experiência externa, em autoconhecimento, 98-100, 204-205

Experiências no desenvolvimento
profissional, 204-206
Expertise em RH, 33-34
Exxon Mobil, 158-159

Facebook, 10, 67-68, 101, 180-182. *Ver
também* Mídias sociais
Facilitadores de equipe, 2
Fatores de negócios externos, 46-47
Fatores que caracterizam as competências
do RH, 54-55
Fazendo a correspondência dos funcionários
com os empregos. *Ver* Colocação
FedEx, 153-154
Feedback, 166, 205-207
  criação de equipes de RH e, 208-210
  janela de Johart em, 205-207
  mentores como fonte de, 205-207
  níveis de, 209-210
  processos de, 98-100
Filipinas, 13-14, 153-154, 244-245
Financial Times, 71
First Tennessee Bank. 243-244
Flanagan, John, 31-32
Foco do departamento de RH, 112-113, 220-
225, **222, 223**
Ford, 186
Formando equipes, 163-164, 206-214, 233-
234
  "academia de RH" e, 209-211
  ações de aprendizado e projetos
  desafiadores para, 210-212
  comunidades de prática em, 212-214
  conexão de desenvolvimento-
  desempenho em, 207-209
  feedback e, 208-210
  padrões de desempenho para uma nova
  marca do RH e, 212-214
  parcerias de aprendizagem e, 211-213
Fórmula da confiança, 90-91
Fortune 82, *500,* 128-130
Framework de competências, 97-98
Fresenius, 201-202
Frontline, 100-101
Função das operações, competências, 14-16,
15-16

Funções financeiras, competências em,14-
16, **14-15**
Futuro do RH, 3-4, 19-20, 23-25, 193, 242-
248
Futuro vs. orientação passada, 22-23

GE Capital, 153-154
GE Medical Systems, 166
General Atlantic, 154-155
General Electric (GE), 18-19, 103, 153-154,
166, 180-181, 186, 187, 191, 200-201, 211-
212, 244-245
General Motors (GM), 31-32, 64-65, 187
Gerente de talento, 168
Gerentes de linha, 2, 12-13, 93, 203-204
  como receptores de valor do
  departamento de RH, 219-221
Gerstner, Lou, 181-182
Gestão, 2
  científico, 31-32
  mudança de iniciativa e, 142-146
  mudança institucional e, 143-148
  papel da, 104
Gestão da cadeia de suprimentos, 175
Gestão da mudança, 13-14, 47-49, 125-148.
  Ver também Campeões da mudança
  começando a mudar e, 136-138, 255
  cooptação e, 137-138
  empurrar vs puxar vs conceitos de
  mudança e, 132-133
  fracassos em, 130-131
  implicações de percepções de mudança
  em, 128-130
  importância da mudança em, 131-132
  impulsionadores de mudança e, 132-133
  "lacuna saber-fazer" e, 132-205
  liderança e, 131-142
  mudança bem sucedida e, condições
  necessárias para, 143-146
  mudança de iniciativa e, 142-146
  mudança individual e, 140-142
  mudança institucional e, 143-148
  níveis de mudança e, 133
  otimizando o capital humano e, 158-159
  permitindo a natureza da mudança e, 131-
  132

processo comum de mudança e, 133
processo STARTME em, 138-140
reagindo à mudança e, 130-131
ritmo de mudança e, 128-130
sustentando a mudança e, 138-140, 239-241, 255
"viroses" que impedem a mudança e, 143-148
Gestão da Qualidade Total/*Total Quality Management (TQM)*, 142-144
Gestão de carreira, 2
Gestão de dados, 175
Gestão de desempenho, 8
GM. *Ver* General Motors (GM)
Goerke, Peter, 216, 220, 233
Goldman Sachs, 13-14, 150-151, 158-159
Goldsmith, Marshall, 139
Google, 10, 160-161, 170, 172, 248
Governança, 163, 227-228
GPS, 71
Grand Floridian, 185-186
Gratton, Lynda, 71
Grécia, 67-68
Gretzky, Wayne, 247-248
Groysberg, Boris, 98-100, 223-224
Grupo Aberdeen, **159-160**
Hackman, 204-205
Handleman, Joseph, 173
Hanna, David, 162-163
Harnel, Gary, 130-131
Harrah´s, 103
Harward Business School, 153-154
Hatchcock, Bonnie, 81-82. *Ver também* Humana
Hay Group, 242-243
Hedley, Pat, 154-155
Hewitt, 34-35
Hewlett Packard (HP), 170, 173
Hilton Worldwide, como campeão da mudança exemplo, 125-127
Hindustan Unilever Limited (HUL), 185-186. *Ver também* Unilever
História do RH, 3
Home Goods, 170
Hoovers´, 100-101
Human Capital Leadership Institute, 244-245

Human Capital Media Advisory Group, 172
Human Resource Competency Study, (HRCS), 27, 32-33, 218
  abordagem de, 27-58
  alcance global de, 38-39
  auditoria de autoavaliação em, 261-268, 262-267
  avaliação de desempenho em, por domínio, 52-54
  características dos participantes em, 39-41
  descobertas do, 27-58, 235-242
  desdobramento da indústria da taxa de resposta, 43, 44
  desenvolvendo competência com competências em, 57-58
  desenvolvendo/criando um guia de competência de, 249-260
  desenvolvimento e uso de perguntas na pesquisa, 36-39, 48-50
  domínio da competência do RH identificado por, 49-54
  domínio do campeão de mudanças identificado por, 50-52
  domínio do criador de capacidade identificado por, 50-51
  domínio do inovador/integrador identificado por, 50-52
  domínio dos ativistas verossímeis identificados por, 49-51
  domínio dos posicionadores estratégicos identificados por, 50-51
  domínio dos proponentes de tecnologia identificados por, 50-54
  eficácia dos profissionais de RH em, 53-56
  entrevistas realizadas durante, 32-33
  fatores para caracterizar as competências do RH em, 54-55
  implicações do RH, 241-243
  início de, 32-34
  metodologia de 360° usada, 38-39
  métodos de análise usados, 43-45
  métodos de pesquisa usados em, 36-45
  o futuro do RH e, 242-248
  papéis dos entrevistados em, 39, 42
  priorização das competências do RH por, 57-58

proporção de funcionário por profissionais de RH, 43, 43
sucesso comercial e competências do RH em, 54-58
taxa de resposta por região em, 42, 42
taxas de resposta em, 38-39
variáveis de resultado em, 37-38
visão geral das descobertas de 2012 em, 48-58
Humana, exemplo de ativistas verossímil, 81-82, 84-85
Humana Leadership Institute, 81
Hungria, 59
Huselid, Mark, 157-158

IAE, 38-39
IBM, 153-154, 181-184, 200-202, 204-206, 244-245
  tecnologia bem sucedida usada por, 181-184
Identificação do poder da assinatura, 196-200
Identificação e criação da "organização certa", 10-108, **105-107**
Immelt, Jeff, 18-19
Impact Program (Damco), 170
Índia, 13-14, 38-39, 42, 45-46, 201-202, 231, 244-245
Índice Preço/Lucro (P/L), 69-71, **70-71**
Indonésia, 13-14, 244-245
Influenciando os outros, ativistas confiáveis e, 90-96, 251
Informação, 151-152
Informação de mercado, tecnologia e, 184-186
Informação de pouco valor em, 186-187
Ingham, Harry, 205-206
Inovação, 244-245. *Ver também* Inovadores/Integradores
  framework para, 154-156
  matriz de, 154-156
  níveis de, 152-155
  "novo na divisão", 153-154
  "novo na empresa", 153-154
  "novo no mundo", 153-154

Inovador/Integrador, 3-4, **50-51**, 51-52, 54-55, 57, 149-172, 244-245
  a integração do RH com outras funções do negócio e, 243-244
  as melhores práticas vs. as melhores abordagens de sistemas e, 150-151
  criação de marca de liderança por, 155-157, 167-172, 258
  definindo, 150-157
  desempenho impulsionado por, 156-157, 164-167, 257
  desenvolvimento de estrutura por, 154-156
  desenvolvimento de talento por, 159-162, 256
  eficácia e impacto no negócio, 56
  enfrentando desafios, 172-172
  fatores essenciais a, 155-172
  melhores sistemas essenciais e, 151-153
  modelo de, 235-236
  níveis de inovação/integração e, 152-155
  otimização do capital humano por, 157-160, 256
  planejamento /análise da força de trabalho e, 158-160, 256
  práticas moldadas por, organização e comunicação, 161-164, 257
  teste para autoavaliação para, 266
Intangíveis, 113-114
  auditoria de, 70-71
  valor de mercado de, 69-70
Integração do RH com outras funções do negócio, 30-31, 243-244
Integridade, 88-90
Intel, 180-181, 190-191
Interesse pessoal, criando confiança e, 90-91, **90-91**
Intérprete do papel estratégico, 76-79
Intimidade, na criação de confiança, 90-91, **90-91**
Investidores como *stakeholders,* 12-13, 65-66, 69-71, 114-116, 202-203
  como receptores de valor do departamento de RH, 219-221
Investimento em RH, 227-228

IPM, 38-39
Irã, 13-14, 67-68, 244-245

Jack Welch Executive Developement Center, 153-154
Jack Welch Leadership Center, 18-19, 200-201
Jamaica, 61-62
James, Wiliam, 190
Janela de Johart, 205-207, **206-207**
Japão, 194
John Deere, 153-154
Johnson, Magic, 247-248
Jordan, 125
JP Morgan, 158-159

Katzenbach, Jon, 164
Kellogg, 170
Kodak, 190
Korn Ferry, 107
Kotler, Phil, 118
Kraft, 244-245
Krishnan, M.S., 173, 176, 184-185
Lacuna, 76-77
"Lacuna saber-fazer", 132-133, 204-205
Lawson, Tom, 35-36
Lehman Brothers, 190
Liderança, 2, 8, **33-34**, 34-35, 69-70, 78-79, 152-153, 155-156
  arquitetura da, 168, 168
  avaliando, 169, 169
  código de, código de liderança, 168-169
  criando, 169, 170
  criando marca em, 156-157, 167-172, 258
  desafios de integração e, 172-172
  desenvolvedores de capital humano em, 169
  diferenciadores de, 169-172
  elementos chave em, 168
  estrategistas em, 168
  executores em, 168
  gerentes de talento em, 168
  mudança individual e, 141-142
  opções para a criação, 170-172
  proficiência pessoal em, 169

Líderes estrategistas, 168
Líderes executores, 168
LinkedIn, 101, 180-181
London Business School, 130-131
Luft, Joseph, 205-206

Mahindra e Mahindra, 186
Maister, David, 89-91
Manchester Airport, 31-32
Mantendo a mudança, 138-140, 239-241, 255
Mapa da profissão de RH, 35-36
Marca Freshhh, 59-60
Marconi Electronic Systems, 28-29. Ver também Sistemas BAE
Marketing, 14-15, 184-186
  competências em, 15-16
  criação de marca externa e, 190-191
  eliminando informações de pouco valor em, 186-187
  informação do cliente e, 186
Marketwatch, 100-101
Mars Chocolate, 88-89, 212-213
Matriz de inovação, 154-156, **154-155**
McBer, 31-32
McCallister, Mike, 81-82. Ver também Humana
McClelland, David, 31-32
McKesson Corporation, 90-92
McKinsey & Company, 14-16, 100-101, 107, 152-153, 158-159, 242-243
McKinsey Quarterly, 100-101, 107
McLagan, Patricia, 32-33
McManus, Corcoran, Patty, 82-73. Ver também Olsson Associates
Medidas/métricas, 114-116, 166
Medtronic, 186
Melhores práticas, 112-113, 161-164, 257
  abordagem dos melhores sistemas vs., 151-152
  papel do RH de "modelo", 234-236
Melhores sistemas centrais e, 151-153
Melhoria na gestão de mudança, 140
Mentores, 2, 98-100, 205-207, 209-210
Métodos de análise usadas no HRCS, 43-45

Métodos de coleta de dados, níveis de, 110
Métodos de pesquisa usados e, HRCS, 36-37
Métricas, 114-116, 166
México, 13-14, 244-245
Microsoft, 160-161
Mídias sociais, 67-68, 101, 157-158, 180-184, 259
Milgram, Stanley, 101
Missão, 75-77
Modelo. *Ver* Modelo de Competência
Modelo de projeto de departamentos de RH, **229-231**
"Modelo" de RH, 234-236
Modelos de competência, 28-29, 31-33, 45-49, **45-50**, 49-54, **41d**
  domínios da competência de RH em, 49-54
  evolução dos, 45-50
Models for HRD Practice (McLagan), 32-33
MOL Group, exemplo de posicionamento estratégico em, 59-60, 62-63, 65-66
Moldando a profissão de RH, ativistas confiáveis e, 98-101, 252. *Ver também* Desenvolvimento profissional
Moore, 33-34
Motley Fool, 101
MTN, 104
Mudança. *Ver* Campeões de mudança; Gestão da mudança
Mudança bem sucedida, condições necessárias para, 143-146
Mudança de iniciativa, 142-146, **144-146**
Mudança individual, 140-142
Mudança institucional, 143-148
Multexinvestor.com, 101
Myers-Briggs Type Inventory, 98-100

N11 Countries, 244-245
NAB, 103
Nações Unidas, 103, 157-158
National City Bank, 201-202
National Football League, 155-156
New Age of Innovation (Prahalad/Krishnan), 176
New Orleans Saints Football, 155-156
NHRD, 38-39
Nietzsche, Friedrich, 96

Nigéria, 13-14, 244-245
Níveis de conceito de separação, 101
Níveis de métodos de coleta de dados, 110
Noruega, 154-155, 244-245
Novartis, 61-63, 65-66, 212-213
Novo Nordisk, 208-209
"Novo normal" para o RH, 17-23, **24-25**

O "negócio" do RH, 7, 9-18
O Gerente Competente, (Boyatzis), 31-32
O impacto das práticas de RH no negócio, 223-225, **223**
Objetivo, 27-28, 162-163
Objetivos estratégicos vs. objetivos gerenciais, 22-23
Occupy Wall Street, 67-68
Old Navy, 76-77
Oldham, 204-205
Olsson Associates, ativistas e exemplos verossímeis, 82-85
Olympus, 194
"Ondas" da evolução do RH, 3, 17-23, **18-19**, 193. *Ver também* Evolução do RH
Ontario Society for Training and Development, 32-33
Operações, melhoria, 259
Oportunidades de crescimento e desenvolvimento profissional, 200-205
Organização Internacional do Trabalho, 103, 157-158
Organização *versus* indivíduo, 21-22
Organizações abundantes, 120-123, **121-122**
Organizações para profissionais de RH, 99-101
Órgãos reguladores, 204-205
  como receptores de valor do departamento de RH, 219-221
Oriente Médio, 18-19, 42, 61-62, 71
Otimização do capital humano, 157-160
Otimizando o capital humano, 157-160, 256
  avaliação SWOT para, 158-159
  comprar vs construir vs ambos, 158-159
  criticidade, definindo importantes papéis estratégicos para, 157-159
  gestão de mudança e, 158-159

P&G, 158-159, 186, 244-245
Packard, Dave, 173-174
Padrões, 31-32, 227-228, 238-239
  adaptação a mudanças com, 167
  desempenho, 165-167, 207-208
  desempenho do RH, 28
  desenvolvimento de talento e, 159-161
  padrões baseados na equipe, 207-208
Padrões ISO, 178-179
Padronização, 31-32
Page, Larry, 160-161
Países BRIC, 13-14, 244-245
Países CIS, 61-62
Países EMEA, 18-19
Papéis dos diretores de RH, 33-34
Papéis dos entrevistados no HRCS, 39, **42**
Papéis dos profissionais de RH, 233, 241-243
Papel de contador de histórias, 75-77
Papel de executante para o profissional de RH, 242-243
Papel de intérprete estratégico, 76-79
Papel de líder competente para o profissional de RH, 242-243
Papel diagnosticador para o profissional de RH, 241-243
Papel do facilitador, 78-80
Papel do facilitador estratégico, 78-80
Papel do observador para o profissional de RH, 241-242
Paquistão, 244-245
Paradoxos que o RH enfrenta, 20-23, **20-21, 23-25**
Parceria de aprendizagem, 211-213
Peace Corps, 153-154
Pearson, Mark, 149. *Ver também AXA Equitable*
PepsiCo, 9, 157-158
Pequenas vitórias, 96-97
Perguntas de pesquisa usadas no HRCS, 36-39, 48-50
Personalidade, Janela de Johart, 205-207, **206-207**
Pesquisa de mercado, 184-186
Pesquisa sobre a eficiência do RH, 218-225
Pessoas vs. negócios, 21-22
Peters, Tom, 195

Pfizer, 181-182, 211-212
Piazolla, Rino, 149. *Ver também AXA Equitable*
PIMCO, 71
Planejamento de carreira, 195
Planejamento/análise da força de trabalho, 157-160, 256
Plano de sucessão, 19-20
Plano empresarial para o departamento de RH, 224-229, **226-227**
Planos de ação, 114-116, 227-228
  capacitação organizacional e, 110-112
Polaroid, 190
Política, 11, 61-62
Por que Trabalhamos, 195
Posicionadores estratégicos, 3, 50-51, **50-51**, 54-55, 59-80
  abordagem de fora para dentro, 62-63
  conexão do *stakeholder*, 68-71
  conhecimento do negócio vital para, 62-64, 67-69
  contribuição estratégica e, 65-66
  criando blocos de, 64-65
  decodificação das expectativas do cliente por, 72-75, 250
  definindo o, 62-58
  desenvolvendo competências para, 249-250
  desenvolvimento de agenda estratégica e, 74-80, 250
  domínio do contexto por, 70-72, 249
  eficácia e impacto comercial por, 56
  exemplo da Novartis para, 61-62
  exemplo do Grupo MOL para, 59-60
  exemplo do Singapore Housing Development Board, 60-61
  fatores essenciais para, 66-80
  interpretando o contexto global por, 67-72
  modelo de, 234-235
  o posicionamento definido em, 63-65
  papel de arquiteto estratégico, 65-66
  papel de contador de histórias de, 75-77
  papel de facilitador estratégico de, 78-80
  papel de intérprete estratégico de, 76-79
  posicionamento do investidor e, 69-71
  stakeholders externos e, 65-66
  teste para autoavaliação para, 265

Posicionamento global, 13-14
Prahalad, C.K, 176, 184-185
Práticas de pessoas, 151-152
Práticas inovadoras de RH, 18-20
Práticas organizacionais, 170-164, 257
   aprendizado e, 164
   auditoria de comunicação para, 164, 165
   controle em, 163
   formação de equipe e, 163-164
   objetivo em, 162-163
PricewaterhouseCoopers, 242-243, 245-246
Primavera árabe de 2011, 10, 67-68
Primeiras aplicações da abordagem de competências, 31-32
Priorizando as competências do RH, 57, **57-58**
Processo *SMART*, definição de objetivos, 96-97
Processo STARTME, na gestão de mudanças, 138-140
Processo STEPED, 239
Processo vs. evento, 22-23
Produtividade e RH, 232-233
Proficiência pessoal, em líderes, 169
Profissionalismo em RH, 3-4
Programa 51Job (China), 38-39
Programa CleanOut (Unilever), 187
Programa *Go Fast* (GM), 187
Programa *GROWWW*, 60
Programa WorkOut (GE), 187
Progresso, definido para RH, 27-28
Projetos desafiadores, 210-212
Promoção, 8, 160-162
Propostas de valor, 34-35
Propriedade intelectual, 34-35
Prudential PLC, exemplo de RH eficiente, 215-216, 220, 229, 233
Publicações, 71, 100-101

Questões da zona cinza, em ética, 89-90
Quintiles, 103

Rastreamento, na gestão de mudança, 139
RBL Group, 167
Reagan, Ronald, 161-162

Receptores de valor do departamento de RH, 219-220, **219, 221**
Recomendações para o RH, 33-36
Recompensas/bônus, 8, 19-20, 151-152, 154-156, 166, 246-247
Recrutando funcionários, 59-60, 160-162
Recursos, em gestão de mudança, 139
Regras de ouro para agentes de mudança, 96-97
Reino Unido, 215, 231
Relacionamentos em rede, 95-96, 100-101, 212-213. *Ver também* Criando Relacionamentos
Reorganizando o RH, 239-240
Respeito, 93
Responsabilidade, 139, 151-152, 154-156, 163
Responsabilidade administrativa e HR, 243-245
Responsabilidades e papéis, 233, 243-245
Resultados variáveis de HRCS, 37-38
Retorno sobre os intangíveis (ROI), 69-70
RH administrativo, 17-19
RH Corporativo, 231, 233
RH incorporado, 231, 233
RH Norge, 38-39
Risco/Gestão de risco, 13-14, 93-94, 96-97
Roffey Park Institute, 34-36
Romênia, 153-154
Ross School of Business, 38-39, 173, 248
Rubber-Maid, 186
Rússia, 13-14, 45-46, 125, 244-245
Rutgers University, 157-158

Sarason, Seymour, 212-213
Saskatchewan Wheat Pool, 127
Saudi Aramco, 209-210
Schmidt, Mayo, 127-128. *Ver também Viterra*
Schoonover, Stephen, 35-36
Schuyler, Matt, 125-126. *Ver também* Hilton Worldwide
Scorecards, 234
SCP, 38-39
Segmentação, 34-35

Seis Sigma, 142-144, 178-179, 200-201, 211-212
Seligman, Martin, 118
Sem significado, 166
Serviços de colocação, 8, 30-31, 160-162
Severin, Rogers, 82-83. *Ver também Olsson Associates*
Shell, 211-212
Shell Canada, 31-32
Shepard, Herb, 96-97
Simplicidade, na gestão de mudanças, 138-139
Simplificação dos processos comerciais, 13-14
Singapore Housing Development Board, posicionamento estratégico em, 60-61
Síntese das capacidades organizacionais, 106, **106**
Sistemas BAE, **28**-30
Skype, 10
Smallwood, 108
Smart, Jill, 217. *Ver também Accenture*
Society for Human Resource Management (SHRM), 35-36
Sócios/fornecedores, 12-13, 203-204
   como receptores de valor do departamento de RH, 219-221
   conhecendo parcerias e, 211-213
Software, 175
Stakeholders, 10, 12-13, **12**, 20-22, 37-38, 65-66
   como receptores de valor do departamento de RH, 219-221
   mapa para a criação de relacionamento para, 94-96
   posicionadores estratégicos e, conexão com, 68-71
Stalk, George, 107
Statoil, 154-155
Sucesso empresarial e competências de RH, 54-55, **56**, 57-58
Sustentabilidade, 22-23, 34-35

Tanzânia, 153-154
Tata Consulting Services, 181-182, 231

Taxa de resposta às pesquisas do HRCS, 38-39, **39**
Taxa de resposta por região no HRCS, 42, **42**
Taxa de resposta regional no HRCS, 42, **42**
Taylor, Frederick, 31-32
Tecnologia da Informação (TI), 14-16, **16-17**, 174
Tecnologia/proponentes tecnológicos, 3-4, 11, 19-20, **50-51**, 51-55, 57, 173-191, 240-241, 244-246
   alavancagem de mídia social pela, 180-184, 259
   conectando as pessoas com, 183-191, 260
   custo da, 174, 175
   definição, 174-177
   eficácia e impacto comercial pela, 56
   evolução de, no RH, 176-177
   exemplo BPS de, 178-181
   fatores essenciais para, 176-191
   gerenciamento de dados, 175
   gestão de mudança e, 128-130
   melhorando a utilidade do RH por meio de, 176-181
   melhoria das operações por, 259
   modelo de, 235-236
   pessoas conectadas pela, 183-191, 260
   software integrado e, 175
   tecnologia da informação (TI) e, 174
   teste para autoavaliação para, 264
   uso bem sucedido nos negócios, 175-181
TED, 103
Tendência no negócio, 10-12, 71, 114-115
Tendências no RH, 34-36, 71, 45-49
Tendências sociais e de negócio, 11
Terceirização, 18-19
TI. *Ver* Tecnologia da Informação, tecnologia
Tiffany & Co., 169
Time International, 71
Timken Company, 186
Tomada de decisões, 163, 190-190
Towers Watson, 32-33, 152-153
Transparência, 151-152, 166

Treinamento, 8, 32-35, 59-60, 97-98, 100-101, 204-206
  ações de aprendizado e projetos desafiadores para, 210-212
  desempenho e, 166-167
  desenvolvimento de talento e, 159-162, 256
  mudança individual e, 140-142
  opções da Academia de RH, 269-275
  parcerias de aprendizagem e, 211-213
  práticas organizacionais e, 164
Turquia, 13-14, 38-39, 42, 125, 244-245
Twitter, 180-181

U.S. Army Air Corps, 31-32
U.S. Government Accountability Office, 243-244
UBS, 181-182
Ulrich, David, 32-33, 108
Uma nova marca para o RH, 212-214
União Soviética, 61-62
Unilever, 187, 211-212
Universidade da Califórnia, 205-206
Universidade da Pensilvânia, 118
Universidade de Michigan, 32-33, 38-39, 173, 211-212, 248
UPS, 77-78

Valor das competências, 30-31
Valorização das funções/valor do RH, 246-247

Vantagem competitiva, 30-31, 157-158
Vault, 101
Viale, Telma, 157-158. *Ver também International Labor Organization*
Victoria´s Secret, 169
Vietnam, 13-14, 244-245
Virgin, 231
"Vírus" que impedem a mudança, 143-148
Visão, 27, 75-77. *Ver também Objetivo*
Viterra, exemplo de campeão de mudança, 127-128

Wakely, Jane, 88-89
Waldorf Astoria, 125
Wall Street Journal, 71
WallMart, 64-65
Welch, Jack, 18-19, 153-154, 200-201
Woolcock, Patty, 33-34
World Federation of People Management Association, 33-34
Wright, 33-34

Yeung, Arthur, 33-34
YouTube, 180-181

Zakaria, Fareed, 71
Zappo, 248
Zynga, 194